吉川英治歴史時代文庫 54

新・平家物語 (八)

講談社

目次

かまくら殿の巻（つづき） 7
三界の巻 168
略系図 120
註解 121
欺されたねえ　平岩弓枝 126
新・平家物語の旅(八)　尾崎秀樹 128

新・平家物語（八）

かまくら殿の巻（つづき）

水鳥記

十月二十日の夜。雨を思わせる風が、冬にも似ず、生あたたかい。

富士川口の海上も、上流の山岳地方も、いったいに雲が多かった。

薄雲をとおして、二十日ごろの月が、両岸の蘆荻（ろてき）を、夢のように見せ、夢のように暗くした。

それは、主流だけでなく、大小無数な沼とも続いているように望まれる。所々の樹林、畑、畷（なわて）、遠望しただけでは、どこが敵の陣地やら分からない。これでも敵がいるのかとさえ疑われてくる。

うら悲しくなるほど静かである。

三保のあたりで千鳥が啼（な）く。

また、え知れぬ水音がどこかで立つ。何かに驚いた水鳥にちがいない。

「しゃつ、平家め、こなたよりのお使いを、斬ったと告げて来たぞ。今、かような矢文（＊やぶみ）

を」

水辺に屈みこんでいた一隊の内から、ひとりの部将が、敵からの矢文を拾って読み、加島の中軍へ馳けこんで来た。

きのう、頼朝はここまで、馬をすすめ、今夕にいたるまで、川をはさんで対峙していたが、夜にはいって、敵の大将権少将維盛へあて、「夜明けとともに矢合わせ申さん」と、使者を送っていたのである。

ところが今、上総守藤原忠清の名で返して来た矢文によると、使者の首を刎ね、これをもって、乱賊追討の血まつりにするとあった。もとより文辞は不遜を極めている。

「あわれや忠清、今すぐ、眼を醒ましてくれようぞ」

頼朝はののしった。

決戦状は、一計にすぎないのだ。かれの待つある戦機は、明朝ではない、夜明け前にある。

「……が、さすがは維盛、忠度。戦は心得ておる。もし頼朝がここまで、何も覚らずに馬を進めていたら、伊豆からは伊東祐親に襲われ、相模路からは大庭一族に脅かされ、甲斐境よりは長田忠致父子に忍び寄られ、討死のほかなかったろうに」

自己に誇らず、敵方に立って、敵の抱いていた戦略を分析してみると、頼朝は今さらのように、慄然とせずにいられない。

およそはと、直感の下に、先を取った果敢が、図に中たったのであった。

「——とも知らぬ忠清よ。さすが維盛も忠度も、自身の施した計略が、逆になって現われようとは、覚るまい」

渡り鳥が、また、雲間を縫ってゆく。

陣地は、半里にもわたっているが、一火の光もなく、馬も人も、眠っているように、寂としていた。

「殿。……他の方々にも、ここへ出て御覧じあらぬか」

陣幕の外から、岡崎義実が、さし招いた。

何かと、人びとはかれについて、幕営の外へ出て行った。眼にはいる物もない。渺として、薄明の大河と雨気をふくんだ月色があるだけだった。

「なんじゃ、義実殿のたばかりよな」

「いやいや、しばし、こうしておられい」

義実は、兜*のしころを指先で上げ、耳を対岸の方へ向けて見せた。

——オオと、人びとも耳をそばだてた。

おりおりの微風に乗って、遠い水のかなたから、優雅な管絃の調べが聞こえてくる。

諸将のうしろに佇んで、頼朝もはっきり聞いた。

「……はて、あの優雅なまねは、悠長さは？」

「いかに平家の公達とて」

諸将は怪しみあった。坂東武者には解けない都人の心理なので、物の怪でも探るような疑心を抱いた。

が、頼朝はそれを、敵が、心の余裕を誇るものと聞いた。示威でさえあると思った。

「憎い敵かな」

そうつぶやいて、

「まだか、約束は」

と、催促するように諸将を見まわした。

そのとき、はるか上流の安居山のいただきに、星ほどな火が明滅した。それに応えるように、対岸遠くの富士見峠にも、チラと幾つもの火光がうごいた。

「あっ、見えまする」

「おうっ」と、頼朝もあたりの諸声とともに叫んで「――馬を」とどなった。

令の必要はない。令は事前に行き渡っている。

頼朝は、馬上に。諸将は、部署へ向かって馳けなだれ、*螺兵は貝を吹いた。

まっ黒に、人馬が渦巻く。しかし一律の下にある秩序を示し、それが整々たる陣形をなすとともに、長い岩壁が押し出されるように、河原の際まで、地鳴りをとどろかして馳け出した。

中軍だけではない。

富士川の約半里にわたる水際にそれが起こった。

それと、陣々の全線から三保の川口、海上にかけてまで、松明、漁火、かがり火、野火、あらゆる所に火焔がいぶり出した。これを平家側から望見したら、筑紫の不知火かとも疑われたにちがいない。

平家の陣中に聞こえていた管絃の音は、もちろん、この一瞬にかき消えた。――それに代るに、馬の狂奔と、いななきと、武者のわめきと、女の悲鳴などが、夜半のやみを、われからなお、暗澹なものにしていた。

すでに、そこへは、潜行した源氏勢の馬蹄が突入していたのである。――上流から奇襲に出た武田信義、一条忠頼、江馬四郎義時、佐々木定綱、盛綱などの一隊、二隊、三隊と馳けつづくのがそれだった。

また、べつな一軍は、甲斐境を大まわりして、富士見峠から庵原へ下り、平軍の後方を断とうとしたが、これは、間に合わなかった。

なぜならば、早くも平家の総軍は、総なだれとなり、怒濤の退くような迅い逃げ足を見せていたからである。

「退くな、見ぐるしい」

「どの顔さげて、都へ帰るぞ」

維盛、忠度のみか、恥を知る公達輩は、声をからし、あぶみを踏んばり、幾度かは、死力を賭けて、踏みとどまろうと試みた。

「いや、ここはお退きあるが御分別です。殿軍は、それがしにお任せあって」

伊勢武者、伊藤次郎景安の一手は、あとに残って奮戦した。源氏の飯田太郎を討ち、さんざんに働いて、討死した。

源氏勢は、由比、薩埵、清見潟を見ても、なお追撃をゆるめない。武田信光、三浦義澄、和田義盛、土肥遠平など――後方から頼朝の伝令があり、「長追いすな、引っ返せ」と呼び止められても、耳もかさないほどだった。

平家勢はといえば。

一たんの逃げ足は、異様な恐怖心理も手伝って、とどまる所もなく、夜が明けても、後ろに敵を見なくなっても、われがちに、海道を支離滅裂に逃げ急いでいた。

そして、都近くになるまでは、一日一夜も、かれらは、その恐怖から解かれることもなかった。

源氏武者に追われなくなったと思えば、途々、いたる所の飢餓の群集に襲われ、飢民の虎口からのがれたと思うと、また源氏の船が海から兵を上げて、道を塞いでいるなどと脅かされた。

維盛、忠度の両将が、疲れはてた駒を*不破ノ関に佇ませたとき、前後に見た味方は、わずか五、六十名にも足らなかった。

その中に、上総守忠清は見えない。

二人の胸には、その忠清の生死よりも、今となっては、あの老武者斎藤実盛の直言が、ひしひし、思いだされていた。

維盛不戦顛末

まだ都の内へは、なんの情報も伝わっていないうちのことである。

前右大将宗盛は、ふとそこへ取次いで来た形のごとき青侍を、穴のあくほどながめて、

「なんじゃ？　実盛が立ち帰ってきたと。……なにを呆けたことをいうぞ。頼朝追討の軍について、東国へ下った斎藤実盛が、いまごろ、都におるわけはない、人違いであろ、問い直して参れ」

と、あたまから粗忽な取次ぎとしてしかりつけた。

青侍はしきりに小首をかしげながら引っ込んだが、まもなくまた、廊の間の端へかしこまって、おなじ取次ぎをくり返した。

「――やはり別当実盛どのに違いございません。にわかなことのあって、駿河の清見潟から、大将方にも断りなく、単騎、脱け陣して来られたのだと仰っしゃられます」

「なに、脱け陣して来たとや」

「そのせいか、よろい具足を召されたまま、いたくお疲れの容子で」

「はアて、実盛にちがいなくば……これやただ事ではあるまい。すぐ通せ、早く通せ」

仰天とはこんなときのことであろう。宗盛は、まったく、びっくりした。

「――おお、実盛ではないか。ど、どうしたことぞ」

「まことに、面目もございませぬ」

「ま。そこでは話が遠い。もそっと近うはいって来い」

「このような陣中姿、旅路の垢、余りにむさ苦しゅうございますゆえ」

「かまわぬ。……いや、それどころかは」

と宗盛は、かれが近く寄るのを待って、

「たれよりは、よい分別者と信じて、維盛、忠度の扶けに添えてやったそなたが、無断、征地を捨てて帰って来たとは、どうしたことじゃ。そも、何事かよ実盛」

と、ひざがしらのふるえを抑えていった。

死をも覚悟し、老いの疲れも励まして、ここまで持って帰った憂いを、また信じるところを、実盛は、ただちに訴えた。

「せっかく大軍をつかわされ、またお鑑を給わって、不つつかな実盛まで、軍監の重任をかたじけのうして下りましたなれど、お味方の惨敗は、火を見るようなものでございましょう。残念ながら十に一つも勝てる見込みは立ちませぬ」

「まだ一戦を交えたとも聞かぬに」

「いや、合戦に及んでは、まにあいませぬ。――恨むらくは、都を立つ前に、すでに御出陣の機を逸していたことです。せめてお味方が、早くに、箱根、足柄を踏まえていたらと」

「それに望みを失って、そちは帰って参ったのか」

「なんの、さほどなことで戦場をあとにいたしましょうや。立ち帰りました仔細は、ここ早速に、五千の援軍をお繰り出し給わるか、さもなくば、令書をくだし、即刻、総勢をお引き揚げあるか、いずれかの策を、お採り上げ給わりたいがためにございまする」

「なに、五千の後詰をとな。それや容易ではない。御軍勢を呼び返すなどは、なおさらできぬ沙汰よ。したが、まだ頼朝の兵も見ぬまに、なぜ、さまでさし迫った憂いを抱くか。憂うるところなれば、維盛、忠度の両将へ進言してなぜよい思案を立てぬのじゃ。……怪しいことではある。そのような軍議を扶けるため、両将軍に付してやったそなたではないか」

宗盛には、のみ込めない。

もっとも、これだけか、実盛のいわんとする全部ではなかった。

頼朝追討軍の失敗は、都を立たぬ前にあった。それは出陣の出おくれにある。また、上総守忠清の狭量による帷幕の違和も、それを決定づけていた。

だが、実盛は、忠清の言行については、何も触れなかった。

恨みがましい讒訴は一言もいわず、ただ平軍必敗の兆しは歴然であるとして、四つの難を、かぞえた。

第一には。

ことしの空梅雨のための飢饉である。西国同様、海道一円も大不作で、現地の食糧は極度に涸渇しており、後方の補給も望みがたいこと。

第二には。

沿道の労役不足。飢民の不穏。

第三には。

味方の作戦齟齬があげられる。伊東祐親や大庭景親などの有力な東国の味方が、都の大軍の着かぬ以前に、敵に先を打たれてことごとく滅亡してしまったこと。

第四には。

後方の不安だった。もし尾張の知多あたりへ源氏方が上陸して、海道を遮断するなら、平家二万は、ふくろの鼠でしかないこと。

このばあい、飢民の襲来も予測されよう。としたら、何分の一が、無事に都へ帰ることができようか。

実盛は、宗盛にむかい、嚙んでふくめるように、説くのだった。

やがて、宗盛も、いちいち、うなずいた。

六波羅の庁令でさえも、糧米の公収はまったく成績が悪い。興福寺大衆や園城寺などの妨害にもよるが、事実、近畿の不作もひどいのである。

遠い戦地への輸送などは、思いもよらないし、現地の調達も困難だとすると、それだけでも、実盛の憂えは、むりもないと考えられた。まして、実情が、すべて実盛のいうようなものだとすれば、頼朝追討の計は、中央としても、大失敗であったと認めるしかあるまい。

「そうか。よく分かった。そちの忠言と、上総守忠清の意見とが、相容れぬとみえる。そのため、急を都へ訴えに来たか。……いやいや、そちは申さずとも、察しはつく。……はて、困ったものよのう」

宗盛は、まったく滅入りこんで、

「ともあれ、儂の一存では、何も計れぬ。相国禅門へお伺いしてみたうえで」

と、実盛を館に待たせておき、にわかに、雪ノ御所へ車をやった。

雪ノ御所では、ただちに、一門の評議となった。しかし多くの者は、疑いを抱いた。

「実盛と申すは、もともと、武蔵長井ノ庄の源氏武者ではおざらぬか」

と、こだわる懸念もあり、また、

「つい先ごろの上総守忠清が書状にも、さような負け色は、露ほども訴えておらぬが」

と、いぶかる者も多かった。

二、三日はすぐ過ぎた。するともう、尾張、美濃路からのしきりな早打ちである。

「……富士川陣のお味方総引き揚げとなって海道を雪崩れ立って候う」——とある。

すべては実盛の予言を証拠だてて来た。かれが憂えていたとおり、源氏方の一手は山越えをとり、一手は海上から上陸して、平家全軍の退路を断ちにかかったのである。

たまたま、海道の味方がそれを富士川へ急報したのが原因だった。かねて、実盛の諫(いさ)めも耳にあったことだし「――すわ」と騒ぎ出したのである。そこへまた、甲斐源氏の武田信義らの奇襲を見、上を下への混乱となり、われがちの潰走(かいそう)を起こしてしまったものだった。

逃げ足の早いのは、すでに旧都にたどりつき、途中、源氏の海兵や、飢民に襲われた者は、なお山野をうろついているらしい。

何しろ、支離滅裂となって、続々、引っ返し中であることだけは確かだった。

清盛の不満はひと通りでない。

それはかれが、頼朝の旗挙げを聞いたとき以上の、憤り方であった。

頼朝の敵対は、他人の行為である。しかし、このみぐるしい、頼りない、そして世間態の悪い負け軍(いくさ)をやってのけた将どもは、かれ自身の孫であり弟であるのだ。単なる怒りや憎しみではすましきれない。

「宣旨(せんじ)を奉じ、大将軍の綬(じゅ)を拝しながら、どの面(つら)さげて、都へはいる気ぞ。維盛、忠度、忠清なんど、大津口よりこなたへ入れるな」

と、いいつけ、そして再び、

「諸士への見せしめ、忠清は打首に処し、維盛、忠度は遠国へ流してしまえ」

と厳命を下した。

しかし、この処分には、宗盛たち一門が、入道相国の座下にぬかずいて、自分たちの落度のように詫びぬいた。初めは、容易にゆるす気色もみえなかったが、根負けしたかたちで、ついには清盛も、

「それほどまで、おことらが取りなすならば、このたびだけは」

と、やっといった。

一門の人びとは、ほっと眉をひらいて、退出した。けれど、清盛には、なぐさめ得る何もなかった。どこかで平家の晩鐘を告げるかの想いさえしないではない。そしてこのごろでは、自分の嚇怒にも長くは耐えない疲れを覚えながら、

「――このようでは、まだ清盛も老いてはおられぬ。幼帝の御成人、福原の都づくり、一門のかためなど、もうしばし眼に見るまでは」

と、ひそかに、老虎のうそぶきをなすのであった。四面の楚歌も大厦の崩壊も、その老い骨一つに負って、なお信じている余命の闘志を、むりにでもかき立てようとするかれであった。

ちぢに思いを

一方。暁の富士川に、凱歌をあげた頼朝は、

「このまま、平家を追いまくして、一気に上洛をなし遂げん」

と、いうほどな意気だった。

岡崎義実、上総介広常、千葉介常胤、土屋宗遠など、みな、それには反対した。

「常陸、下野には、まだ頑強な平家の与党が残っており、鎌倉の新府とて、なんらの備えがあるわけでもありません。ここは、ひとまず軍を退かれて、地固めをしておくこそ、良策ではございますまいか」

「地固めとな。……そうか」

頼朝はすぐ反省の色をもった。

「なるほど、富士川などは、出陣の手斧始めだ。すぐ、寝殿の棟上げを急がんとは、いささか頼朝として不所存であったな。騎虎の勢いにある者どもも、急いで呼び返せ」

そしてかれ自身の中軍も、翌日には、もとの黄瀬川まで引き揚げていた。

黄瀬川の宿では、〝吉例のおん宿〟というので、さきに泊った松田ノ亭が、本陣にあてられた。

着くと、すぐ、

「義定、信義をこれへ」

と頼朝は、二人を招いて、直々に、いい渡した。

安田三郎義定を、遠江の守護に。また、武田太郎信義を、駿河の守護に。――すぐ赴けという辞令である。

そう二組の部隊がここを出発するのと入れ違いに、昨夜来、遠くまで敵を追撃して行った武者輩が、引き揚げて来るやら、また近郷の僧侶、神官、里長などが、献上物を携えて、戦捷の賀をのべて帰るなど、陣門の雑鬧はひと通りでない。

　山野へ影を潜めていた避難民も、水のわくように、どこからか姿を現わし、物売りや物乞いの群れは、幕営の通路へ来て、忙しい将士を追いまわしている。

　ここにはもう戦場の殺気も解けて、男女の野鄙な冗談や笑い声がわいていた。富士川ひとつ隔てた海道筋では、まったく、影をひそめた糧米の俵も、鮮魚や酒も、招かずして集まってくる。

　また、この日は茜色の夕富士まで、勝者の門の繁昌に花を添える如く鮮やかだった。三島、沼津、黄瀬川などの宿々にも、数日絶えていた炊煙がいちどに立ち昇り、「ああ、今夜は屋根の下に寝られる」と、またたき合っているような灯もチラチラとながめられた。

　わけて、松田ノ亭の本陣は、十重二十重の人馬の夜営に、ぼうと、赤い宵空を咲かせている。

　陣門の大かがり、あなたこなたの幕舎の焚火、炊ぐ匂い、魚など焼く煙、往き交う松明、兵の声、馬のいななき。

　勝者の陣では、騒音も、にぎわいだった。

中に、静かなのは、頼朝のいる亭の幾棟だけである。そして、そこの御湯殿らしい窓からは、白い湯けむりが、ほのぼのと流れていた。

おりふし、勝者頼朝も、

「まずは、よし」

と、この宵、ひと浴みしていたものであろう。

「やあ、火が見ゆる。あまたな篝火が」

「オオ、黄瀬川のあたりに」

足柄越えを、西のくだりへ、くだりにまかせて、いま、急ぎに急いで来た一群の人馬がある。

ひとつの山蔭を出て、富士の裾いっぱいな陸影と駿河の海とを、一眸にしたとたんに、

「あれは？」

と、馬も人も、喘ぎを休めて、佇みあった。

「あれなんまさしゅう、鎌倉殿の御陣所と思わるる。惜しや、道々のうわさにたがわず、はや御合戦はすんだらしい。……ええ、間に合わなんだか」

九郎義経は、唇をかんで、しばらくはただ、連れの人びととおなじように、馬上の眸を、果てなくしているだけだった。

武者えぼしに、腹巻だけの身がるい具足姿。

かれ以下、騎馬の面々は十人余り、徒歩武者二十人ほどの同勢だった。けれどいずれ

も、華やかといえるいでたちではない。

むしろ、汗くさく、土くさい、山沢の若者ぞろいという方が適切だろう。取っておきの鎧一領に、長柄一筋をかい込み、初めは、みな騎馬で出たのだろうが、途中、幾頭も乗りつぶし、馬を捨てた者は、脛にまかせて、急ぎつづけて来たものらしい。

「いやいや、ここで御落胆には及びますまい。なお、世は平家の下、源氏のゆくてには、はかり知れぬ戦いの野や海が待っておりましょうに」

やがて、いう者がある、佐藤継信であった。

九郎は、その顔を、多くの連れの中にも特に見て、

「よういうた継信、わしもそう思う。遂に、まにあわぬものなら、ゆるやかに参ろうぞ」

「おう、参りましょう」

ほどなく、ふもとの部落、土狩を通る。黄瀬川の水は、もうこの部落のわきを流れていた。

やがて、次の宿場口へかかると、ここの通路を守備していた夜営の将士が、

「待てっ。どこを通る」

「どこの将士ぞ」

と、一行の前に立ちはだかった。

まっ先の者が、明瞭に答えた。

「さん候う。これは鎌倉殿のお旗挙げと聞き、みちのくの遠くより、夜を日についで急ぎ参った者どもにて、あれなる馬上の君は、鎌倉殿のおん弟に当らせ給う九郎殿にておわせられる」

「なに、鎌倉殿のおん弟とな。して、そのほかの者は」

「それがしは、藤原秀衡殿の家人にて、佐藤庄司継信（つぐのぶ）と申し、これなるは弟の忠信」

「ではみな、秀衡殿の家人でおざるか」

「いや、平泉より参ったのは、われら兄弟だけで、他の面々は、九郎君（くろうぎみ）をお慕い申し、途中からおん供に加わった者どもです」

「では、一人一人、名のって欲しい」

「心得申した」

継信は、同勢を、振り向いて、

「名のれというわ。おのおの、順に名のりをあげ候え」

と、告げ渡した。

おうと、大勢の影がうなずく。そして、九郎義経をのぞく以外、前の者から順々に名のった。

「下総、深栖（ふかすの）三郎光重の子、陵助重頼（りょうのすけしげより）」

「次なるは、伊勢三郎義盛」

「下野国鳥山の住人、那須余一宗高の舎弟、大八郎宗重です」

「武蔵の比企藤四郎義員」

「おなじく、越生の亀丸」

「吾野余次郎」

「仙波七郎」

「猪俣小平六」

「箱田次郎丸」

そのほとんどは、武蔵野を中心とする草の実党の人びとであり、やがて、さいごに、九郎の駒わきに立って、馬の口輪を把っていたやや年長けた武者は、

「それがしは、鎌田正家が一子正近。——すべて三十二名、怪しげな群れではおざらぬ。何とぞ、御陣所までお通しねがいたい」

と、かしらを下げた。

守備の部将も、礼を返して、

「自分は鎌倉殿のみうち、仁田四郎忠常でおざる。お疑いは申さねど、警固の任、大勢をばお通しするわけにはゆかぬ。九郎殿御一名のみなれば通り給ん。あとの御人数は、並木口にて、お沙汰あるまで、お待ちあれ」

と、いった。

「もとより、それが順序」

異存はありえぬことと、九郎はすぐ駒を降りた。そして供の同勢を、ここにおき、た

だ一名で、頼朝のいる松田ノ亭へ尋ねて行った。

詰所のかがり火、甲冑の人影など、ひと際、いかめしく守られている柵門が見えた。

九郎は、とつこうつ、あたりをながめて、

「ここならめ。……兄君のおわす宿所は」

と、往きつ戻りつしていた。

気おくれではないが、ここへ来て、にわかに、胸の高鳴りが、抑えきれない。なつかしさ、はにかましさ、十年の恋を、いま遂げるような想いがする。

とはいえ、母は違う、生い立ちも違う。

(――九郎などと申す者は知らぬ)

ひょっとしたら、そんな風に仰っしゃるのではあるまいか。

いや、いや、そう仰っしゃっても、ご無理はない。数奇な運命と時代の下に生まれ合わせ、お互いこの年ごろまで、会いも得ずに成人して、兄弟というも名ばかりの薄縁な兄弟。

こよいたまたま、巡り逢える。それだけでも、なんぼうよろこばしいことではないか。まして、亡父義朝の子として、平家を討たんという一つ志と、一つ旗の下に、相逢うのだ。――お目にかかったらまず何から話そうぞ、どんなお物語りがあることぞ。

九郎は、ちぢに思う。

うつつもなく考える。

気がつくと、身はいつのまにか、柵門の内にあった。いたる所、武者の影はうごいているが、べつにとがめる者もない。

で、かれの足は、ものをうかがうように、亭の入口へ近づいていた。

すると、かれのうしろで、

「小冠者、どこへ行く」

と、おそろしい声がした。

はっと、振り返った眸の先で、九郎は無意識に、何者かが突き出した長柄の蛭巻（ひるまき）を、片手につかんでいた。

「あいや、もし……」

九郎は、声高に訴えた。相手の眼に、威嚇（いかく）と怪しみが、露骨に研がれているのを見——

「決して、不審な者ではない。鎌倉殿にお会いしとうて、はるかな国より、この夕べ、たどりついた九郎義経と申す者、奥へ、お取次ぎして給われ」

そのままで、小腰をかがめた。

「ならぬ」

言下に、きびしさを。そしてまた、相手の影は位置をかえて、立ちふさがった。

「たれであろうと、直々、おん目にかからんなどは、もってのほかだ。帰れ、帰れ」

「さもあらめとは、思うたものの、頼み寄る知るべもなきまま、わざと、こうは推参いたしたり。まげて、お耳へ達し給われ」

「なんといおうが、ここは御陣所。かつは夜中、素姓も知れぬ風来を、いちいち、おん前へ、お取次ぎするわけにはゆかん。――このほうは、土屋宗遠と申す御近習の一人、さほど、申しのべたき儀があるなら、このほうが聞いてつかわす。宗遠の幕舎まで来い」

「あなたに、用はない。会いまいらせたきは鎌倉殿」

「はて、しつこい小冠者めが、郎党に申しつけて、つまみ出すぞ」

「あわれ、待ち給え。事静かに、もすこし、ものを問うての後に」

「聞く耳はもたぬ」

土屋宗遠は、どなり出した。あたりへ向かって、郎党でも呼ぶかとみえたときである。

外から帰って来た土肥次郎実平と、岡崎四郎義実の二人が、ふと寄って来て、

「宗遠どの。間諜でも捕まえたのか」

と、ともに、じろじろと、九郎をながめた。

「いや、間諜やらどこの小冠者やら、為体はしれぬが、鎌倉殿に取次いでほしい、遠くより参った者ゆえと、しつこく吐ざいて、いかにしかっても、立ち去りおらぬ」

実平が代って、九郎に訊ねた。

「遠くとは、どこより来たか」

「奥州藤原秀衡殿の御国——平泉と申すところより参りました」

「平泉から」

「はい」

と、九郎は望みを持ち直して、すずやかに、

「年久しく平泉におりましたが、兄君のおん旗挙げと聞くからに、思いは翔け、心は飛び、いても立ってもおられませぬ。秀衡殿は、時、未だしと、止め給うことしきりでしたが、ついに無断、みちのくの関を駆け抜け、たった今、御陣前に、たどりついた仔細です」

「兄君と、いまいわれたのは」

「鎌倉殿のこと」

「して、御辺は」

「頭殿（義朝）の八男です。平治の後、捕われて、幼少を、鞍馬に送り、そのころは、牛若とよばれ、後に、九郎義経とみずから名のっておる者です」

「では、鎌倉殿の御弟だと、いわれるか」

「母こそ、ちがいまするが……」

「はアて？」

と、実平は、義実や宗遠と、顔見合わせて、

「幾人かの、お胞違いの御舎弟があるよしは、うすうす、われらも存じておるが、奥州藤原家のうちにも、さようなお人があったであろうか」

三人は、なお、半信半疑であった。言語は明晳であり、人の胸に沁み入るような快い情感をもつ声である。

陽に焦けたせいもあろうか、栗の皮みたいな皮膚、濃い眉、つぶらな眼、朱い唇。――総じて、からだは小柄で、肉はうすい。容貌では、頼朝と似ているところはどこもなかった。

ところへ、亭の内から、式台の端へ、どかどかと、馳け出して来た佐々木盛綱の影が、そこから、

「おのおの、おのおの」

と、呼びかけ、

「さいぜんから前栽にて、何事やある、なんの騒めきぞと、ただ今、わが君の御不審でございますぞ」

と告げ、さらに、なおいった。

「――で、それがしより、小耳に入れたままを、かくかくと言上申しあげたところ、非常なお驚きであった。――それなん、常磐どのが子よ、幼名を牛若といい、長じて、陸奥におるとか、風の便りに聞いていた九郎義経にこそ。……さては訪ね来つるか、すぐ

通せ、すぐ伴うて、連れてまいれと、いやもう、お待ちかねでおざる。——構えて、その御方に、無礼あるな」

「えっ、では、まこと、わが君にも御存知の？」

三人は、愕然とし、数歩ひらいて、いとも、うらぶれて見える、その一冠者を、見直した。

九郎は、式台の方へむかって、

「おう、では鎌倉殿にも、この九郎が名を、お覚えでございましたか」

もう、それだけでも、数百里を、ここまで馳けつけて来た心はむくわれたと思うのであろう。多感な双眸は、熱いものに、うるみかけ、頬は赤味を加えて、無性なよろこびに燃えかがやいた。

黄瀬川対面

「九郎君、ご案内申しあげましょう。——いざ、こなたへ」

式台の佐々木盛綱は、あらためて迎えの礼を執り、親切にかれを上へいざなった。そして何かと細やかな労りを見せながら、小坪の縁を、先へあるいて行った。

途中、九郎はふと、盛綱の背をよびとめて、

「御侍者、おそれいるが、どこか小部屋をお借り申したいが」

と、小声で求めた。

「さ、どうぞ、そこの廊の間へなりと」

それから、ほんのしばし、盛綱は小部屋の外にたたずんでいた。その間、何気なく、内の様子を見ていると、義経は、小袴のくくり緒を解き、烏帽子の埃りを拭い、また、笄を抜いて、数百里の道中に油けもなく乱れていた髪の毛を撫でつけるなど、手ばやく、装いを正している。

すぐ、出て来て、小坪の掛樋に手を伸ばし、鬢の毛も、ちょっと、水で撫であげた後、

「お待たせしました」

「およろしゅうございますか」

「はい。……」

処女のような君——と盛綱は心でながめた。うぶうぶしいその物腰には、武骨なかれも、接するのに自然、優しくならずにいられない。義経の一歩一歩はすぐ、広やかな一殿の床を前に見、無数の燭を見、また、居流れているあまたな武将の影を見て、いよいよ、処女のようだった。

広間のまん中であった。盛綱のいうがままに、黙ってそこへすわった。そして正面へむかい、いんぎんに、礼儀をした。なんといったらいいか、いうことばもしばし見つからない。

「…………」

正面のお人こそ鎌倉殿――兄の頼朝と、感じただけで、もう、胸がいっぱいなのである。

「…………」

頼朝もまた、無量な感をたたえ、しげしげと、義経を見まもっていた。

二十年の孤独に馴れて、骨肉のあるなしなども、頼朝は、まったく忘れていたのである。いま突然、眼のまえに、肉親の枝ともいえる一個の若者が、弟と名のって来たのをながめ、うたた、ふしぎな思いに打たれた。自己の生命の由来に、遠いなつかしみと憐愍を抱かずにいられない。

「風の便りに、みちのくにいるとか聞いていた九郎冠者とは、おことなるか」

「はい。九郎義経にござりまする」

「この頼朝が旗挙げと聞き、遠くより、馳せつけて来たと申すか」

「されば、まだ鞍馬にいたころから、伊豆には父をひとつにし給う兄君のおわすと人より聞かされて、長いあいだ、伊豆の空のみ密かに恋うてもおりましたゆえ」

九郎は、両手をついたまま、ようやく、確とその人を仰いだ。頼朝の全姿を、眉目のうごきまでを、眼のうちへ、むさぼるように、見すました。これまでは、想像の人でしかなかった兄が、眼のまえに、実在している。夢ではなく、愛情にみちた眸で、自分へはなしかけている。

これこそ、兄君である。父を一つにした兄。自分はこの人の弟と意識する。生まれながらの、数奇で宿命的なかれの孤独も、ほのぼのと、血のうちから、あたためられていた。

おなじ孤独でも、兄の頼朝が経て来た幽居の二十年とはおのずから違う。それとは比較にならないほど苛烈で冷酷な人中の孤独に揉まれて来た九郎という弟である。「自分にも、兄弟があった」という歓喜も、感激の度合いも、頼朝とは相違があった。うれしさにも、落差がある。

けれど、頼朝とて、よほどうれしかったものには違いなく、

「さても、よう来たぞ。よくぞ訪ねて」

と、何度もそれを繰り返し、

「むかし、わが家の祖八幡殿（義家）が、奥州へ遠征のみぎり、おん弟の新羅三郎義光殿には、兄君の戦難儀と聞き給うや、都の職を辞して、奥州へ馳せつけ、御加勢ありしとか、伝え聞く……。先ほどから、その故事も、思い出されていた。浅からぬこよいの機縁、黄瀬川の一夕こそは、お互い兄弟にとって、生涯、忘れうることではあるまい」

と、真情をこめていった。

諸将は、居流れていたが、冷ややかな十月の夜気と、吹き抜ける微風のほか、人もいないように、しんとしていた。

武者顔の一つ一つに、燭は揺れうごきもしたが、面々のどの眸も、主君の座と義経の姿に凝視を澄まし切って、またたきもしなかった。

髯の白い顔、熊のような顔、長い顔、まるい顔、もの柔らげで肝太そうなのまでが――ふと、いい合わせたように、顔をしかめて泣きかけた。肱を顔に曲げる。眼がしらを指で抑える。洟をすする。

そのとき、頼朝も、懐紙を取り出して、涙をぬぐっている容子に見えた。

また義経は、その兄から「――もそっと側へよれ」といわれ、うれしげに身をすすめたが、頼朝の前に寄り添うと、手をつかえたまま、ただ両の肩に、嗚咽の波をきざんでいるだけだった。

「…………」

満座の人は、それを見て、急に胸を揺すぶられたのである。

もらい泣きではない。諸将もみな、人の親、人の子だった。血につながる兄弟を持ちながら、遠くに別れ、あるいは、敵味方と隔てられている者さえある。

他を見て、じつは、自分へ泣いているのである。

――やがて、主君の座では。

義経の小柄な背へ、頼朝のやさしい手が、掛けられていた。そして沁々とした声で、弟をいたわる兄の声がそこでしていた。

「おことも頼朝も、おたがい、戦乱のちまたで、早くに父を亡くしたが、わけておことは、襁褓のうちに、平家に捕われ、さだめし頼朝以上の辛酸をなめたであろうに。……思えば、よう、成人なされたな。当年、幾歳か」

「二十二歳になりました」

「頼朝とは、ひとまわり下であったか。よい冠者振り、亡き父君にも、ご満足であろ。こよいの対面も、おひき合わせにちがいない」

「ただ、富士川の御合戦の日に、間に合わなんだのが、残念にございまする」

「いやいや、戦いもせず敵は逃げ去った。もし戦わば頼朝の思うつぼ、維盛以下、一人も都へ生かして還すことではない。だが、平家のうちにも、多少は兵略のわかるものもいたとみゆる」

頼朝は、誇らかに、いった。

もう、夕餉はすんでいたが、「きのうは、平家を追い崩し、こよいは奥州の九郎を迎える。こんな吉事はない」といって、ふたたび銚子や杯を運ばせた。

「対面のさかずきぞ」

九郎に与え、自分もうけ、

「あすは、戦勝のみこたえに、三島大明神へ詣でることになっておる。九郎もともに詣でたがよい」

と、きげんは、いよいよ、うるわしい。

そしてなお、「さだめし、九郎は空腹でもあろう。はや、食膳を与えよ」と、細かい

心づかいまで見せると、義経は、

「いえ、御陣門の外にはなお、長途を供させて来た郎党どもを待たせておりますゆえ、糧（かて）はその者どもと一つに食べまする。御斟酌（ごしんしゃく）なく」

と、辞退した。

「おう。そちにも、みちのくより連れて来た家来どもがいたはずよの。郎党は何名ほど」

「三十余名を連れおりまする」

「よい侍どもも、幾人かはいるか」

「はい。いささかは、ものの役に立つ者も」

「よい侍を養い、よい馬を飼う、いずれも、忘れてならぬ心得。では、陣屋へ退（さ）がって、その者どもと一しょに、はやく夜食をすましてやれ」

まもなく、頼朝もまた、座を立って、寝所へはいった。

あくる日、頼朝は、凱旋（がいせん）の将士をひきつれて、三島並木を行き、祈願成就の社参をとげたうえ、社領の寄進をして相模路へ立った。

九郎義経は、みちのく以来、また武蔵野あたりから、自分を慕ってともに来た一群の郎党と、凱旋軍の中に交じって行った。

まだ、鎌倉殿の弟君とは、知るもあり、知らぬもあり、それに富士川陣にも参加していないので、何か、肩身も狭そうな主従に見えた。

それに、富士川大勝の評判は、頼朝の名を、近国にとどろかし、この凱旋も〝鎌倉殿〟の威勢を、いやがうえにも、旺(さか)んにした。沿道、沸(わ)くがごとき見物人の波である。当然、将士の気位は、きのうの比ではない。義経主従などは、つい、眼の中にもない。

兄君の偉大さ。兄君の大きな覇力(はりょく)と徳望。

諸民や諸将とともに、それを讃仰(さんこう)こそすれ、義経は無視されている自分を、ひがみはしなかった。けれど、黄瀬川の夜の一とき限りで、あれ以後の兄は、また、だんだん遠くになってゆく気もしないではない。

十月二十三日。

頼朝は、一世の光彩を負い、得意を抱いて、国府鎌倉に帰還した。

かまくら日誌

鎌倉では、すぐ、初めての論功行賞*が発表された。

勲功の筆頭は、北条父子である。

また、配所以来、長らく仕えて来た人びとや、旗挙げ以後の、三浦党、千葉一族、そのほか多くの将士にも、もれなく、

「忠勤をめでて」

と、それぞれな恩賞があった。

わけて人びとから、羨望の的になったのは和田義盛で、「侍所ノ別当」に任ぜられた。石橋山から安房へ逃げる海上で救われた恩を、頼朝がきょうの賞にふくめているものだろう、と人はいった。

いや、頼朝にとっては、もう一人、忘れ難い命の恩人がある。

頼朝は、手許の〝降伏人名簿〟の中に、その恩人の名を見出していた。

「この者を、庭さきへ、召し連れい」

ある日、かれは、侍所へいいつけた。

やがて庭上にすわりこんだ縄付の男を見た。

男も頼朝を見まもっている。

「梶原平三景時か」

「いかにも、平三景時でござる」

「石橋山のみぎりには、大庭景親と、陣をならべ、弓をそろえて頼朝へ向かったな」

「われらは、平家武者。仰せまでもおざるまい」

「ほどなく、勝敗も定まった後、杉山の奥まで、頼朝の行方を捜し求めていたのは」

「されば、それがしも、そのおりの一人に相違ございませぬ」

「ではそのとき、頼朝が身を潜めていた朽ち木の洞穴を弓の先でかき探り、大庭景親の疑いを解いて、そのまま立ち去った者は……」

「それまで御存知なれば、平三景時のこの声にも、お覚えのあるはずで」

「いや、念のために」

「御推察におまかせいたしましょう」

「頼朝の首を、六波羅へ送れば、大功をもってむくわれように、なんで、あのとき、大庭といい争ってまで、頼朝を見のがしたのか。それだけを訊きおきたいのじゃ」

するど、平三景時は、にたりと薄笑いして、

「さても、事あらためて、おろかなお訊ねを蒙るもの」

と、いずまいをただして答えた。

「伊豆御雌伏のあいだも、よそながら、殿の人となりは、うかごうており申した。また、おん旗挙げの機も時を得たりと思われ、やがて、世は鎌倉殿のものと、人は知らず、景時のみは、信じておりました。——殿とて、そのお心備えと、御信念あるがゆえに起ち給うたのでござりましょうが」

頼朝は笑って「よし、よし」とうなずくように、それには何も答えなかった。そして、侍に命じて、景時の縄目を解かせ、縁へ上げて、こういった。

「どうだ、頼朝に仕えぬか」

「願うてもない儀にございまする」

一時、かれの身は、和田義盛に預けられ、その後、頼朝はこの梶原平三を、何かにつけて重用した。

おなじ降人でも、大庭景親を、頼朝はゆるさなかった。片瀬川の畔へひかせ、打首に処した。

つづいて、十幾名が、打首ときまっていた。

その中に、滝口三郎経俊の名もあった。

処刑の前日である。その経俊の老母が、

「お願いでございまする。この媼が命をも召されませ。せがれのため、ひと目なと、鎌倉殿に会わせて給え」

と、侍所の門へ、泣きすがって来た。

経俊の母は、かの比企ノ尼などとともに、頼朝が幼少のころ、乳人として仕えていた一人なのである。

頼朝は、会ってやった。

かれの姿を仰ぐと、経俊の母は、ひれ伏してしまい、ただ泣き沈むばかりだった。媼の子の経俊は、頼朝の敵方へまわって、頼朝を苦しめたばかりでなく、その旗挙げ前には、配所の藤九郎盛長が、かれの家を訪い、頼朝の教書を示して、味方に来れと誘ったところ、経俊はてんからそのもくろみを、小ばかにして、

（今どき、平家をたおさんなどとは、天に向かって唾するものだ。いわんや、配所扶持に生かされて来た佐殿が、百や二百のならず者をかたらって、世をうかがわんなどの沙汰は、鼠が猫を捕ろうとするより、もっと滑稽極まるものよ。そんな危ないすすめに乗

るほど、経俊はガツガツ飢えてもおらん、耄碌もしておらん）

と、ひどく豪語した。単に断るだけでなく、さんざん悪態口をたたいたものである。

頼朝は、忘れていない。忘れる人ではない。

今、子のため、老母がかき口説く涙ながらの詫び言を、黙って聞いていたが、やがて、

「――実平」と、うしろへ向かい、「そちに預けおいた鎧櫃。あれをここへ持って来て、中の物を、媼の眼に見せてやれ」

と、いった。

土肥実平は、辛そうな顔をした。主命、もだし難くである。それへ鎧櫃を持ち出して来た。そして中から、石橋山で頼朝が用いた一領のボロ鎧を取り出して、老母の前においた。

見ると、鎧の袖に、一本の矢が、突き刺さっている。

鏃は取り除いてあるが、矢の口巻には、あきらかに切銘の文字が読まれた。

〝滝口ノ三郎藤原経俊〟とある。

老母は、一言もなく、ただ、おののきふるえた。今は涙も出ない姿である。「これほどまで、深くご遺恨にしておいでられては……」と、悄々と、帰って行った。

さすが、老母の後ろ姿が眼に残って、寝ざめの悪い後味を覚えたのであろう。翌朝、頼朝は、降参人の獄屋へ使いをやって、

「滝口経俊は、斬るに及ばぬ。あらためて、府外へ追放をいい渡せ」

と、沙汰がえを急達した。

さいごまで、処分もしかね、といって斬れずにもいた生捕りの敵人は、伊東入道父子であった。

祐親入道と頼朝とは、そもそも、恩怨の始まりから、複雑な仲でもあった。

まだ、政子との恋は結ばれない前。

頼朝は、祐親の姫と、通じていた。子まで産ませてしまった。

都の大番から帰った祐親入道は、烈火のごとく怒って、むすめを山に隠し、嬰児は、淵へ投げて殺し、男の頼朝にたいしては、荒武者一隊を差し向けた。

頼朝は危機の寸前に、伊東をのがれ、蛭ケ島まで、命からがら、跣足で逃げ帰って来たのであった。——その後、何年たっても、何かというと、政子にもこの古キズを持ち出され、生涯の大難は、いまだに癒え切ったものとはいえない。

その大難のさい、自分を助けて、虎口から逃がしてくれたのは、祐親入道の一子、祐清であった。

祐清は好ましい男、よい侍と——頼朝は身に沁みている。その後とてかれへの好意だけは変っていない。

しかし、——こんどの場合。——旗挙げと同時に、伊東父子は、熱海路までくり出して来て、頼朝を牽制(けんせい)し、また、石橋山合戦の当日も、大庭勢と呼応して、一山の上に後(*うしろ)巻(まき)して、大いに源氏方を苦しめた。

さらに富士川陣でも、そうである。

維盛と計って、頼朝軍のうしろを突こうと策していた。

頼朝が、それを覚(さと)り、天野遠景をして、不意を襲わせたので、祐親入道は、「事敗れたり」と、狼狽(ろうばい)はしたものの、なお、海上を逃げ渡り、維盛の平軍と、一体になろうとしたほどである。

じつに危険極まる敵だし、敵ながら、その粘(ねば)りづよさは、驚嘆にも値する。

ところが、頼朝は、さて困った。

祐親入道だけでなく、子の祐清も、つまり父子ともに、今、鎌倉に生捕(いけど)られているからである。

親だけを斬って、子を助けるわけにもゆくまい。それをよろこぶ祐清でもない。

なお、この処分上には、べつにもう一つの難問題がある。伊東入道の長女は、三浦義澄の妻ということだった。

その義澄からは、

「それがしの寸功は、義父の一命にかえ、このたびだけは、何とぞ、入道の一命を助けおき給わるように」

と、再三の嘆願も出ているのである。

ぜひなく、頼朝は、

「しばらく、そちの家へ、預けおこう」

と、ひとまず伊東父子の身柄は、義澄の陣屋へ、預けておいた。

けれど、いつまで、不問にもしておけない。

頼朝は、肚をきめた。よい口実を待つもののようであった。助命にしてやろうと思う。祐清はともかく、入道を助けたくないのはやまやまであったが、三浦党の嫡家たる義澄に今恨まれても——と考えるのである。そこで、何か、心祝いの日でもあればと、おりを待っていた。

ちょうど、そうした慶事の日があった。頼朝はさっそく、和田義盛を使いとし、

「いささか、よろこびもあれば、父子の一命は、助けおく。父子打ちそろうて、参るように」

と、いってやった。

するとやがて、祐清ひとりが見え、かれの前に、平伏した。

「入道もと、申しやったはずだが、祐親入道は、いかがせしか」

頼朝の問いに、祐清は、静かに答えた。

「お使いを賜わるとともに、みずから一室に香を薫じ、今さら、なんの顔ばせあってと、自嘲しながら、相果てました」

「えっ、自害したと」

「はい」

「……ううむ、そうか」

しばらく、憮然としていた。

が、頼朝には、それを幸いとする気もちが充分にあった。一応は、祐清と瞑目をともにしていたものの、やがて、往事の追憶にことよせて、いい出した。それは、祐清をなぐさめ、入道の霊をも弔うような語調でいったものである。

「いまは一切の恩怨もないのみか、入道の心根こそ、あわれよの。すでに、罪は免すと申しやったのに、なんで可惜な死を急いだのであろ。——が、後となっては、いうも是非ないこと。ただ、そちのみは、長く頼朝に仕え、父の所領を継ぐがよいぞ」

「いや。……それはおゆるし願いとう存じまする」

「遠慮すな。そちが、滝口経俊のごとき者でないことは、平常に、みな知っておる」

「いえいえ。平に、その儀ばかりは」

「そう、辞退には及ばぬ。むかし……思えばもう、はるか以前だが、入道の激怒におうて、危うく、命をさえ奪われんとしたとき、そちが頼朝を庇うてくれたあの時のことを、今も、忘れてはおらぬ。……いわゆる善因善果というもの、憚りなく、助命をうけて、所領へ立ち帰り、以後、頼朝の力となって働いてくれい」

——すると、祐清は眉をかすかにふるわせた。

「さまで、祐親の子祐清を、さもしき男と、おさげすみなされますか。親の自害を眼に見ながら、なんでおのれ一人の生き永らえを楽しみましょうや。……むかしあなたをお助けしたのは、私事です、私情一片にすぎません。……けさ、父が自刃いたしたのは、多年、家門の無事をともにして来た平家への義に殉じたものにござりまする。……憚りながら、父の死を見るおん眼も、祐清の胸をお酌みくださることも、まったく、御見当違いなと申すほかはない。――もし、まこと祐清に一片の情けを垂れ賜りお心なれば、何とぞ、このまま、お放しくだされい。祐清が身を、祐清が心のままにまかせるというお沙汰こそ、望ましゅう存じまする」

「……そして、そちは、いずこへ参りたいのか」

「富士川を越え、都へ急ぎ上りましょう」

「ふうむ。都とは、平家の門へか」

「申すまでもございません。父のこころざしを継いで、あくまで、平家の陣に拠り、祐清が命を終わるまで、源氏武者の胸当に、矢を射て射つくす所存でござる」

「いうたな、祐清」

「お気にさわられたら、この場を去らせず、祐清が首をお刎ねください。みぐるしゅう、逃げかくれはつかまつりませぬ」

こういう男を、頼朝は見たことがない。

すずやかな姿である。少しも激血に駆られて口走っている風ではない。頼朝も、気を奪われた。というのか、感嘆してしまったものか、

「助命は、沙汰ずみのこと。いずこへでも、行くがよい」

と、いった。やや蒼白い苦笑をたたえて、かれのいんぎんなる一礼から、去り行く姿まで、眸を澄まして見送っていた。

頼朝の住居も、なおまだ仮の館である。侍所も公事所も、仮の建物だった。もちろん、九郎義経のため、特に与えられるような屋敷のあるはずもない。

で、九郎主従は、侍所のさしずに従い、近くの丘に、仮屋造りの一構えを建てて住んだ。そして日々、九郎は、頼朝の館へ、出仕してゆく。

たれいうとなく、その丘を、「九郎殿山」と、人は呼んだ。

九郎義経が、鎌倉殿の弟君なることも、いつか隈なく知れて、今は、鎌倉の武臣から、住民までかれの行く姿を見れば、

「優しげで、凛々しくもある君」

と、心からな敬愛と、そして、頼朝には持たない親しみをもって見た。

その義経はまた、日々の鎌倉殿で、兄頼朝の半面を、よそながら、いろいろ知った。

創業の諸問題で。

また、賞罰の面で。

起居、さまざまな、私生活の面でも。

「兄君ならでは」

と、その事々に、義経は心服した。ひそかな誇りでもあった。母こそちがえ、自分はこの人の弟であると。

あるおり、かれは呼ばれて、頼朝の前にいた。うれしいことであった。人も交えず、こう側近く招かれたのは、黄瀬川以後、めずらしいことだった。

「ちと、問いたいが」

「何事なと、お訊ねくださいまし」

「おことの手にある手勢の者、それらの者の生国、氏、素姓などだが」

「その儀なれば、さきごろ、侍所からのお求めがあり、一名もれなく認めたうえ、差し出しておきましたが」

「いや、その書類は、これにある」と、頼朝は、手筥の内の一綴を取り出して、くりひろげながら、

「型のごとき、氏名生国のほか、おことどの縁とか、また、系累なども、心得おきたい」

「もとより、九郎の郎党とて、兄君の御臣下です。もれなく、鎌倉殿の侍所に属する者どもにござりまする。なんなと、お訊ね給わりませ」

「――佐藤継信、忠信の兄弟。これは」

「宮城野の、湯ノ庄司が後家の子ですが、頭殿との御縁をさかのぼれば、源氏とも、浅からぬ家柄にございまする」

「いや、それは分かっているが、両名とも平泉の藤原秀衡の家臣であろうが——。秀衡の旨をうけて、何か、秘意をふくんで、おことを追って来た付人ではないのか」

「決して、さような二心の者ではございませぬ」

「では、次の那須大八郎とは」

「烏山の余一宗高の弟です。数年前、利根川の船中で知りあい、このたび、みちのくより馳せくだる途中、一夜を、烏山の城中で過ごした縁で、兄余一より、弟大八郎を、連れて給えと、頼まれました」

頼朝は、名簿を追って、なお、一人一人について、質した。

伊勢三郎義盛は？ ——深栖陵助は？ ——猪俣小平六は？ ——と細心である。

そして、さいごに、

「武蔵比企郡の比企藤四郎義員は、どうして、おことの手に付いたか」

と、きらと、べつな眸をした。

比企ノ尼の養子である。

尼のあの時のことばでは、夏から重病のため、参陣もできないで——といい訳していた。それなのに、義経の部下にいるのは、どういうわけか。頼朝は、あきらかに、不快としている。

「かような訳でございましょう」

義経は、義員の心になって、釈明した。

武蔵野の草の実党は、かつて、義経がまだ十六のころ、初めて奥州へ落ちてゆく道々の機縁から、義経に義をむすび、義経の起つときを、自分たちの起つときと、固く約していた。

比企藤四郎義員は、その草の実党の領袖でもあり、義経とかれらとを結んだ唯一の人物でもある。――で、頼朝の旗挙げに参ずることは知っていたが、なお、義経が奥州から馳せ下る日の方を、首を長くして、待っていたものにちがいない。

かれらは、義経が、平泉を出たことを伝え知ると、義員をかしらに、途中に出迎え、かつての約をたがえなかった。

「みな義に堅く、約したことは、およそ、空しくはせぬ者どもです。わけて義員は、仲間の者との誓いもあって、心ならずも、武蔵野の御陣触れには、さし控えていたものと思われまする」

頼朝は、そうかと、うなずいた。けれど決して、釈然とした風ではない。

「源氏の下に、さらに、何々党などとは、もはや無用なものだ。いや、許しうることではない。以後、草の実党などのことは、口にも呼ばぬことにせい」

「はい」

「また、この後とて、おことを慕うて、集い来る者もおりおりあろうが、そのつど怠りなく、侍所へ届けおけよ」

そのことがあってから、幾日もたたないうちに、比企藤四郎義員は侍所の命で、九郎殿山から、ほかの陣屋詰に移された。

また、深栖陵助も、厩御番へまわされ、そのほか、十幾名かが、義経のそばから転役を余儀なくされた。

九郎殿山は、急にさびしい。義経は、馬にさえ盲愛を感じるたちである。人への愛執*が人いちばい強い。部下とでも、そうだった。人の世のうちで、もっとも辛(つら)いことのように、別離を淋しがる。

そうしたところへ、ある日、この九郎殿山へ、一個の大法師が、旅草鞋(たびわらんじ)を踏みしめ、身にふさわしい大薙刀を片手に、ゆらりと訪ねて来て、

「これは、都の仁王小路に潜み、久しく、君のお便りを待ちこがれていた武蔵坊弁慶でおざる。かく、鎌倉まで下られながら、何ゆえ、弁慶には、一片のお便りも賜わらぬにや。――お恨みを申しに参ったりと、お取次ぎありたい。かつての、主従のおちかいは、そも、一時のおん戯(たわむ)れか否か。――弁慶でおざる。弁慶参ったりと、わが君へ、ご披露なありたい」

と、仮屋の門へ向かって、どなっていた。

九郎殿衆

義経はおりふし不在だった。この日も、九郎殿山にはいなかった。常のごとく、鎌倉

殿の侍所へ出仕していたのである。

留守の侍たちから、そう聞かされて、

「御不在なれば、ぜひもない、どこぞ邪魔にならぬ所へ、それがしを置かせ給え。君のお帰り待ちながら、ひと眠りしていよう」

弁慶は、ひとりぎめに、邸内を歩きまわり、やがて厩わきの小屋を見かけ、軒先へ腰かけこんだ。

冬の陽溜りはあたたかい。かれの姿は、綿みたいにふくれてくる。

いかにも、心地よげである。大薙刀の柄を肩に抱いて、瞼の皮をたるませ始めた。

侍たちは、さっきから皆、あきれ顔だった。武蔵坊弁慶といわれても、弁慶の何者かは、たれも知らないし、「どこの大法師やら？」と疑い、「九郎君とは、いかなるお知り合いなのか」と、その魁偉な風態を、こそこそ、のぞき見し合っていた。

たれがのぞこうと、ささやき合おうと、かれには、なんの反応もない。そのうちに、ごくんと大きな居眠りをしては、薙刀の柄を、肩から外しかけた。あわてて手の甲でよだれをふき、そしてまた、悠然と、瞼をふさぎ直している。

かれが、義経と別れたのは、去年のちょうど今ごろだった。

あれから、まる一年。

弁慶は、義経のことばを守って来た。世間に出しゃばらず、仁王小路の裏に隠れ住んだまま、老母のさめと一つに暮らし、ただ老母への孝養を、楽しみとして、送っていた。

さめは毎日を、喜悦と感謝の中に過ごし、「勿体ない、勿体ない」をいいつづけた。自分の息子が、こんなにも善良な、そして親思いで優しい子だったかを知るとともに、

（これもみな、九郎君のお蔭ぞや、ばばは、もう寄る年波、この世で御恩返しはできぬが、死んでの後もかの君のお身を守るつもりぞ）

と、いったりしていた。

その*口占が、すでに死期を覚っていたものか、あるいは、若いころからの苦労と、奴婢奉公の、奴隷的な生活疲れが、心のゆるみに出て来たせいか、ことしの秋、ふとした病で、死んでしまった。

母の亡骸を背負って、弁慶は、鳥辺野の山へ行き、ひとりで穴を掘り、ひとりで埋葬し、そしてその晩、ひとりで墓側に通夜をした。

（以前、僧門にはいっていたお蔭で、たった一つ役に立ったことは、ひと手を借らずに自分で亡母へお経を誦んでやれたことだけだ）

と、かれは思った。

それと、仁王小路の家には、さすがもうひとり住むには耐えなかった。何かにつけ亡母が思い出される。

しかし、この小一年は、生涯中での、いいことをしておいた日と、それだけには、いささかの悔いもない。いつ亡母が思い出されても、悔いを残していない点ではさわやか

だった。この後とも、この生命をどう生かしてゆくにせよ、何か、足もとのほのぼのとした明るさと、ひとり恥じないものに勇気づけられる思いがする。

ところで——と、かれはようやく、うずき始めた。

亡母も日ごろ、いいぬいていた。いったい、九郎君は、都を立たれた後、いちどのお便りもないが、今なお奥州平泉に、じっと、おられるのであろうか、否か。

頼朝の旗あげ、義仲の挙兵。

また、東国の胎動など。

かれも知っている。

九郎君には、何をしておられるのか、と焦れったい。東国まで行ったら、源氏党の消息もつぶさに分かり、九郎君の消息もわかるにちがいない。

——と考えて、仁王小路を出たのである。そして海道筋を、三島まで来て、人のうわさに、聞いたのだ。

鎌倉殿の弟、九郎義経君も、今は、新府におられ、その住む所の小高い地を、九郎殿山と呼んでいるということなどを。

弁慶は、おもしろくない。正直、そう知ったとき、癪にさわった。

ばかな顔して、都で待っていたら、おれはいったい、どうなるのだ。すでに、鎌倉に来ておられながら、この弁慶に、沙汰も便りもないのは、どういうわけか。

伊勢三郎も、怪しからぬ。

別れるさい、あれほど、再会をちかい、何かと頼んでおいたのに、あいつまでが、おれを都に置き忘れているとは言語道断——。

鎌倉新府のさかんな創業ぶりを眼に見ると、かれはなおさら無性に腹がたった。その、むかっ腹まかせに、この日、九郎殿山へ来たのである。仮屋門へ、どなり込んだものだった。

——けれど、冬日の小半日。

ほかほかと、ヨダレを垂らしているうちに、かれの業腹も、ともに、宥められていた。こんな所で、ふと居眠るあいだにも、かれは夢の中で母を見た。亡母の死顔は、いかにも幸福そうで、そしていつもほほえんでいた。

陽も傾きかけたころ。

仮屋門の方で、どかどかと、人馬がとまり、跫音が、邸内へくずれ込んでくる。

その中で、聞き覚えのある声が、

「なに、弁慶と申す大法師が来ておると。さては、武蔵坊弁慶であろう。あの弁慶に相違ない」

口走りながら、一人、厩長屋の方へ、急ぎ足に抜けて来た武者がある。

「おう」

待ちしびれていたおりなので、弁慶の方からも、歩み寄った。

「や。伊勢三郎か」

「やはり、おぬしであったよな」

「あったよな——とは空々しい。恨んでいたぞよ、三郎」

「何をいう、相見た途端に」

「貴様は文字知らずか。薄情なやつよ。都にひとり残された弁慶のことも、ときには、思い出しそうなものだ。一度の便りぐらいは、書く暇もなかったわけではあるまいに」

「いつも九郎君とは、事に触れるたび、うわさの出ないことはない」

「嘘をつけ。そう、うまいことをいっても、弁慶はよろこばぬ。すでに、鎌倉殿の御陣にも加わりながら、なんで、おれには、馳けつけよとの、御状もないのか。貴様までが……」

「まあ、待て弁慶。まさか、苦情を申しに来たわけでもあるまいが」

「うんにゃ、その苦情を申しに来たのだ。貴様へも、わが君へも」

「これは、いかなこと……」

「笑い事かは、おれの身にもなってみろ」

「まあ、あとで申せ、あとで」

「君には、はや御帰館か」

「たった今、お供して、君には、奥へおはいりあったばかりのところだ。さっそく、お取次ぎ申しあげて来るゆえ、控えておれ」

「やいやい三郎。貴様も御直臣なら、この弁慶も御直臣のはずよ。今さら、貴様のお取次ぎを待って、お目にかかるとは、ちと変だ、いや情けないぞ。一しょに参ろう」

「どうとも、いたせ」

苦笑しながら、伊勢三郎は先に立った。

だから、義経の室へむかって、そこの取次口に畏まったのは、二人とも一しょであった。

義経は、姿を並べて平伏した二つの背を見て、

「三郎、ひとりは、たれか」

と、いぶかし気であった。

「お直々(じきじき)に、この者より、お訊きくださいまし。これなる法師は、三郎の取次ぎなどは、心外なりと申しますゆえ」

「はははは、さては、都の弁慶であろうず。よう参ったの弁慶、さあ、これへ、これへ」

「君には、おつつがなく」

「かくの如くだ。まず見た通りよ。そちは、どうか」

「やはり御覧のとおりでございまする」

「さめは、どうじゃ、その後も達者か」

「はっ……」

「老母は？」

「この秋、亡くなりました」

「ほ。死んだか」

「よろこびながら死んで行きました。いまわの際にも、わが君へ、お会い申しあげたときは、くれぐれも、よろしく申しあげて給べ……と。何度も……はい……何度も申しながら」

「そうか。それとは知らなんだの。この冬も、仁王小路の柿紅葉の下に、そちたち母子も無事に暮らしていようとのみ、いつも三郎とうわさしていたが」

「お蔭をもって、弁慶も、つかの間ながら、母の側で、よい一年を送りました」

「よいことをした……。この九郎の母君、常磐どのよりは、まだ、さめの方が、倖せであったといえるぞ」

「勿体ない儀で」

「このたび、鎌倉殿の御陣をさして、平泉より立つおりも、都に、そちのいることを思うて、よほど呼び迎えんとは思うたが……待て待て、ひとたび家を立って、武者が主人の陣屋仕えに罷り来ては、もう身ままに、母のそばへも帰れず、いつ戦場に出て、帰らぬ身になるやも知れぬ。……もうしばらく、義経が、そちを側に欲しい日までは、さめと一つに置いてやろう。そちの本意でなくも、老い先のない老母のためにと……わざと知らせずにおいたのだ。悪しく思うなよ」

「……は。はい」

何もいえないばかりか、弁慶は、かたわらの伊勢三郎にも、今は面目なげな容子だった。

この弁慶を知る者は、義経と三郎のほかにはいない。義経はさっそく、鎌田正近、佐藤兄弟、那須大八郎、そのほかこの仮屋敷に住む者どもを皆よんで、一人一人名のり合わせた。

日ならずして、自然、弁慶の人柄は、九郎殿山の義経直臣中に、なくてならない存在になっていた。

招かずして集まるといったふうに、ここには、その後、義経となら生死も一つにと誓う面々が寄って来た。

まず、弁慶の帰参に次いで。

かつて、近江伊香立の巣を焼き払って一時離散していた足立義数とか、横山相模介とか、入間余一郎、御厨小藤次、秩父五郎などの輩が、ここを訪ねて来たし、また千葉胤春も、伊豆の冠者有綱も、いつのまにか、九郎殿山へ来て、義経のそばに仕え始めた。

草の実党といい、それらの者といい、義経にとっては、みな、自分がまだ童形から流浪時代のうちに結ばれていた主従である、きのうやきょうの縁故ではない。

「こうして、主従一つ屋根の下に、再会を見られたのも、ひとえに、鎌倉殿のお力によるものぞ。義経たりとも、鎌倉殿の一御家人に過ぎぬ。党中に党を立てて、異端と見られるような振舞いは、ゆめ、つつしむように」

義経は、それらの者へ、常によくいっていた。さきに頼朝から釘(くぎ)をさされてもいたし、かれ自身、好まぬことでもあるからであった。

しかし、下部と下部との感情はまたちがう。鎌倉殿の直臣たちは、九郎殿山の家人というと、陪臣か、外者(そともの)のように、差別した。

「九郎殿衆は、浮浪人の集まりぞ。鎌倉殿直参の御家人とは、わけが違う」

と、しているのである。

義経の意をよく理解して、あくまで、鎌倉殿の一幕下に溶け入ろうとするかれらの忠誠は、逆に、頼朝直属の御家人たちからは、排撃され、軽蔑(けいべつ)されるだけだった。

自然、両者のあいだに、喧嘩(けんか)がたえない。

もっとも、鎌倉の創業とともに、新府の新開町で、まっ先に、さかんになったのは、居酒屋と喧嘩であった。

気負いぬいた武士の野性と、時を得た人間たちの誇りとが、毎日、何かの形で、喧嘩を起こさない日はなかった。

そして、その原因はみな、九郎殿山にあるようにいわれた。たしかに一、二度は、弁慶が町で腕力をふるったり、草の実党が、野性を発揮したことはあるが、悪評は、輪をかけすぎている。

こうして義経の地位と、鎌倉の土壌とは、かれがそこに居(きょ)を与えられた初めから、何か、不幸な異質をもう芽ざし始めていた。

創府手斧屑集

頼朝はしばらく鎌倉にいなかった。

常陸の佐竹秀義を伐つため、東北の野へ、兵馬を出していたのである。

出陣のさい、義経は、兄の頼朝に、

「わたくしも、ぜひ、御軍勢のうちに」

と、願い出たのであったが、

「留守も大事、おことは、留守せよ」

と、望みは、容れられなかった。

富士川の時も、馳けつけて間にあわず、こんども取り残されたので、九郎殿山の輩は、腕をさすって、「なんとおれたちは、いつになったら」と無念がったが、自分たちの主君のうえには、さらに一段うえの、鎌倉殿というものがある。

「構えて、さような不服を申すではない。鎌倉殿の御命は、義経の命もおなじことぞ。もし、なお不平なれば、いつでもこの屋敷を立ち去るがよい」

こういう場合、いつもかれらを宥めるのは、義経であった。かれらから、主君とあがめられ、仕えられている身が、苦しくさえあった。

「この真冬を、兄君には、東北の野に臥して戦っておられるのだ。夜もあたたかに寝てはすまぬ。申しわけない」

義経は、夜々、鎌倉の夜警を努めた。

兄の留守中に、万一のことでもあってはと。

ある夜。

普請中の武家屋敷から出火した。

大工たちの焚火した残り火が、工事場の手斧屑に燃えうつり、夜半の風にあおられ立ったものらしい。

おりふし風が強く、諸方に飛び火して、思いのほかな大火となった。

鎌倉殿の政所や仮御所にも近い。

義経は、部下を指図して、まっ先に、御台所の政子と、女房たちを、安全な場所へ移させた。そしてようやく、火も鎮まった後、迎えに来て、

「幸いに、政所やお住居は焼亡をまぬがれました。いざ、御帰館を」

と、輿をすすめた。

身を輿の内にうつしながら、政子は、大勢の武者の中にあって、おなじように、地へひざまずいている神妙な若者を、眼のすみにとめ、

「この者こそ、九郎殿であろ」

と、心の中で見ていた。

やがて、女房御所へ戻ってから、政子は、

「九郎殿とは、あなたですか」

と、あらためて訊いた。そして、

「お目にかかるのは、初めてですが、平常、鎌倉殿からよくお話は伺っています。こよいは、手際のよいお働きのお蔭で、怪我人もなく、焼亡もまぬがれ、政子からも、礼を申しますぞえ」

と、労をねぎらった。

この人が、兄君の御正妻か。

義経も、初めてかの女を見たのである。見たところ、情操も高く、心も温かそうなと思った。

「鎌倉殿にも、御不在のおり、大事にいたらなかったのは、何よりでございました」

「常々、人のはなしには、九郎殿衆は、至極、礼もなき乱暴者ぞろいと聞いていましたが、うわさとはまるで違い、あなたも、郎党たちも、まことに、秩序のよい、美しい主従ぞと思いました。——やがて、殿がお帰り遊ばした後、政子からも、こよいのことなど、よくお耳に入れておきましょう」

「いえいえ、なんの寸功もないわたくしどもは、せめてお留守中の火の用心でも励むのが、身相応な奉公と存じております。お心づかいの儀など、構えて、御無用に」

幾日かの後、義経は、また女房御所の奥へ呼ばれた。そのときは、特に、政子がかれのために仕立てさせたという狩衣小袴など、ひと襲ねの衣服を拝領した。

常陸攻めは、厳冬の十一月にかかったし、佐竹冠者秀義の金砂城は、天然の要害で、寄せ手の鎌倉勢は、さんざんに、攻めあぐねた。

しかし、上総介広常の計で、さしもの要害も、内部から破れ、城主の秀義は、奥州へ逃げてしまった。

佐竹征伐の殊勲は、この広常を筆頭に、和田義盛、畠山重忠、熊谷直実、平山武者所季重、佐々木兄弟、土屋宗遠——などであった。

佐竹の旧領を没取し、それらの将士に恩賞が行われた日である。

頼朝は、佐竹の家臣であった十人の捕虜を、陣屋の前にひかせて見た。

その中に一人、汚い紺直垂を着た男が、意気地もなく泣いていた。頼朝はまず、その男へ向かって、

「もし、なんじらの主人が勝っていたら、なんじらはきょう、祝酒を酌んで踊っていたろうに、負けたからとて、何をメソメソ泣くか」

と、いった。

すると、紺直垂は、昂然と、胸を正して、

「主家の滅亡を悲しむのは、多年その家に仕えた人間の自然の情です、べつに、見っともないとは思いません。それよりも、元をただせば、佐竹一族も源氏です、なぜ、こん

な同族の合戦に訴えないで、もっと、和の道をおとりくださらなかったか、それがくやまれてなりません。鎌倉殿がたおすべき敵は、平家であって、一門の源氏ではないはずです。何事も、鎌倉の意に従わぬ者は、皆、こうぞと、いちいち征伐してゆかれたら、今に、御自身の手脚を御自身でもぎ去ってしまうようなことになりましょう。そして、いつの日、平家をたおすことができましょうか」

人びとは、この男の放言に、驚きの目をみはった。

頼朝は、何思ったか、黙って、陣屋の奥へはいってしまった。

「――無礼な下郎」

と、陣所の武者たちは、かれをひきずり出してなぶり殺しにもしかねない様子だったが、頼朝の旨として、

「斬ってはならぬ」

という沙汰が奥から出ていた。

のみならず、凱旋の途につく日、男は、あらためて、頼朝の臣に加えられた。岩瀬与一太郎といって、後、鎌倉御家人の名簿に列し、ひとかどの功もたてたのは、この男である。

十一月、鎌倉に還り、その月、また箱根神社に参詣した。

箱根路の帰りであった。

道をまわって、石橋山のあたりを通った。頼朝は佐奈田余一が討たれた跡に佇んで、

落涙数行、その夜の苦戦や、余一の健げさや、若さを偲んだりして、去る能わない姿であった。

「なんと情け深いお人。涙もある鎌倉殿」

と、そのさい扈従していた諸将は、頼朝のそうした半面を眼に見て、みな涙をともにしたものだった。

けれど、鎌倉に還った後の、頼朝の行政ぶりや人事などを見ると、また、別人のような冷たさがうかがわれる。何事にも細心で、一応の疑問を投げ、容易に事柄を信じないし、人を容れない。

必要に応じては、時に人命を断つことさえ、なんともしない風がある。――峻烈かと思えば優しく、冷酷かと思えば温かそうでもあり、側近にしても、頼朝を繞りながら、どこが頼朝の真の姿か、たれもつかみきれていなかった。

またその後、頼朝が義経にたいする態度も、少しも変っていない。――常陸から帰った後、留守中の火災のことや、また、政子が九郎に会ったことも、かれの耳へはいっていたにちがいないが、それについて、頼朝から義経にむかって、「火災のおりには、ご苦労であったな」という一言さえ出なかった。もとより義経は、それについて、自分から功をほこるようなこともいわなかった。

その年、十二月の半ばごろである。

海も暖かな鎌倉の冬の一日。

大倉郷の新邸が落成したので、頼朝の一家を初め、侍所も公事所も、すべて、その方へ引き移った。

頼朝は、水干に騎馬。

供には、侍所の別当和田義盛を先頭に、装いを飾った列が、えんえんと、つづいた。――はるか後陣の供は、畠山重忠が勤めて行った。

頼朝夫妻が、木の香も新しい寝殿（正殿）に着座したとき、和田義盛から、参列の諸将の簿をささげた。鎌倉御家人たちの忠誠の誓いである。簿にのった人びとだけでも、三百十一人あった。

舅の時政とて、その一員にすぎないし、義経も、ただの一員にすぎない。

また近ごろ、頼朝を慕って来た蒲ノ冠者範頼の姿も見えた。――範頼も頼朝の弟である。父はおなじだが、母は、遠江池田の宿の遊女であった。

むかし、都の片隅だった六波羅が、すさまじい開け方をしたように、今日の鎌倉も、夜の明けるたびに、にぎわいを増していた。

府館を中心に、侍屋敷の大路小路が延びてゆき、鶴ケ岡や、寺院を中心にしては、門前町が開けた。市は盛んになり、雑人町は各所に殖え、谷も、山ぞいも、橋の東西も、浜倉の方までも人家を見ない所はない。そして朝夕の炊煙は、山海にみなぎり、名実ともに、今は東国の都だった。

しかし。

ここばかりが、こう急速に変っていたのではない。

木曾義仲のうごきによる信濃、北越、その他の国々も、激動している。

わけて、都はひどい。ここからでは、想像もつかない。

清盛は、四囲の反対と、情勢の悪化に、また、思い直して、都を元の平安（京都）へ復したとも聞こえている。

そして、勅を仰ぎ、東海、東山、北陸の三道の武門にたいし、

〝乱賊、頼朝を討て〟

との号令をいよいよ大にしているという。

さらに、大軍を再編制して、富士川の汚名をそそぐためにも、ふたたび、東下の機を見ていることは疑う余地もない。

そういう月日のうちに、鶴ケ岡若宮の上棟式（じょうとうしき）が行われた。

夏の七月で——義経がこの鎌倉に来てからちょうど半年後のことである。

炎天の盛儀だった。頼朝は、社頭の東に、仮屋を構え、幕を引かせ、その南北には、数百人の御家人が居流れていた。

棟上げ（むねあ）がすみ、祭典となる前に、

「武衛（ぶえい）公より、格別の御褒美（ごほうび）ぞ——」

と、大工の棟梁（とうりょう）たちへ、馬を賜わるの儀式があった。

十頭ぢかくの馬である。

駒寄せの幕(とばり)の内から、たてがみ飾りをした駿馬(しゅんめ)の手綱を把(と)って、式場を繞(めぐ)り、功労のある大工、その他の工匠たちへ授けるのだった。——畠山重忠、佐貫四郎、工藤景光、宇佐美平次など、選ばれた御家人が、それぞれ、その役に当った。

「九郎も、ひけ」

と、頼朝は、床几(しょうぎ)から、右側の列を見て、いいつけた。

「はっ」

列の中ほどで、義経の返辞がした。

九郎は、兄の命なので、もとより否(いな)む気もなかった。ところが、たれかうしろで、袂(たもと)を抑えた。見ると、弁慶である。弁慶は、顔を振って「およしなさい、出てはいけません、余人が立って行きましょう、聞こえぬ振りをしていらっしゃい」——と眼で、また小声で、止めぬいた。

人の駒をひくということは、すでに下役の任である。上将のすることではない。しかも、大工の馬をひけとは——と、義経とて、心のうちでは、決して、平気ではなかったろう。

晴れの場所、衆人の中でもある。

当の義経ばかりでなく、周囲の人びとも、頼朝のこの一命には、はっと、耳を疑ったようだった。「酷(むご)いおいいつけを」と、たれもが感じたにちがいない。つい、その眸が、義経の方へ集まっていた。

「……これ、離せ」

義経は、やや顔を上気させながら、小声で、弁慶をしかった。人びとに見られている自分を感じ、また弁慶の心外そうな眸に会って、つい、乱れかける自分の感情が恐かった。

「……離せと申すに」

そのうちに、頼朝の声が、なお、きびしさを加えていた。

「九郎は、なぜ、馬をひかぬか。役の卑下を申したて、難儀と申すなれば、頼朝がいうて聞かせる、頼朝の前へ連れまいれ」

そしてまた、おなじ声で、

「見よ、畠山重忠や佐貫四郎までが、人工に馬をひくものを、九郎とて、なんの苦情ぞ」

義経は、うしろの手を、振りもぎって、

「ただ今、ひきまする」

と、駒寄せへ、馳け出した。

そして、両手に、二頭の馬をひき、式場を巡って、つつがなく、工匠たちの前に、それを贈った。

義経の動作にたいして、人びとの眼は同情的であった。頼朝も見すましていた。あく

まで平然とながめ終えて、

「よし」

と、義経の一礼に、うなずきを返した。

九郎殿山の面々は、その夜、弁慶のはなしを聞いて、歯がみをした。みな、無念がって、鎌倉殿の無慈悲よといい、

「御家人は、あまたあるものを、何も、御舎弟を選んで、さような卑役をお命じにならなくてもよいだろう。まして、晴れの人中で」

と、果ては、口にしてはならない恨みまで、口走った。

その夜は、鶴ケ岡の祝日なので、九郎殿山にも、酒が振る舞われた。酒が日ごろの不平までを激発させたかたちである。

手飼いの者どもの放言を聞いて、義経は奥を出て来た。そして一同の酒もりへ交じって、

「そちたちの考えと、九郎の考えとは、まったく違う。義経は、兄君のお心を、ありがたいと思っておる。兄君ならでは、あの芸はできぬ」

と、いって、宥めた。

いや宥めたことにはならなかった。

「なぜでござる。どこが、ありがたいので？」

と、かれらはかえって、眼にかどをたてた。

「まあ落ち着いて聞け。――兄君には、近く、この九郎を、平家との戦いに、さし向けてくださるお心構えにちがいない。それゆえに、衆人の中で、わざと、九郎義経たりとも、わが命の下には、かくの如く従う者ぞ、という規律と威を、お示しになったものであろ。……九郎はそう取った。そう解いて、うれしく、大工へ馬をひいたものを、なぜおこどらは、泣き吠えるか。愚痴はよせ、せっかくの鶴ケ岡のお棟上げに」

義経は、強いて笑った。

そして、余りには飲めない酒を、その夜ばかりは、大勢の輩に交じって、九郎殿山の夜の白むまで、飲み明かした。

死の商隊

何か、主君藤原秀衡から、密命をうけたものであろう。かれが、にわかに奥州平泉を出立して、この寂れはてた旧都の平安にたどり着いたのは、治承四年冬一月の初めであった。

かれとは、金売り吉次のことである。

平泉では、家臣中でも上級の御家人なのに、他国へ出ると、〝奥州の金商人〟と自称しているこの男が、おりもおり、何しに上洛して来たのか。

ちょうど富士川対陣の直後である。総敗退となった平家勢が都へ逃げもどり、その余波やらうわさで、六波羅界隈も、ただならぬ最中でもあった。

「はて、都も変れば変るものだ。……今夜の宿は、どこにしたものか」

吉次は、憮然とした。——想像以上な寂れ方に。

かれがよく定宿を取る堀川の白拍子町あたりさえ、来てみれば、死の町のようである。昼なのに、人通りもない。

「おい、おい吉内」

同勢の中にいる弟の吉内を振り向いていった。

「ともあれ、どこか宿を取ろうぜ。そこらの軒並みも、みな空家か」

「いや、まれには、人のいる家もあるにはあるが、商売などはしていません。どこをのぞいたって、尼寺みたいなもんで」

「遷都となっちゃあ、白拍子町など、かくべつ、火の消えたようなもんだろう。むりもないな」

「どうしましょう、宿の方は」

「これだけの人数だ。いっそ、公卿の空屋敷へでもはいりこみ、勝手滞在ときめ込もうか」

かれの旅行といえば、相変らずな大人数だった。荷駄を入れれば、列をなすほどな主従である。野に臥そうと、恐れはない。

元は、しかるべき公卿の館であったろう。室内の調度こそ何もないが、対ノ屋もあり、泉殿もあり、雨は漏るらしいが、大屋根も天井も、星が見えるほどには破れてもいない。

「どうだ、結構、十日や二十日は、住めそうじゃないか」

吉次は、床板ばかりな寝殿の真ん中に、土器のはちを据えて、大きな火を焚かせ、たちこめる煙を仰いで、からからと笑った。

「薪は、ふんだんにありますからな」

と、吉内も笑う。

落ちかけている勾欄でも、妻戸でも、たちどころに薪となる。庭でも大焚火を始めるし、下屋でも、さかんにパチパチ焚き始める。

そのうちに、馬をひいて、五条へ出かけて行った者が、穀類、酒、野菜、魚、猪の肉など、しこたま買い集めて来た。

「いやもう、なんでもかでも、眼の玉が飛び出るほど高値だぞ。イヤ、高い安いよりも、物がない」

と市から帰って来た者は、ほかの仲間と、ひとしきり、物の値段で、大話しだった。

六波羅と西八条附近だけには、検非違使ノ庁とか、京職の屋敷とか、また平家一族の一部が残っていた。そのため、淋しいながら五条橋には人も見え、市も一ヵ所、そこだけは棚（店）を並べているという。

「粟、玄米などは、出してはおかない。いや食える物といったら、どこの棚にもありゃあしない。値段によっては、出してくれる。それも京職の役人に見つかったら大変だという眼色だ。いやはや、うわさ以上、ひどい飢饉と、物の高さだ」

かれらの話声を遠くに聞きながら、吉次はひとりうなずいていた。

後ろでは、弟の吉内が、さっそく旅行李を解いて、日誌か何かつけ始めていた。入京第一日の見聞というわけであろう。焚火明りを横にして小まめな筆づかいに他念もない。

吉次が奥州を立つ数日前には、おなじ平泉から、九郎義経が姿を消していた。

(止めたって、止まるまい。むしろ、藤原家にとっては倖せだ)

と、吉次は見ていた。

かれも、かれの主人秀衡も、表面は、九郎の軽挙を止めていたが、内心、九郎の出奔をよろこんだ。

およそ、頼朝の伊豆旗挙げほど、大きな震幅をもって、近来、世上を揺り動かしたものはない。

みちのくの、また奥の国といわれる平泉へも、その時感と衝動は、澎湃と伝わって来た。

当然、今後の展開は、奥州藤原氏というものの存在を、いやがうえにも、強大なものにするだろう。――戦いが拡がれば拡がるほど、源氏方も平家方も、これを自陣へ引き入れようとして来るにちがいない。

（おもしろくなったわい）

秀衡はいった。――九郎義経の出奔に、ほくそ笑みをもらした直後、ただちに、吉次を招いて、いいつけたものである。

（また、金売り商人となって、都へ上れ）――と。

吉次がうけた密命は、それを幾項目にも分けることができよう。しかし、大要はただ一つしかない。それはこの戦争を能うかぎり人きくさせ、また長引かせるにある。

源平の両者を戦い疲らしてしまえば、奥州の安泰は万代というものである。

いや、さいごには、奥州藤原家の一顰一笑が、地上を左右するにいたるであろう。朝廷も法皇も、秀衡を措いて、政治を行うことは不可能になるはずだ。――いわば藤原三代の蓄積が、ほんとの結実を見る日が来たのだ――と、秀衡は、この時局を観た。

もとより、秀衡の下心は、昨今のことではない。吉次は、そのための飛耳長目であり、秀衡のふところ刀だ。秘命をうけると、すぐさま例の旅馴れた家人下部を供に仕立て、都通いの商隊を作り、東国筋は源平対陣中と聞こえたので、北陸路から旧都へはいって来たのであった。

道々も、東国勢や木曾軍の状況だの、物資のうごき、民心の機微など、いちいち、吉内に記録させては、従者の一人を飛脚にして、これを、平泉の秀衡へ、通報していた。

だからかれの連れている人数が多いといっても、一通の密書を国元へ送るごとに、その頭かずは、一人一人減ってゆくものだった。また、かれの足となり耳となり眼となって、たえず源平両勢力の優劣を探り、摩擦を計りながら、物騒な世間を、なお物騒なものに作り上げようとしている商隊なのである。

「どうでしょう、きょうの御報告は、こんなところですが」

吉内は、筆をおき、一応、兄の吉次に、書面を示した。

一読してみて、吉次は、

「筆をかせ」

と、なお何か、それに書き入れを加え、

「きょうの昼、堅田舟の中で聞いた話が書きもれている。堅田湖賊や近江源氏の与類が、また、あの附近で騒ぎだしているということは、旗挙げなどといえる本筋なものじゃないが、世情を察するには大事なことだ」

と、いった。

こうして、その後、堀川辺に巣を構えた金売り吉次の一類が、何をしていたかは、これ以上、説明の要はあるまい。

だが、このような暗躍を使命とする吉次にしても、不測な煩(わずら)いは、のがれえない。着いてから五、六日目に、かれはただならぬ熱を発して、寝こんでしまった。

「おれもはやり物に、憑(つ)かれたらしいぞ」

吉次は、呻(うめ)きの中で、つぶやいた。

悪疫がはやっていた。飢饉と疫病の流行とは、いつの場合も、付きものである。てっきり、自分もそれと思いこみ、

「良い医者を探してくれ」

と、八方、求めさせた。

ところが、今の旧都には、一軒の医者も残っていなかった。餓鬼のような窮民の群しか、ここには住んでいないのだ。

「福原まで、医者を迎えにやるとしても、医者が来てくれるかくれないか、分からぬし……。はて、どうしたものか」

弟の吉内も、途方にくれた。

すると、手下の一人が、根気よく、ついに一名の医者を見つけ出して来た。

医者は四十がらみの、風采もはなはだ上がらない小男だった。もとより、供人なども連れてはいない。

しかるべき患家を持つほどな医者なら、当然、公卿百官について、福原へ引き移っているはずである。どうせ、ろくな医者ではないだろう。しろうとよりは、ましの程度か。

患者の吉次は、まず軽蔑を抱いた。そして、不承不承、かれの前に手をさし伸ばした。脈を診るのだろうと思ったからである。

「悪疫ではないな」

ひとりごとのように、医者はいった。

脈もとらない。腹部も見ない。

ただ、枕もとにすわって、病人の顔を、見ているだけである。

「じゃあ、病気は、何病で？」

枕の上から、吉次が、上わ眼を向けた。

「風邪だな、まあ」

「ただの風邪ですか」

「疲れも加わっていよう。しかし大事はない」

「安心した。遠い旅の空でと、心細く思ったが」

「だが御病人。あなたのお顔には、疫病より恐い兆候が現われている。これは、どうしたことかと、じつは最前から見ているのだが……」

「妙なことをいうの。おぬしは、人相観か」

「いえ、望診と申して、皮色、眼色、鼻色、唇色、声色からも、病を察しることができる。あなたの病症は、感冒に過ぎないが、べつな凶症がお顔にみえる。——あなたは、人なみには死ねないお人だ」

「どうして」

「どうしてだか分かりませんがね、とにかく、魔界の相をしていらっしゃる。だから、人なみの往生はむずかしい」

「いやなことをいう医者だ」

「はははは。お気にかけてくださるな」

「では、どうか善根を積んでください。善行を重ねてゆけば、そんな翳は、自然、お顔から消えましょう。お体の方は、心配するほどな病気ではない。てまえの薬湯を五日も飲めば癒りまする」

薬を置いて、医者は、さっさと、帰ってしまった。

七日もたつと、吉次はけろりとしてしまった。へんな藪医者だったが、薬はすばらしく効いたと思った。

「まだ、礼物も遣ってなかったな」

酒や馳走のしたくをして、吉次は、医者を迎えにやった。けれど、医者は来なかった。「癒ったら、それで結構」と、使いの者へいったという。

「妙な医者だ」

と思うにつけ、吉次は、もう一度会ってみたくなった。なんとしても、あの時のことばについて、もすこし、訊きただしてみたくなった。

何度、使いをやっても、それきり、やって来ないので、吉次はある日、自分から、医者の家へ出かけて行った。——最初に、かれを連れて来た男に道案内をさせて、訪ねてみると、そこは三条西ノ洞院、柳ノ水の御所跡であった。

御所跡といっても、今は樹木のほかに、なんの面影も残していない。ひどい貧民窟である。

「ここか、あの医者の住んでる所は」

「そうです」と、道案内の男は指さした。「——あの大きな柳のそばに見える小屋が、医者の家ですが」

「なんとかいったな、医者の名は」

「阿部麻鳥というので」

「麻鳥か。いや、えらい所に住んでるものだな。まるで、餓鬼町だ。おい、先へ行って、のぞいてみろ。いるかいないか」

ちょうど、麻鳥は家にいた。

妻の蓬も、子の麻丸を遊ばせながら、家の外で、水菜を桶へ漬け込んでいた。そして客の気配に戻ってみると、従者二人ほど連れた立派な客が、良人の前に、何か礼物を差し出している。

「これは、ごていねいに」

麻鳥は、あっさり礼物を受け取って、妻へそれを預けたが、いっこう、ありがたそうな容子もなく、不あいそな顔を守りつづけた。

吉次は、張り合い抜けがした。また腹も立った。

礼物には、かれとしても、過大な物を奮発して来たつもりである。それを鼻先で受け取って、世辞一ついうわけでもない。

「貧乏人の負け惜しみよ」と、吉次も故意に冷笑をうかべた。

「ときに、医者殿」

「は」

「いつぞやは、妙なことばを伺ったが」

「何を申しましたろうか」

「この吉次の容貌には、人なみに死ねぬ人相があるといわれた」

「あ、あのことですか」

「よも、冗談ではありますまいな」

「もとより冗談ではありません。人様の運命についてなど」

「きょうは、その理由を伺いたいと思って、参ったのだが」

「それは困りましたな」

「なぜ」

「理由は、あなた御自身にあるのですから、御自身に訊いてください。麻鳥は、存じません。ただ感じたままを、老婆心までに、申しあげておいただけです」

「いや、吉次の容貌を見て、感じたとは、何を感じたのか。それだけでも、所存があるに相違ない。いい濁しても、聞き流せぬことだ。もしまた、根も葉もない戯れ言と申すなら、なおのこと、勘弁ならぬ」

「では、申しあげましょう」

「おう、申してみよ」

「その代り、怒ってはいけませんよ」

「怒らぬと、保証はできぬ」

「なるほど、怒る怒らぬは、たれでも、自分の勝手ですからね。では、わたくしにも勝手をさせてください。——わたくしは今、何もしゃべりたくありません、いってみても、無益らしいゆえ」

「なに、無益だと」

「いういわぬ、これは、わたくしの勝手でしょう。もし、わたくしの意志を曲げたいなら、あなたも、自分の我を折ってくださらなければ」

「うム。怒らぬと、誓ってよい。いざ、申せ」

「では、申しますかな」

麻鳥は、薄ら笑いを消した。そして、

「失礼ですが、奥州の金売り吉次殿が、上洛すると、そのあと、この都には、きまって、いいことはありません。何か、不吉が起こっています。——まさか、遠いむかしの、保元、平治の乱までが、あなたのせいだとはいいませんが、以後の物騒やら、太郎焼、次郎焼などといわれた大火だの」

「待て待て。わしの素姓を、おぬしは、知っているのか」

「金売り殿の名は、京童でも知らない者はありますまい。わけても、わたくしどもの夫婦にとっては、忘れ難いお人です」

「はて、どういう縁があったろう。おぬしと、おれと」

「九郎義経殿を、遠い、秀衡殿のお国へ連れ去ったのは、あなたでしょう。あなたが、かどわかしたのだと、もっぱらな評判でした。――妻の蓬は、九郎君の母御前、常磐さまに仕えていた女ですから」

「ふうむ。……それはまた、奇縁であったが、しかし、この吉次が、都へ顔を出すと、都に不吉があるとは、どういうわけか」

「あなたは、乱を好んでいるでしょうが」

「乱を好むとは」

「世が平穏では商売にならない商売を狙っていらっしゃる。静かな世間よりも、地獄の地上を待っている。そこで、このたびこそは、頼朝殿の旗挙げとかで、源平二陣が、一尺の地上も余さず、この世を修羅と戦うことになりそうなので、時こそトしと、秀衡殿の命をうけて、また、地獄のケシかけ役に上洛なすったものでしょうが」

「これ、これ、麻鳥」

吉次の顔は、いつのまにか、仮面のように変っていた。

「だまって、いわせておけば、秀衡殿のおん名まで出して、何を口走るか」

「でも、あなたが、申せ申せと仰っしゃるので、申しあげているのです」

「たれが、さようなことを、いえといったか」

「でも、おはなしの順序として、根本から申さなければ、御合点がゆきますまい。——つまり、あなたのお顔に出ている死相と、あなたのやっているお仕事とは、べつものではありません。——国と国とを戦わせ、人と人との殺し合いをやらせ、その間に、自身の国を富ませ、栄花と安全を計ろうという御商売が、自然お顔に死相を作っているのですから」

「さても、大それた誹り口を反らすやつかな。源氏が起つ、平家が討つ。それは、自然の輪廻だし、避けがたい世の作用というもの。なんで、秀衡殿やこの吉次の知ったことか」

「いえいえ、人は知らず、麻鳥には、そうとしか見えません。幸か不幸か、わたくしは、保元のころから、ここの柳ノ水の畔に住み、都の劫火から、御所の上皇が、讃岐へ流され給うた末路にも逢いまいらせ、続いて、平治の乱のちまたも、つぶさに、この森蔭で見て来ました。——およそ、むごい、浅ましい、人間同士、骨肉同士の殺しあいを、飽くほど、この眼で見、ほとほと、世に、あいそを尽かしている者です。……あなたが、なんと偽っても、あなたの形相が承知しません。あなたのお顔には、人間の死など、なんともしない残忍さが漂っています。それは、衆生の怨霊のせいです、そのため、あなたもやがて不慮の死をとげ、秀衡殿のお国も、三代で亡び去るでしょう。はい、それはもう、はっきりと、わたくしの予言と申しても憚りません」

　不快極まる顔つきで、吉次は、眼の前の貧乏医者を、ねめすえた。そしてたちまち殺意を生じたが、かれの妻子が片隅で心配そうな眼をしているのを見ては、さすが、この場では手も下しかねた。

「おい。戻ろうか」

　と起ち上がり、二人の従者に眼くばせして、外へ出た。

　胸をさすって、一度は、帰りかけたものの、不安と不快で堪らなかった。主君の密命から自分の目的までを、あのように看破している人間を生かしておくのは、なんとしても、得策でないと考える。

「夜になったら、何か口実を設けて、あの医者めを、河原まで誘い出して来い。そのころ、おれも三条の河原へ行って待っている」

　吉次は、六波羅辺をぶらついて、黄昏れごろ、二人の家来と辻で別れた。

　吉次の手下は、柳ノ水へ戻って行き、出放題な嘘をならべて、麻鳥を誘い出した。妻の蓬は、もちろん、大いに怪しんで、良人を引きとめたが、麻鳥は、

「なんの、取り越し苦労を」

と案外、のん気な顔して、二人のあとについて行った。

河原へ来た。近づく人影を見、そこに待っていた吉次も、歩み寄って来た。

「麻鳥か」

「そうです。さきほどはどうも」

「思いきった雑言(ぞうごん)を吐(ほ)ざいたな。おれはよいが、主君のおん名まで出た以上、おぬしを生かしておくわけにはゆかない」

「たぶん、そうだろうと思いました」

「と、知りながら、来たのか」

「鈴虫や蜻蛉(とんぼ)でさえも、人の手が伸びてゆけば、ツイと逃げます。人間の官能に分からないはずはございません」

「さすが、いいたいことをいうだけあって、いい覚悟だ。本心、死ぬのは、なんともないのか」

「ご冗談を」と、麻鳥は笑って「わたくしだって、生きています、もとより、死にたくはありません。けれど、しょせん、長くは生きていられますまい。近々には、ふたたび、保元、平治以上の地獄を眼に見ることでしょう。合戦のちまたからは逃げまわっても、飢餓の山野からは、逃げる先もありません。それよりも、ひと思いに、斬られるなら斬られた方が……と思うだけのものです。どうぞ、御存分に」

麻鳥は、河原へすわった。

騒ぐ相手は斬りやすい。しかしこういう静かな生命には、妙に、弾みの出ないものである。

「いやなやつだな。……じつに、どうもいやなやつだ。何か、世迷言でも、いい遺すことはないのか」

「何もありません。こんな皿の中ですから、妻子にも、常に、観念は与えてあります。ただ、わたくしが死ぬと、不憫なのは、わたくしを頼りにしているたくさんな病人です。貧乏町の病人たちが、がっかりしましょう。気がかりはそれだけですが」

そのとき、少し離れた河の瀬の水明りを、すっと、横切って行く人影があった。

「あっ、もしっ」

知り人とみえ、麻鳥は、思わずこっちから呼びかけた。

「隆暁御坊、慈尊院の御坊ではありませんか」

「オオ、麻鳥どのか。何をしてござらっしゃる」

「よい所でお目にかかりました。わたくしは、ここにおるお人の手にかかり、急に、冥途へ旅立ちまする」

「ほう、それはまた、にわかなことじゃな」

そう聞く方も、べつだん、驚きもしない風である。麻鳥といい、僧といい、よほど、どうかしている人びとというしかない。

二人は、むかい合いに、しゃがみ込み、何か、仲よく話し始めた。余りな、むつまじさに、吉次もつい、聞き惚れていた。

「和殿が、先に逝くとあれば、いずれ、蓬どのも、尼になることであろ。お子の麻丸は、わしの弟子にしてもよい。何さ、そんな礼に及ぶものか。残る者が、順々に、先へ逝く友の後始末をつけてゆく。当然な約束事じゃよ」

「何ぶん、お願い申しまする」

「ああ、よいとも」

「それから、もひとつ、御厄介を願いたいのですが」

「なんじゃの」

「御坊には、夏ごろから毎夜のように、河原を歩いて、*阿字の結縁をしていらっしゃるそうで」

「されば、加茂河原と限らず、旧都の中で、死者の額に〃阿〃の文字を書いてやったのが、今宵でもう数千人にのぼっておる」

「それを、わたくしにも、お願いしたいのですが」

「おやすいことじゃ。阿字の結縁は、あわれな無縁仏への供養にやっていることだが、麻鳥殿なら、ねんごろに、どんな葬いでもして進ぜる」

「いえいえ。貧しい者の友となり、生涯もともにしようというのが、そもそも、わたくしが医者を志した初めの誓いでした。わたくしばかり、ねんごろに葬われても、よい成仏はできません。やはり、河原に捨てられた無縁仏と同様に、阿ノ字を、額にいただいて、やがての出水に流されるか、鴉の餌になってしまえば、満足でございまする」

吉次は、好奇心をうごかされた。

いったい、阿字の結縁とは、何なのか。なんのために、かれは、毎夜、そんな行をして歩くのか。そんなにも、諸所に死者がころがっているものか。——吉次は、隆暁に訊ね出した。

仁和寺の隆暁は、こう答えた。

「何しろ、えらい飢饉です、秋からは、悪疫の流行です。毎日、どれほどな窮民が死んでいるか知れません。亡骸の始末もつかず、菰をかぶせたままなのや、林へ捨てたり、河原へ捨てたり、自然の風化葬を待つだけの有様です。——つい、きのうも路傍で見た女の餓死者は、嬰児を抱いておりました。嬰児は、まだ息があって、死者の乳房を吸いぬいているんです。そんな、あわれなのも見かけまする」

隆暁は、口のうちで、念仏を唱え、しばらく、後を語らなかった。語るに耐えない容子なのである。

後にこの仁和寺の僧——慈尊院隆暁の行として、伝えられた記録によれば、それらの餓死者や行路病者を毎日供養して歩いた結果、その年、治承四年から翌年の養和元年にかけて、かれが、死者の額に、阿ノ字を書いてやった数は、四万二千三百人にのぼったということである。

これを見ても、治承四年の冬が、どんな飢餓の底にあったか、鬼哭啾々たる廃都の夜であったか、想像も及ばない。

「おっ、寒い。——また、風邪をブリ返しそうだ。おい、帰ろうぞ」

吉次は、急に、身をひるがえして、河原から馳け出した。まるで、何かに追われているようだった。

そのうえにもまた、吉次と二人の従者が、胆を消したのは、堤の蔭や、河原のあちこちに、いつのまにか、むらがっていた無数の貧民たちであった。

吉次の主従が、走り出したのを見ると、

「やあ、逃げやがった。逃げて行く」

「ざまを見ろ」

「命拾いをしやがって」

どっと、やみの中で、嘲笑が聞こえた。そして、なお、

「石でも食らえ」

と、ののしる声とともに、小石の雨が、ばらばらと、追いかけた。吉次の体にも、幾つか中たった。

後で考えると、それらの貧民は、日ごろ、自分たちが親とも慕う麻鳥の危難と知って、河原へ糾合して来たものにちがいない。

もし、ほんとに、吉次が麻鳥を斬ろうとしたら、かえって、吉次主従こそ、餓狼のよ

うな、捨てばちの人びとに、食い裂かれていたことだろう。

およそ、何十年もの間、奥州と都の間を往来して来て、恐い者知らずの金売り吉次も、この晩ばかりは、よほど、恐ろしかったものとみえる。

それから二日二晩ほどは、口もきかず、酒を飲んでは、堀川の巣に寝こんでいた。そして、やっと三日目、何を思い立ったか、急にまた旅装いの馬をひかせ、新都福原へさして立って行った。

夢野の夢

夢野の亭をたれ知らぬ者はない。雪ノ御所とか、頼盛の館などを除けば、福原でも指折りな別荘だった。

そのうえ、夢野の亭は、あるじまで変っていた。

赤ら鼻の五十六、七の男である。かれは公卿でもないし、武将でもなかった。みずからは、入道相国の財政顧問をもって任じ、人は、五条大納言邦綱の養父ともいっているが、根を洗えば、一個の御用商人にすぎない。むかし、五条附近に店をもっていた朱鼻の伴卜こそ、今の夢野のあるじであった。

「うむ、おもしろい。久しぶりに張り合いを覚える大取引だ。お互い一代の大商い、ひとつ、本腰入れて談合するとしようわえ」

伴卜は大乗り気な容子を見せた。

欲と肉の塊りともいえる分厚なひざを組み直していうのだった。

客は、きのうからここに泊っていた奥州の吉次である。鼻ばしらの鋭い、そして総体に骨張った吉次の痩せ型と、伴卜のそれとは、いかにも対蹠的だが、内に蔵する物欲の旺盛さと人間の図太さは、いずれを弟いずれを兄とも、にわかにはいいがたい。

「では、伴卜殿にも、入道相国のおんためにひと肌ぬごうと承知してくれるか」

「いやいや。相国のおんためなどという体裁はお互いにやめよう。何もかもおのれのためだ。おのれのほかに仏はない」

「ははは。それはそうだ。さすが、市の小商人とはいうことが違う。おぬしが、そこまで、割り切っていうなら、吉次も秀衡殿のおんためになどと体裁はもう飾るまい。自分のために、生涯一ぺんの利運をここでつかみたいのだ。伴卜殿、半肩乗ってくれい」

「よかろう。そう出直すならば、肚の探り合いでなく、商談も真面目に聞かれるというもの。ところで、そちら側の望みというのは?」

「最前からの話にかけ引きはない」

「いや、その最前からの話とか、望みとかを、もう一度聞き直したい。天下のためだの、主家のおんためなどという衣裳を飾った話では、空耳に聞くしかないが、袈裟をはずしたことならば、こちらも本気で聞こうというものだ」

「では、今までの吉次のことばは、上の空に、聞かれていたのか」

「あははは。ま、そんなものよ」

伴卜は、哄笑した。相手を、子どもあつかいである。

みちのくの黄金の都と自慢する平泉も、福原へ来てみると、その富力や文化は比較にならないものだった。海の幸、山の幸の瀬戸内をひかえ、西国の諸藩を擁し、海外との交易もめざましい。

なんといっても田舎は田舎、藤原三代の経営も、あの仏都も、奈良、平安の摸倣にすぎない。入道相国が、その古さに飽き足らず、遷都して捨てたものを、平泉では、摸造し、新設し、しかも、その規模にさえ及ばない小ささである。

従って、平泉では、ひとかどの御家人列だし、富者の一人と誇ってもいる吉次だが、夢野の亭のあるじの前では、正直、地方人的なひけ目を抱かずにいられなかった。

この地方的卑屈は、かれの主人藤原秀衡にもあって「いつかは、中央へ」と、暖国への伸展を多年意欲していたことはいうまでもない。たとえば、寒藪の梅も、どういじめても、枝は、南へ南へと、本能的に伸びずにいないものでもあるから――。

ところで、吉次が伴卜を介して、平家へ売り込みに来たものは何か。いわば戦争商人同士の取引である。ふたりの交換条件が何かなどは、勿論、秘中の秘で、知るよしもないが、相互の利益を前提として、時局を積極的に戦争方向へ持って行こうというものには違いない。

そのためには、かねて、平家から藤原秀衡へ文書で申し入れている懸案の――東北から源氏を圧迫する——という要求にも応じようし、孤立化した東国の地方平家に、物資軍需の援けもしよう。

代償として、平家は奥州藤原氏にたいし、東国以北の支配を認めること。そして、秀衡には、さらに、重要な位階と栄爵をゆるし、源氏というものを抹消して、天下を二分し、長く両家共栄の世を作ろうではないかというものだった。

「ちと、そちらの分がよすぎるが」

伴卜は、腕をこまぬいて、やがていった。

「とにかく、相国をうごかす者は、大言ではないが、この伴卜しかないのだ。大いに、働きかけてはみる。……だが、相国がお肯き入れのばあいは、秀衡殿として、伴卜へ、何を賜わるというのかな」

「それはもう、お望み次第と申すもの。たとえば、みちのくの黄金、物産、あるいは、所領でも」

「欲しいは、まず黄金、次に所領だが、土地までは欲張るまい。ただ、わが家のむすめへ、秀衡殿の一子を婿に請いうけたいと思うがゆえ、婿君の御持参金、どれほどといったらよいか」

「いや、その儀なら、いわぬ方がよい。都の造仏師へ、仏像一体、造らせても、世を驚かすほどな代価を払うて惜しまぬ藤原家の富だ。縁組みの儀は、しかと、吉次が取り結びましょう」

「それさえ、見込みがあれば」

「ひきうけました。その代りに」

「入道相国をいよいよ憤らせ、世を挙げて、源平の戦いへと、追い込む方の役はこちらが努める。ま、ゆるりと逗留して、伴卜が才覚と力量のほどを、見物しておかれるがよい」

自信にみちた言である。ことばのうえだけではなく、かれの実行は速やかだった。

吉次の逗留中、伴卜は、再々、雪ノ御所へ伺候しだした。かれの出入りには、公卿なみの牛車を用い、あまたの従者を召し連れ、朱鼻殿などという失礼な綽名を口にする者もない。

それをいえるのは、清盛だけである。——今もって、清盛はこの男の経済的にすぐれたあたまを、重宝にしていた。

その経済観から、伴卜は、今年の戦いは不利と見、さきの維盛、忠度の東国出陣にも反対していた。

また、これからの数年も、福原を中心に、富強の蓄積を旨として、たとえ東国や北陸などが少々騒いでも、動かぬに限る。戦わずして待つ工夫をすべきだと、献言してきた。

けれど、軽率な出軍は行われてしまい、富士川の総敗退を見、世情も、内部の焦躁も、それからの平家というものは、伴卜の観るところ、一変してきた。「相国も、はや老境だし、これは、どうやら危ないものだ」と、思われた。

（——といって、今さら、源氏方へ乗り換えもならぬし）

と、近ごろ、ひき籠っていたところへ、奥州からの密使だった。

吉次とかれとは、以前、君立ち川の花街でも、いくどか一つになったこともある。吉次がただの金売り商人でないことはわかっていた。

といって、密使のかれを、伴卜も、鵜呑みに信用したわけではない。秀衡の手もとにいた義経が、平泉を脱走して、鎌倉入りをしたという情報を、べつな方から耳にしていた。——藤原家の態度が読めた。——秀衡が頼朝へ味方する気はない、という肚をである。——あれば快く門出を祝って、兄の旗挙げへ送ってやるのが筋道だし、そのさい、自国の将士も、義経に添えて、鎌倉入りをさせているはずだからである。

吉次と会ってから、かれは豹変した。平家の犠牲においても、おのれ本位の栄燿と安泰を計るべきだと変ったのである。——以後、かれの舌さきが、前とは反対に、入道相国を、全面戦争の方向へと、徐々、けしかけていたことはいうまでもない。

しかし、今では、清盛自身が、保守的だった。

自己の老齢と健康、一門の柔弱、今年の飢饉など、幾多の理由をもつのであろう。また、東国北陸へ向かって、積極的な戦いに出るには、なんとしても福原の地は有利でない。といって、建設途上の福原を、ふたたび旧都へ還すこともできなかった。

龍虎(りゅうこ)相泣く

「またか、宗盛」

清盛は、怒った。

おなじ嫡男でも、死んだ長子の重盛へは、こう我武者(がむしゃ)には怒鳴(どな)れなかったものだが、宗盛だと、それが出る。

「わからぬやつよ。いくたび、ひとつ事を説(と)きに参るぞ。今さら、またも、都を還せなどという意見は、むだなことだ。御辺ばかりでなく、公卿のまわし者や、山門の訴えにも、聞き飽いておる」

さほど、激語でないばあいも、このごろは、すぐ、入道のひたいには、青筋があらわれる。

心労のせいであろう。肉の落ちてきた顔には、まざと、ふかい皺(しわ)がふえて見える。

「……はい」

その人の子だ。宗盛には、分かりすぎている。

それだけに、かれは、しかられても、怒鳴られても、ふたたびの都遷(うつ)しを――還都(かんと)の実行を――迫らずにいられなかった。

「父君のお立場として、ひとたび、行われた遷都を、半年もたたぬまに、ふたたび、元へ還すなどということは、世上への御面目としても、お心にそまぬこととは」

「面目」

と、清盛はつよくさえぎって、

「そこだ、御辺どもは、清盛が、小我にこだわって、我を張っていると、思うているのじゃろ。そうではない」

「いえ、その大きな御腹中は、宗盛にも、よく分かってはおりまする」

「ならば、もう、日ごとのように、意見がましい訴えを申しにここへ来るのはやめい」

「……とも存じながら、なお、御意に逆らって参りました仔細は、じつは昨夜、山門の明雲座主から、特に、お使いがございまして」

「明雲座主なら、清盛の心もよく知るお人、いつの御書状も、ここへよこしておるのに、なんで、御辺の門へ、使いが行ったのか」

「さきの遷都に、ごうごうと、不平を鳴らしおった一山の大衆を、今は、座主のお力をもってしても、防ぎ難しとのお嘆きなので」

「そんなことは、今日の沙汰ではない。衆徒も公卿も、福原遷都には、初めからの大不平だ。何を、今ごろあらためて」

「今ごろとは仰せられますが、昨今のそれは、ただ口先の不平ではなく、山門僉議の末、もし入道相国が、あくまで、福原の新都を固守するならば」

「固守したら、どうすると？」

「仲のわるい南都の大衆とも手を握り、近江、山城、河内の三国を、自己の力で治め、平安の地を復旧して、後白河法皇をお迎えせん――と議を決したそうでございます」

「では、法皇を、奪い参らせんと謀りおるのか」

「平安の都を復し、法皇を中心に、都づくりを催すとあれば、新都に安からぬ人びとは、風を望んで、帰るにちがいなく、また、近江源氏も、木曾源氏も、頼朝の鎌倉勢も、いちどに、上洛するであろうとの目企みにござりましょう」

「ちっ、やっかいな衆徒めらが」

清盛は、舌を鳴らした。怖るべきかれらの智謀に、舌を巻いたものかもしれない。一瞬、蒼白なふるえが、面をかすめた。

「そればかりではございません」

「まだあるのか」

「堅田湖賊やら、近江源氏の山下義経と称する一党が、おいおいに、勢を加え、これと山門、これと興福寺なども、隠密に結びあい、山門の僉議がなくも、必然、それらの暴徒が、旧都を占め、木曾や鎌倉勢を、呼び入れんことは、遠い日でもあるまいと、座主の御書状が、先を憂えておられました」

「…………」

清盛は、いよいよ、ひたいの青筋を太らせて、黙然とあらぬ所をねめつけていた。

同夜のことである。

雪ノ御所から、伴トの夢野の亭へ、使いが走った。伴トは、すぐ伺候した。

燭のせいかと、伴トはまず疑った。窶れてもどこか豊かな入道の相好が、この夜ほど、けわしく見えたことはない。皺の翳には、青い鬼気すら感じられた。

「夜中、何事のお召しで……」

「朱鼻」

と、息ぐるしげに、間をおいて、

「やるときめたよ。たびたび、そちからも、すすめを聞き、その都度、うるさいと、しりぞけていたが」

「えっ、では還都の御決意を」

「都返りだ」

「ああ、ようこそ」

「ばかを申せ、何が、ようこそだ。——平治の前夜、熊野路の途中から都返りした、あれとは違う。思えば、おれも老いたわい」

「なんの、もう一と戦と、御壮気を奮い遊ばせば」

「そうだ。もう一と苦しみせぬことには、これまで、積み上げて来た清盛が一代の業も、一日に潰え去ろう。……そこでだが」

「は」

「二度の遷都には、またも、莫大な費用がいる。三道に蜂起の源氏を一掃するにも、おびただしい軍需粮米をととのえねばならぬが」

「さきにも、申しあげておきました。もし、御勇断あるばあいには、鼻ッ柱が、生涯の御奉公にも、それらの財務には、毛頭、お心を煩わすようなことはいたしませぬと」

「成算があるのか」

「何条、無謀なおすすめを申しましょうや」

「才略あるそちの口から、そう聞いて、まず一方は安心した。すぐにも、計ろうてくれい」

「お案じなされまするな。後図の儀は」

伴卜が退がったときさえ、夜は更けていたのに、清盛は、それからさらに、

「牛車を」

と、侍たちへ、いいつけた。

にわかに、しかも夜中、どこへのお出ましかと、近習の驚きは、ひと通りでない。

「いやいや、車はやめて、輿にいたそう。輿を出せ」

気の変りようも、ただ事でなかった。そして、四方輿に身を托した清盛は、内から小声で、

「法皇の御幽所へやれ」

と、供わきへ、命じた。

これも、近習には、意外だった。遷都以来、後白河の御幽居へ、清盛から出向いた例

は、一度もない。

法皇幽閉のことを、みずから悔いている気もちもあろうし、お姿を、見るには耐えないいやさもあったにちがいない。

世間では、その御幽所を、三間板屋の牢御所と称している。とかく、清盛の不忠を誇大に悪くいう公卿蔭口が拡がったものであろう。じっさいは、たれかの邸を開けさせた一館である。そこに、武者を詰めさせ、昼夜、剣戟の中に守っていたことは事実である。以仁王と頼政の乱が片づいた後も、南都の僧兵が、法皇のおん身を奪い取ろうとしているとか、潜伏源氏が、うかがっているとか、清盛にとって、安からぬうわさは、のべつ聞こえていたからである。

法皇のお側には、一穂のともし灯と、小机しか、見えなかった。

要心のためではあろうが、冬の夜なのに、お火桶もない。

何か、熱心に、筆を執っておられた。

このごろでは、余りくよくよもなさらず、どこか、悟りきった御容子にうかがわれる。お書き物も、写経などではなくお好きな催馬楽の歌や、自作の今様などを、楽しみに、書き集めておられるようだった。

「……？」

ふと、筆の手をやめ、中門の武者騒めきへ、耳をおすましになった。

やはり、人の跫音や風の声にも、すぐ生命の恐怖に胸をつかれ給うておわすらしい。

「誰ぞ」

「はい……」と、細殿口の声は、女性であった。ほっとしたおん眉である。

「わたくしでございまする」

「局か。なんじゃ」

「ただ今、武者の原田種直が、奏しまするには、雪ノ御所の禅門入道が、にわかに、拝謁に見えられたという由でございますが」

「なに、清盛が」

法皇は、疑うように、お眸を、こらした。

「間違いであろ」

「いえ、念のため、ようお糺しいたしましたが」

「はて、何事？」

次には、胸騒ぎの、御容子だった。

——と、中門廊からこなたの方へ、どやどやと、跫音が近づいてくる。まもあらず、清盛の声で、

「み許しは」

と、訊ねていた。

お付きの女房たちと、武者のあいだに、礼を欠かない手続きがふまれ、やがて、法皇

のみゆるしが降ると、清盛は、

「すべて、遠くへ退がっておれ」

と、武者も女房たちもしりぞけて、静かに、幽室へはいって行った。

御簾はない。対坐である。

天皇の祖父と上皇の外舅。しかし、どう、位が人臣を極めたところで、臣下は臣下である。座は下にとって、拝伏の礼を先にした。

「…………」

法皇も、だまって、会釈された。

疑心と、警戒に、とぎ澄まされたおん眼のままである。清盛も、しばらく、凝座のかたちで、無言をつづけていた。

「…………」

鹿ケ谷、その後の院中謀略などから、清盛が、暴断をふるって、法皇を幽しまいらせ、院政を絶息させてから、ちょうど、まる一年になる。

龍虎が相搏つような、智と実力と、策と暴勇と、火をちらし、雲よぶが如き、葛藤を演じた二個の人間も、時を冷まして、こう、逢い直してみると、一年前とは、ちがった感情があふれてくる。

「このひと年は、さだめし、入道を、お恨みでございましたろうな」

それには、答えず、後白河の御不安は、口をついて、先に、こう出てしまった。

「夜中、しかもこの深更、禅門には、そも、何用があって、まろを訪われたか」

「ふと、身の非を、悟りましたゆえ」

「非とは」

「清盛の、余りな我意を。……また、かりそめならぬ龍体(りゅうたい)を、かくの如き、辛(から)き目にお会わせ申しあげた罪の深さを」

「えっ。それは、本心のことばか」

「おゆるし給わりませ」

おそらく、清盛としては、たれにも見られたくない自分の姿であったろう。両手をつかえるのと一しょに涙が落ちたのは、その我慢によるためだったにちがいない。

――が、それを見られると、法皇も同時に、白い涙のすじを、お顔に描かれた。

「清盛。手を上げたがよい」

あわてて、仰っしゃった声のうちに、万一と恐れていた不安から解かれたものが、すこし、よろこび過ぎたと、御自分でも気がつくほど、早口に出てしまった。

「罪は、禅門だけにあるのではない。まろにも、重々、不心得はあった。されば、幽所の一年も、天を恨まず、人を恨まず、ただ、おのれを省(かえり)み、そして、不平も思わぬことに努めていた。……見たがよい、自作の歌(うた)にも、心の端を、このようにひとり慰めてのみいたぞや」

法皇は、机のものを、示された。けれど、清盛の心は、まだ、それを拝読するほどなゆとりはない。

「ときに……」

とまた、あらたまった。

この夜、清盛が奏したのは、再遷都の決意だった。

理由として、

「御孝心のあつい新院（高倉上皇）には、父君一院（法皇のこと）のうえを案じられ、先ごろよりは、御病気の方も次第におよろしくないように伺いおります。そして、しきりに、旧都をお恋い遊ばしておられる由。……おいじらしさ、あわれさ、清盛も、今は我執（がしゅう）を捨て申した」

と、いった。

そのうえ、ここの幽所も、こよい限り、解き参らせんといい、還都のうえは、ふたたび以前の法住寺殿（ほうじゅうじでん）へおはいりあるようにと、いう確約もした。

まるで、夢のようなお顔つきである。

が、法皇の御性格のひらめきか、清盛が、そう明言したとたんに、お心には、べつな疑惑が、わき起こっていた。これは何か、時局の大変が世間に起こっているのではないか。そのため、急に、清盛が折れて来たのではないかということをである。

法皇には、もとより、頼朝の旗挙げも、木曾の挙兵も、否、天下を挙げての、反平家のあらしをも、まだ、御存知はなかったのだ。

浮巣の都

思い立つと性急で横紙破りな入道殿とは、日ごろも、清盛にたいする万人の定評ではあるが、こんどの還都についても、布令をうけた公卿たちは、余りな突然に、呆れもしたし、うろたえた。

「御出門の日は、何かの間違いではあるまいか。きょうとて、霜月（十一月）の十九日よ。それを、二十三日の御還幸とは？」

「あと三日じゃ。……中三日しかない」

「わずか、三日があいだに、なんの支度ができようぞ。家族どもの始末やら家移しの用意もある。それに自身は、供奉に従いて行かねばならぬし」

「夏の初め、福原へ遷都のおりも、六月一日に沙汰されて、三日めにはもうあのにわかな行幸であった。入道殿には、三日もあれば、都遷しも都還りも、難なくできるものと、思われているのであろ」

「さても、人の迷惑は物ともし給わぬ入道殿かな。……というて、元の都へ帰れるかと思えば、うれしくて、愚痴も消ゆるが」

人びとの前には、こう、眼のいろ変えたとおりな忙殺ぶりが降ってわいた。狼狽と、よろこびの混錯だった。足もとから鳥が立つような家移し騒ぎに、いずこも、ごった返している。

雪ノ御所は、わけて、戦時のようだった。附近の重衡の邸、教盛の邸、盛俊の邸なども、いうまでもない。

清盛から特命をうけて、還幸の儀を進めている吉田経房などは、二十三日の当日だけでも、新院（高倉上皇）の御所と、雪ノ御所との間を、四回も往復していた。

冬十一月のこと。幸いに、二十三日は晴天だった。

経房が、清盛との打ち合わせをもって、新院の御所へ戻って来たのは、もう午過ぎで、諸公卿と、さいごの談合を終わり、ただちに、上皇の御出門を見た。

それより少し前に。

福原皇居の門からも、天皇の出御があった。

行幸の供奉と、＊御幸の列とは、まもなく、途上で一つになった。

幼い天皇（安徳）は、御母の建礼門院のおひざだった。御輿は、葱花輦である。屋根のとがりに、葱の花に似た金色の装飾がかがやき、美しい手欄が繞らされ、八人の舎人が舁きまいらせて行くのであった。

掃部頭季弘、お道を払い、少納言有家、鈴奏を奉仕し、右宰相の実守が、剣璽を奉じて行った。

どうしたのか、供奉につくはずの大理卿時忠が遅参したので、蔵人頭重衡が、時忠の役を代って勤めたが、そのほかにも、遅れて、まだ、姿の見えない公卿が多かった。

主上の御出門さえ、この始末である。

いかにあわただしい、そして不ぞろいな、還都の行幸であったことか〃

けれど、一門の人びと、摂政以下の卿相雲客の心は、いわず語らず、われ先

〃――さしも憂かりつる新都福原に、誰か、かた時も残るべき、われ先に、われ先にとぞ、上られける〃

と、あるように、思いはあとになく、先にばかり急いでいた。

また、吉田経房の手記「吉記」によると、夕方ごろ、小雨が降りだし、悪路のため、途上のぬかるみで落馬する者が多かった――ということである。

平野から花隈辺までの、わずかな間でさえ、そうだった。雨、風、寒さ、そして冠から袴まで濡れしずくになって歩む直衣狩衣の諸官の難渋は、思いやられる。――が、それでもこの人びとには、元の都へ帰るのだ、帰られるのだ、という歓びの方が、氷雨の彷徨いに耐えながらも、なお、はるかに強い意欲だった。

その夜は、花隈の岡のほとり、大納言邦綱の別邸が、行在所にあてられた。

翌朝、二十四日の御出門には、左大将実定も見え、大理卿時忠の姿も見え、そのほか、前夜から今暁にかけて伺候した人びと――

藤宰相定能

左近衛少将　有房
中宮大進光綱
蔵人兼時
吉田経房

などもそろって供奉に従い、前の右大将宗盛とか、維盛、知盛などの一族と公達は、べつに数千の軍兵を、先駆と後陣に配して行った。

高倉上皇も、同時刻に、御車で進発され、車添いには、騎馬の公卿九人、武者大勢が、お付きした。そして、大物ノ浦からは、数百艘の船に乗りわかれ、すべて海路に移った。

なお。——この朝、後白河法皇は、べつに福原を未明に立たれ、夕刻、寺江に着き給い、主上や上皇と、一しょになった。

けれど、行在所でも、法皇と上皇とが、御父子のかたらいを温めるようなことはなかった。

法皇は、船の中で、夜を過ごされた。

次の二十五日は、冬雲の低い淀川を、数百艘の船列が、さかのぼっていた。

この日も、みぞれ交じりの風雨となり、川波は舷を打ち、目鼻もちぎられそうな寒さだった。御座船の屋形囲いや、幕の蔭には、女房たちや奉侍の公卿が、袖を打ち被いて、冬鴨の眠るような姿のまま、日ねもす、ふるえおののいていた。

風浪のため、船列はみだれ、賢所（かしこどころ）の船や内侍所（ないしどころ）の船も、途中から逸（は）ぐれてしまい、そのほか、公卿たちの船も、遅れたのが多い。

やむなく、船中で一夜をすごされ、旧都へおはいりになったのは、翌二十六日の午（ひる）すぎだった。福原から旧都までの、わずかな道を、じつに四日がかりであった。――寒風惨烈（サンレツ）、行旅（カウリヨ）ノ難（ナン）、筆ニモ言葉ニモ尽シガタシ――と随行の公卿日記は書いている。

かくて、主上は、五条の里内裏（さとだいり）へ。

後白河法皇は、もとの法住寺殿（ほうじゅうじでん）の内へ。

また、御病中の高倉上皇は、六波羅池殿（いけどの）を、一時の仮御所として、おはいりになった。

入道清盛は、なお、あとに残った。

「おれは、始末をして、あとより参る」

といい、還幸を見とどけてから、数日後に、福原を出たのであった。

「生涯のうちに、ふたたび、この福原へ来る日があるかどうか」

雪ノ御所を去るにあたって、かれは、これまでにない感傷をいだいた。

その朝、ただ一人で、楼上に立ち、輪田ノ磯から経ケ島の築港、寄せ返す白波の海（うな）ばらなど、飽かぬ面（おも）もちでながめていた。

「おれが去ったら、ここはまた、元のわびたる磯藻（いそも）と松風だけの漁村になろう」

手しおにかけて育てたものと別れるような愛惜を、かれは、この土地に抱いた。

「福原に居を構えてからでも十四年、さかのぼれば、冠者のころからの、宿縁の地であった。……いや、このような港となし、町とするまでには、清盛が半生の全智と財を傾けたといってもよい。……だが、今はここをも、捨てねばならぬか」

——たれか自分と福原との別離の深情を知ってくれるものぞ——といいたげで。

たれもありはしない。天下、たれひとり、それを知ってくれるものはないのだ。

——と思うと、清盛のために、その惜別の深さをなぐさめてやるのは、清盛のほかにない。

主上、上皇、法皇はいわずもがな、公卿百官も、一門の輩までも、還都と聞くや、あのよろこびと、あわただしさをもって、潮の退くごとく、旧都へさして、争い帰ってしまった。——あとの福原に、一顧の惜しみも、一片の思いも、残しはしない。

「世は泡沫というが、山河の悠久に変りはない。今の人間どもの姿こそ、まこと、泡沫のままよ。清盛が計を立て、思いを燃やしたこの国への望みと未来の如きは、かれらにとって、いわば身の迷惑にすぎないのであろ……やんぬるかな。……ああ」

その日、残る軍兵数千をひきい、福原をあとに、陸路、旧都へ立った清盛の心には、人知れず、もう、二度とこの地を見る日はあるまいという予感があった。

なぜならば、かれとしても、

「三度の都遷しはできぬ」

と、近側へも、つぶやいていたし、都をおく所に、今は、自分の身もおかずにいられない四囲の状況だからである。

しかし、入道清盛が、西八条へ帰った後も、その状況は、良くならなかった。

むしろ、空巣の都に跳躍していた分子が、またぞろ、流言、放火、強盗など、あらゆる攪乱をやりはじめて来た。

「時忠。いちど都の大掃除をやれ」

清盛は、西八条の第へはいった直後、大理卿時忠を招いてそういった。

また、そのさい、

「近ごろ、近江源氏と称して、義経なる者が、しきりに、徒党を狩り集め、不穏を醸しおると聞くが、先年、お汝と義経のあいだには、以後、洛内に凶徒は入れまじと、証文にしるし、かたく誓約したことではなかったか。——まんまと、御辺は、義経めに、計られたな」

と、初めて、あのおり、時忠がとった処置への、不満を匂わした。

「いや、時忠は決して、かれに、たばかられてはおりません」

時忠は、苦笑しながら、抗弁した。

「——仰せの、義経とは、山下義経と申し、まことの九郎義経は、約をたがえず、奥州へ去り、今では、鎌倉におりまする」

「では、別人か」

「まったくの別人です」

と、はっきり答え、

「その山下義経と申すは、新宮十郎行家の子息で、新宮行宗という者。――仰せ出でを待つまでもなく、機を見て、庁（検非違使）の兵をさしむけ、一掃せんと考えていたところでした」

「庁の武者だけでは心もとない」

清盛は、思案のすえ、

「知盛を大将とし、べつに、近江へ一軍を出そう。大理卿たる御辺は、あくまで、洛内の治安と、不安の一掃に心がけてほしい」

と、いった。

時忠の洛内粛清は、烈日のようなきびしさを極めた。

空き屋敷だの、寺院の庫裡だの、また羅生門の上に巣食っていた無数の浮浪や飢民まで狩り出して、都の外へ追い払った。

これがまた、下層民の、平家にたいする怨みとなったのは、いうまでもない。

一方。

知盛は、一子知章とともに数千の兵をひきいて、近江の堅田へ出撃した。

湖賊ノ庄は、不意をつかれたかたちで、炎々たる黒けむりをあげ、知盛の兵馬に思いのまま駆けちらされてしまった。

堅田三家の者は、山下義経を主将に、坂本まで退がって、抗戦したが、さらに、湖畔を逃げなだれ、さいごには園城寺へ、たて籠った。

ここに拠って、

「出で合え。出で合い候え」

と、山門や南都の同心へ呼びかけ、そのまに、東国へ早馬をとばして、鎌倉勢の上洛を求めようとしたのである。

だが園城寺（三井寺）は、さきに以仁王と頼政の謀叛に与したとき、六波羅兵のために、焼き払われ、今は、守るに足るような楼門や墻もない。

それでも五、六日は、焼け残りの堂塔と地の利をたのんで、抵抗していたが、知盛からの戦況をうけた入道相国は、

「すぐ行け」

と、なお平清房を将として、兵三千を、急派した。

わずかに残っていた園城寺の一部も、たちまち大火焔となって、林泉も焼け、山も焼け、堅田党の主なる者、また近江源氏のたれかれも、ほとんどが、討死か、捕虜となった。

新宮行宗の山下義経は、どう逃れたか、わずかな味方とともに、近江を脱出し、やがて鎌倉の源九郎義経を、九郎殿山に訪ねて来た。

せた。

九郎義経は、兄の鎌倉殿の誤解をおそれ、ただちに、かれをつれて頼朝の前に報告さ
――堅田党の由来やら、山門大衆との密契、また、数年にわたり、洛内攪乱を計って、源氏総攻撃の日の準備戦として、きょうまで、働いていたことなどを、行宗は、つぶさに、言上した。

「……そうか」

と、のみ聞き終わって、頼朝は、

「かねて、うわさに聞き及んでいた洛中の夜盗放火などの物騒は、さては、そちたちの小細工であったよな。二人の義経がなした影絵のような謀略だったか」

といって笑った。

賞めるでもなく、しかるのでもない。

なお、そのあとで、

「ともあれ、よう訪ねて来た。そちが叔父子の行宗でありしか。叔父の十郎行家殿も、やがて参ると、鎌倉へ便りがあったゆえ、しばらくは、侍所にいて、行儀でも見習うておるがよい」

と、いい渡した。

その日から、行宗は、侍所の別当、和田義盛の配下におかれた。

九郎殿山へ帰りながら、九郎義経は、思い出した。

――黄瀬川での兄弟邂逅の一夕を――あれ以後の兄の態度を。

そして、ひそかに、

「鎌倉殿の弟として、自分は、まだまだ好い方なのかもしれぬ。いや兄君としては、お心にかけてくだされているのであろ。ゆめ、不足は抱くまい」

と、ひとり思ったことだった。

けれど、それにしても。

平家治下の洛中を脅かし、堅田党や山門大衆をうごかし、また、以仁王の令旨を、伊豆、木曾、そのほか、諸道の源氏につたえ歩いて、今日の機運をつくり、旗挙げの口火をつけた新宮十郎行家の功は決して小さなものではない。

それなのに叔父でもあるその行家殿の子息を――と、義経には考えられた。兄の鎌倉殿が、行宗に与えたその日の冷ややかな態度が、余りに、素気ないものに見えた。いつまで、それを悲しむ傷痕が、消えなくて、困った。

兄は冷たい人、無情な人とは、決して、考えたくないとするかれの気もちと、眼に見せられた事実とが、ともすれば、胸の片すみで擦れ合うのだった。

髻切り事件

旧都は、前に復した。五条、四条、三条、朱雀大路の道までが、きれいになった。

浮浪など、ひとりも見えない。

苛烈なほど、徹底的に、かれらの群れを洛外へ、追ったからである。

けれど〝怨嗟の府〟とは、いまの都のことであろう。一歩、洛外の山野に出れば、農民までが、

「夜も眠れぬ」

と、嘆きあい、

「平家のために」

と、その処置をうらんでいる。

都心を追われた浮浪や飢民は、蝗のように、農家の貯穀を食い荒してゆき、あらゆる悪事と悪風を、まいてあるいた。

それを、焚きつける乞食法師も多い。

近ごろ、食えない法師も、山野や農村を、うろついている。

——というのは。

これも、清盛の余りな勇断による非常政治の結果ではあった。

以仁王のこと以来、余憤、なかなか解けない清盛は、あの謀叛に味方した各寺の法師を、仮借なく、追放した。

三井寺の荘園は没収し、また、興福寺僧の私領も召し上げたりしたから、必然、多くの放浪僧を出したわけである。

それもあるし、福原遷都で、寺院に参詣する公卿の足が絶えていたので、ことしの年貢飢饉とともに、山門や南都の大寺の困りかたも、ひどかった。

そこへ、こんどの都還りである。洛中の粛清や、近江附近の掃討、園城寺の焼き払いなど、いよいよ、平家が武力方針と弾圧政治をとって、積極的に出てきたものと見、南都（奈良）の大衆は、

「はや、ただは、すむまい」

「かくなるうえは、防えをなせ」

と、吉野、大峰まで、檄を飛ばし、反平家の火の手をあげた。

興福寺、東大寺の二大寺も、きのうきょうは、まるで、僧兵の陣営である。仏事などは、手につかない。生き物である人間は、武装をすれば、自然、武装したような激語が口をついて出、激語のかもす雰囲気が、思わざることまでついに口走らせる。

「法皇をお迎えせよ」

「今は、元の法住寺殿へ、還幸あらせられるも、それは、入道の世間ていに過ぎぬ。平家の囚れとなっておるのも、おなじことよ」

「奈良へ、法皇を迎え奪って、院宣を仰ぎ、鎌倉の頼朝へ、催促して、一挙に、平家を討ちたおさん」

かれらは、声を大にした。

もう、蔭口ではない。

「平家を、たおせ。入道清盛を討たでおくべき」

公然と、揚言した。

奈良坂にある大和守兼忠の邸宅には、毎日のように、石や瓦が投げこまれた。土塀の外を、わざわざ示威して歩く僧兵の大群は、

「これが、右少弁兼忠の家か」

「西八条の犬よ。おれどもを、見張るため、この秋から、大和守となって来た者だ」

「なんじゃ、人の館にはあらで、犬の小屋か。わはははは」

嘲笑をあげ、門へ唾して、去って行く。

兼忠は、いるにも、恐くなった。

十二月の霜の朝。

まだ暗いうちに、奈良坂の邸を抜け出し、西八条へ、馬を飛ばして行った。

そして、入道清盛の前に、

「南都の兵備、ただ事とは見えません」

と、あるがままを、耳へ入れた。

大和守兼忠が、ここへ報告をもたらした数日前のことである。

清盛は、法皇をお訪ねしていた。

「何かと、時務も忙しかろうに、ようぞ」

と、後白河も、ごきげんであった。

（過去のことは、一切、水に流して忘れよう）

そういって、おたがい、涙を流しあった福原の幽所以来、法皇と入道とは、まったく、今では、打ち解けていた。

「きょうは、また、おり入っての、お願いで参りましたが」

「ほ。何事を」

「まいちど、以前のごとく、政務をみていただきたいのですが」

「院政を復せよ、といわるるか」

「何ぶん、帝はまだ、幼くおわせられまするし、摂政と申しても、基通卿では」

「はて。――院政の弊を憎み、院政を廃めんとするのが御辺の念願ではなかったのか」

「……仰せの通りでした」と、入道は、赤くなって、さしうつ向き「――我武者に、断行はしてみましたなれど、やはり院の御威令をもたないでは、行われぬことも多く、かつは、公卿どもの心が、一つにまとまりませぬ」

「そうかのう」

後白河は、わざと、とぼけたようなお顔をされ、

「院はなくとも、基通とか、月輪兼実など、諸事心得て、禅門を助けておろうに」

「しょせん、文官と武官とは、一朝一夕には、解け合えませぬ。――それを、車の両輪となすには、やはり院のお徳を仰ぐしかない。――院政に弊はあるが、院と入道とが、

一つになって、世の平穏を心がけ、他に乗じられぬようにさえいたせば」

「それはもう、泰平を得られるにきまっておる」

「何とぞ、法住寺殿を、前のごとき御所として、もいちど、政事の府となし給い、入道の微力をお助け給わるならば、いかばかりか、ありがたい儀と、存じまするが」

辞を低うして、清盛はすすめた。

現下の悪状況も、すべてそれを、政治的に収拾しようとしたのである。

近江附近のあぶれ源氏の掃討は、ぜひもないとし、それ以上の武断政治は、考えたくなかった。

そうして、政治の安定と、内部の充実を図り、足固めのできたところで、鎌倉の頼朝、木曾の義仲などの、処置に当たろうとしたものらしい。

その頼朝、義仲にたいしてさえ、入道は、戦うだけを、考えているのではない。齢も齢である。なんとか、平和的な解決の途もあるならばと、人知れず苦慮していた。

——心に、それがあるので、かれは、どのようにでも、今は、法皇のおん前に頭を下げようと思っている。

後白河が、意地わるく、「……どうだ、閉口したか」とお嘲いになっても「……それみよ、清盛」と、おさげすみな眼で御覧になろうとも、かれは、甘んじて、おすがりする決意であった。

しかし、かれのことばを聞かれた後白河は、やがて、

「いや、それほどまで、禅門が申すなれば」

と、なんの依怙地も曲げずに、ひきうけられた。

むしろ、隠そうにも隠しきれないほどな、喜悦の御容子さえみえた。

珠を失った龍が、ふたたび、珠を得たようなお顔つきである。御喜色、あふれんばかりに、

「のう禅門。以後は、ゆめ、院と平家との争いはやめようぞ。平家の栄ゆるは、院の栄え。ひいては、幼帝の御代を、安きにおくことになる。さるを、長老たる御辺とまろの両者が、我意の争いなどをひき起こしては、末代にまで恥ずかしいことじゃ」

と、いわれ、そのおことば序に、

「ついては、さきに、御辺の怒りにふれて追われた関白基房を、元の地位に復してほしいが」

と、望まれた。

「よろしいでしょう」

と、清盛も、御意に従い、また、院の御領として、多くの分国（所領）を奉ることを約して帰った。

あくまで、政治的処理を方針ときめていたので、清盛は、大和守兼忠の知らせをうけても、

「立ち帰って、常のごとく、役務を執っておれ」

と、あっさり、帰した。

しかし、恐いのは、自分だと思っている。——兼忠の報告を聞く間にも、昂まる感情が、こめかみの辺りで、*長虫のように、脈を打つ。

憎さ、憤ろしさ。また、時局が時局だけに、底知れない不安にも襲われてくる。

「兼康。——すぐ参って、関白殿を、お迎え申しあげて来い。入道より、おり入っての、御懇談があればと」

命をうけた妹尾太郎兼康は、やがて、夜にはいってから、関白基房の車につきそい、西八条へ戻ってきた。

「奈良の春日や二大寺、特に興福寺は、藤原氏代々の*氏寺でおざろうが」

清盛は、まずいった。

基房の手によって、南都の不穏をなだめ、かれらの底意は何か、不平は何か、求むるものを聞いてくれと、頼んだのである。

「承りました」

基房は、深更に帰った。——氏ノ長者たる家柄に自信があった。南都の大衆も、自分には服すだろうと、考えていた。

で、ただちに、興福寺衆とは関係のふかい、有官ノ別当（勧学院の長官）忠成に、旨をふくめ、使者として、奈良へやった。

「何事の不平があるにしても、所存の旨は、幾度でも、奏聞に及んだらよいではないか。西八条へ訴え出なくとも、院の御所へ奏したらよい。——近ごろ、院政も以前に復し、法皇の叡旨によるお裁きを仰ぐこともできるものを」

と、なだめさせたのである。

ところが、それの伝達が、正しく寺中へ披露できないうちに、

「入道の使いを、乗物から引き落せ」

とばかり、気の立った興福寺大衆は、牛車を襲ってさんざんな狼藉を加え、使者の忠成を、追い返してしまった。

右衛門督親雅は、関白からさし向けられた二度目の使者であったが、これも興福寺山門にかからぬ途中で、大衆の暴行にあい、大衆は口々に、

「髻を、切っ払え」

「髻を切れ」

と、わめき騒いだ。

断髪の私刑は、最大な侮辱である。その主君への恥ずかしめでもあった。

親雅の供をして来た勧学院の雑色数人が、髷を、ちょん切られ、親雅も切られぞこなった。かれは、頭をかかえ、ほうほうの態で、都へ、逃げ帰った。

馬と鹿

関白基房は、その日も、西八条の門へ牛車を寄せ、入道の室で、打ち悄れていた。

「物狂わしい衆徒と申すしかありませぬ。――仰せのまま、慰撫の使いをやりましたが、二度までも、狼藉をうけて、命からがら逃げ戻り、もはや、三度の使いには、たれも、恐れて行く者もない始末です」

さだめし、不興気な顔をするであろう。あたまから、怒喝を食うかもしれない。基房は、関白の職に復したばかりである。内心、恟々としながら述べた。

「ふうむ……」

入道の太い喉が、唾をのむように、うごいた。

大きな息が、鼻腔を忍び出る。かたく結ばれた唇である。その唇が、内に猛る官能を、鉄扉のごとく、閉めこんでいた。

「あなたは、氏ノ長者だった。あなたならと、思うたのだが」

「摂家の威もなくなりました。わが家の氏寺さえ、抑えることができませぬ」

「そのくせ、奈良の衆徒は、ややもすれば、春日の榊を振り、神輿を持ち出し、藤原氏代々の氏寺をいいたてる」

「いかにとも、今は、はや」

「末世末法だのう」

「しょせん、わが家の諭しや使いだけでは、鎮められませぬ。何とぞ、他に、ご思案を仰ぎたいと存じますが」

「ぜひもない。いや、むりなお骨折りを願って、御迷惑なことだった」

「ただただ面目ないばかりです」

基房が、怱々に、帰ってゆくと、清盛は、やがて、妹尾太郎兼康を呼んで、

「五百騎ほどを従え、すぐ、出勢の用意をいたせ」

と、いいつけた。

兼康は、はっと、思った。

「いずこへ、馳せ向かいますか」

「奈良へ」

「では？」

眼を、らんとさせて、眼にただすと清盛は、その顔を、横に振った。

「合戦と、早合点するな。ゆめ、戦いは、避けねばならぬぞ」

「——と仰せられるは」

「あす、あるいは、明後日になるやも知れぬが、関白家の御使いとして、三度目の使者を、興福寺へつかわすであろう。——そのせつ、使者の車に、衆徒めらを近づけぬようにいたせ。前のごとき狼藉をさせぬように、なんじの手勢をもって、守り防いでやれば

よい」

「それだけでございましょうか」

「使者の携えてまいる関白家の書状を、使者が、つつがなく、興福寺、ならびに東大寺へ、下達せしめ得るように」

「心得まいてござりまする」

「申しつける役儀は、それぞ」

「はい」

「——それだけだが」

と清盛は、なお、念に念を入れて、いい加えた。

「たとえ、衆徒どもが、軍にたいし、どのような狼藉をしかけて参ろうと、また、悪罵を浴びせようとも、なんじらは、構えて、相手にしてはならぬぞ」

「はっ……」

「籠手、脛当はよかろう。だが物々しく鎧うたり、旗差物などは、掲げて行くな」

「は」

「騎馬はゆるす。太刀もよい。だが、弓矢は帯びて参るな。——すべて、堪忍を旗、堪忍を具足として行くがいい。——知盛、重衡、忠度など、若い大将をやらぬは、そのためぞ。なんじなれば、年も分別ごろ。それゆえに、この難役を申しつける。たのんだぞ」

兼康は、眼の底が熱くなり、あとはただ、頭を下げて、退きさがった。

かれの五百騎はその日に、奈良へ急ぎ、むろんその日のうちに、奈良へ着いた。

常に、都とのあいだに、物見をおいている南都方では、兼康の兵馬が——兵馬といっても武装なきものであったにかかわらず——それが奈良にはいらないうち、早耳に伝えあい、

「すわ、平家勢の先陣ぞ」

と、非常鐘を打ち鳴らした。そしてたちまち、物具かためた大法師らを先頭に、薙刀、長柄をかいこんだ僧兵の大群が、寺房や堂塔のあいだから、雲のように、むらがり出て、奈良坂口をかためていた。

きょうのあいては、いつもと違う。牛車に乗った公卿使者ではない。

五百余騎の武者だ。

僧兵たちも、初めは、

「油断すな」

と、戒めあっていたが、

「あれ見よ。敵は襲せもせず、道を避けたぞ。何か、計るところがあるやも知れぬ。一手は先へまわれ、一手は、追い討ちかけてくれん」

と、包囲のかたちを取った。

松の大並木である。鹿がたくさんに遊んでいた。その鹿にも似て敏捷な僧兵の群は、小うるさく前後から絡みかかって、

「何者ぞ、われらの寺内へ、兵馬を乗り入れんとする輩は」

と、まず怒鳴った。

兼康の兵は、かたく、無抵抗をいい渡されていたので、唖の軍隊のように、黙々と、ただ道をひらこうとしていた。

「六波羅の兵か」

「悪入道の手勢よな」

「この霊域へ、不浄な手下は、立ち入り相ならぬ。下郎ども、帰れっ、六波羅の下郎ども、退散せい」

口汚いのしりが沸く。声ばかりでなく、石つぶて、牛の草鞋、木ぎれ、いろいろな物も飛んで来る。

兼康は、木像のような無反応を姿にもち、やがて、部下を見渡して、

「駒を降りて、夜の幕を張りまわせ」

と、命令した。

夜営の用意である。兵は一せいに馬を降り、近くの林にはいって、陣幕を拡げはじめた。

怒号が起こった。

設営を邪げる大法師らと、武者との間に、ついに格闘が始まり、あなやと思うまに、血を見てしまったものである。

「もう、我慢はならぬ」

武者の四、五人が、僧兵の中へ斬りこんでいた。「討たすな」と、呼ばわりあい、ほかの武者もどっと、助けに馳け入って行く。

おりふし、黄昏れである。

興福寺大衆は、地の利に明るく、一石一木の暗がりも知っている。それにまた、積極的だ。

「敵は、恐るるに足らん。かつて、叡山に向かっても、勝ったためしのない平家、先ごろは、富士川でも、散々になって、逃げくずれて帰った平家武者ぞ」

南都で名うての悪僧とみえ、音声もすさまじく、衆徒を鼓舞している大法師もある。

妹尾兼康は、逸る味方へ、

「逃げよ。ここは逃げよ」

と、声をからし、

「あれほど、いい渡しておいたことぞ。手抗いすな、刃交ぜはならぬぞ、退けや人びと」

と、制止していた。

しかし、その人自身さえ、今は、刃にたいするに刃をもって、防がずにはいられなかった。まして、部下はもう、破れかぶれ、猪武者となり終わっている。

弓矢を持たないために、かえって、戦闘は、激烈なものとなった。僧兵の数は、武者に、何倍していた。討たれる者は、兼康の部下に多く、やがて兼康の身も、当然、危うくなった。

「おれにつづいて逃げろ」

馬に乗って、まず兼康から、逃げて見せた。わっと、泣くがごとく、かれのあとから、逃げつづいて来る味方を見て——兼康は、走りながらも、口惜し涙がとまらなかった。

奈良坂まで、落ちて来て、大和守兼忠の築土内へ楯籠る。——そして、味方の数をしらべると、なお、百人は不足していた。

「あとの者どもは、いかがせしか」

夜明けを待ちかねて、きのうの場所へ、探りに行ってみると、猿沢の池のほとりに、六十幾人かの首が、かけ並べてあった。

すべて、自分の部下の首だ。弓を持たず、抵抗も禁じられていたために討たれた者の首である。

「これが僧侶の仕打ちか。おのれ」

今はと、かれの堪忍も、限界に立った。

残る四百騎をもって、突撃しよう、この恥をうけ、この部下の犠牲を見ては、このまま都には帰れぬと、身をふるわせた。

けれど、主命も、思い当ってくる。堪忍を旗として行けと、入道殿はいわれた。これでは、主命を完うしたものとはいえぬ。むしろ主命を恥ずかしめるものだ。「——このうえ、失策の上塗りしては」と思い返し、妹尾太郎兼康は、兵を奈良坂にとどめておき、ひとり馬を飛ばして、西八条へ、次のさしずを仰ぎに帰った。

「……なに。猿沢のなぎさに、六十余人のわが郎党の首をかけ並べたと」

清盛はかれのことばを、逐一聞き終わって、さすがに、心の平静を保ちきれない容子だった。

「……うむ」

幾たびも、幾たびも、乾いた下唇を、前歯で、こするように、噛みしめた。

余りに強く唇を噛んでいたせいであろう。根のゆるい老いの前歯の一つが、ミリッと口の中で軋んだ。——無意識に、かれは掌で、口を塞いだ。舌の先から、その掌へ、異様なほど大きく感じるものが、ポロリと吐き出された。

歯が抜けた。腐っている大きな根である。

唇の端に、ほんの少し、血が滲んだ。清盛は、掌のうえの物を見て、

「この日ごろ、物食うたびに、痛み疼いていたのは、これだったか。——糞坊主」

血の唾を、懐紙へ吐き出し、歯をくるんで、＊高欄ごしに、庭面へほうり捨てた。

すると、庭先へ、遠侍の一人がひざまずき、

「奈良より逃げ帰って来たと申す、次郎大夫友方と、ほか二、三の郎党が、ただ今、妹尾殿を慕うて、中門まで見えましたが」

と伝えに来た。

妹尾兼康は、

「さては、ゆうべ、乱闘の間に、迷ぐれ別れた味方の者にございましょう。はて、かような所へ来ても」

と、当惑顔をした。

清盛は、兼康がつぶやいているまに、庭面の侍へ、自分から命じていた。

「次郎大夫友方とやら一名を、そこへ通せ。その者からも、何か、べつなことを、聞きうるやも知れぬ」

すぐ、その男は、庭前へ来て、平伏した。

かれは、福井ノ庄の下司から、六波羅へ転役して来たばかりの者だが、妹尾兼康について、きのう奈良へ向かった一人だった。

正直者なので、いい渡された通り、あくまで、無抵抗を守っていた。そのため、かえって、敵の法師に、さんざん、蹴ったり踏んだりされたあげく、捕虜になってしまった。

一晩、大木の根に繋がれ、ほかの者は、夜明け前に、みな、首を打たれてしまった

が、かれのみは、置き忘れられていた。

場所が、鬱蒼たる森の陰だったので、つい、見出されずにしまったらしい。昼になっても、たれも来なかった。そのまに、根気よく、縄目を食い切り、首尾よく、命拾いして来ました——と、兼康に語るのだった。

「ほかには、なんぞ、異なことは、見なかったか」

兼康が問うのを、待っていたように、次郎大夫はまた答えた。

「恐ろしいことを、眼に見申した。それは、かような儀でおざる」

と、清盛の前もはばからず——いや清盛の前なので、なお、昂ぶって、いったのかもしれない。

興福寺では、平相国（清盛）の御寿命をちぢめ参らせんと、暁天の鐘を合図に、寺々で修法を行っている。そして、それがすむと、大勢の法師が南大門の広場へ出て来て、

（打て）

（踏め）

（打ち砕け）

などといいはやしながら、不思議な遊戯をやり始めた。一個の大きな木製の毬を、大勢が争って蹴上げたり、つえで打ちすえたり、唾したり、両手にさし上げてたたきつけたり、そして、どっと嘲ったり、何しろ、異様な熱意でやりつづける。

よく見ると、その木製の毬には、入道殿の似顔が描いてある。つまり大きなその木毬

を、平相国の首と見立てているのである。つえは、毬杖といって、先が槌形になっているつえであり、それで木毬を打ち争う競技である。その遊戯にことよせて、じつは、清盛調伏の気勢をあげているものだった。

「おそれ多くも、今上の外祖父におわせられる御方にたいし、あろうことか、あるまいことか、これや、魔界の魔の所為、見る眼も恐ろしと、眼をおおうて、逃げもどりまいた。……およそ、興福、東大寺の大衆は、そのように、物狂うた有様にござりまする」

と、述べたてた。

清盛は眉もうごかさなかった。石と化した人のようである。ただ、なお滲み出た歯ぐきの血が、臙脂のごとく、唇の端に乾いていた。

人為のほかな人為がある。

何か、眼に見えないものが、この世を、うごかしているのではないか。そう、疑われもするような、偶然や、不可思議な作用が、この世にはある。

おりもおり。

入道清盛が、妹尾兼康と、次郎大夫の二人を退けて、

「ちと、物憂い。いつもの、薬湯を煎じてくれよ」

と、近習にいいつけ、それを飲んで、夜具を引き被こうとしていたときである。

義弟の大理卿時忠が、訪ねて来た。

時忠が、会いに来るのは、いつも何か、重要問題ときまっている。抜け歯のせいか、入道の心には空洞ができ、しきりと妄念の鬼が、空洞に躍っていた。

「会うも、物憂いし、会わぬも、気がかりだし……」

迷ったが、思い直し、帳台の内に、臥床の設えを見せた部屋へ、かれを通した。

「どこか、お悪いのですか」

と、時忠は、すぐ、顔色をうかがっていう。

「――いや」と、重たげに、入道は顔を振り「大理卿、何事かある」

と、訊ねた。

「されば、これを御覧くださいまし」

と、一通の書状を示した。

興福寺から、叡山延暦寺へあてた密書である。

内容は、解くに困難なほど、簡略な文だが、それを見ると、久しく不和な南北の二山が「平家打倒」のもとに結ばれて、頻々と、連絡を交わしていることが、充分に、証拠だてられる。

なお、仔細に、熟視していると、鎌倉とも、通じている匂いがして来る。清盛は、毛あながよだった。抜け歯の悪寒のせいばかりではない。

「時忠。……これは？」

「奈良と、叡山との、峰道通いに、検非違使の武者を伏せおいて、使いの法師を捕え、やっと、手に入れたものにございまする」

「山門に、明雲座主がおられる以上、憂いはないと、思うていたが」

「座主も、はや、飾り物。大衆と大衆との結合には、抗しえません。いかに、明雲座主が平家へ心をお寄せくださろうとも、今は、施すべもなきやに見えまする」

「どうしたらよいか」

「さて、どういたしたものやら」

名案もない。打つ手もない。

時忠は、夜にはいって帰った。そして、清盛の寝間には、以後、通った者もなかった。

それなのに、時おり、寝所の内で、大声がした。……宿直が、はっとして、耳をそばだてていると、それきりである。

帳台のあたり、深沈と、燭はほの暗い。

そのうちに、また、

——ばか野郎っ。

清盛の大声である。

しかも、清盛が、まだ平太とよばれ、尻切れ草履をはいて、意欲の辻を、夜々さまようていたころの野性を思わすような——生地そのままな怒声であった。

「何か、お召しでございましょうか」

宿直の侍が、畏るおそる、壁代の蔭から、内をうかがった。

その声に、はっきりと、眼ざめたように、清盛は、むくと、床上に起き直って、

「なに。なんじゃと」

「お呼びではございませんでしたか」

「……呼ぶものか」

真冬、十二月の寒さなのに、ひたいに、汗をうかせている。

ひたと、掌を、わがひたいに当て、

「たわけ者よ。何をうろたえて、なんで、よう眠っているものを起こすか。たれも、呼びもせぬに」

と、しかりながら、胸の汗、腋の汗をふいて、また、深々と、夜具をかぶった。

――寝られなくなった。天井を見る、唐織の帳をながめる。

紛れ得ない。かれ自身、紛らすことができない。

心の空洞に生じた、べつな心が、官能を支配し出し、眠っているまも、乱舞してやまないのだ。主体のかれを、懊悩させ、輾転と、苦しませて、やまないのである。

「……ちぇっ、眼ざわりな」

突然、かれは、突っ立った。

よろと、老いたるかれの影は、いつも、枕もとの守りにと立てかけてある小薙刀のそばへ寄って行った。蛭巻の下を把って、小わきに持ち直したと思うと――普賢、勢至、

観音、阿弥陀像――など、截金まばゆい屏風絵の仏たちをめがけて、

「末法のにせ絵」

と、いっては、小薙刀を閃々と振り下ろし、

「外道の魔符」

と、ののしっては、ズタズタに、斬り裂いた。

「あっ、何事？」

と、宿直たちの跫音が馳け入って来たとき、屏風はたおれ、燭も消え、二日月に似た刃物と、白い寝衣姿の入道の影とが、やみの中に、じっとしていた。

「や、や。いかがなされましたか」

「もの狂わしきお姿」

「なんぞ、悪夢にでも」

宿直たちは、口々にいうだけで、近づきかねた。

「なに。乱心というか。悪夢と申すか。……ははは、いずれでもよい」

清盛は、笑い出した。自嘲のひびきがある。小薙刀を手に、つかつかと、寝所を立ち出で、

「まだ、夜は白まぬか。――大廂の冴えたるは、月か、霜か」

「はや、夜明けも間近う覚えまするが」

「さらば、侍どもを呼び起こし、頭ノ中将が許へ、早馬せよ。中宮亮通盛へも、すぐ

参れと、門を打ちたたけ。早うせよ、者ども」

大殿は、狼狽の響きに充ちた。

近習も、みな起き出で、遠侍の口や、侍門のあたりでは、はやくも、かがり火が燃えさかり、馬蹄の音が聞こえ、厩長屋の馬もみな、足掻きしたり、いなないたり、入道のひと声に、西八条の第は、震え立った。

灼身大仏・嘲人間愚

清盛の一子、頭ノ中将重衡と、門脇殿（教盛）の嫡男、中宮亮通盛は、時ならぬ西八条の召しに、

「何事やらん？」

と、すぐ馳せつけて来た。

霜の朝は、まっ白に、明けていた。

入道清盛は、もう蓬壺（室名）に出ていた。一見、常のかれと、変りはない。——ただ、白々と明けて来た霜景色を外に見つめ、ゆうべの自身が、自分でもけさの想念に、つかめないでいるような姿にも見える。

けれど、小薙刀の業は、かれにも、はっきり思い出せた。夢中でしたことではない。意志である。あきらかに、行為を楽しんでした行為だ。

「はて、おれはけさ、たれを待つのか？」

むしろ、明瞭を欠いているのは、それからの記憶であった。宿直たちのうろたえや、口々なことばだった。自分もいった気のする自分のことばである。何を喚いたろうかと思う。

「通盛にござりまする」

「お召しによって、重衡、参上いたしました」

蓬壺の次の間で、声がした。

帳が引かれ、境の絵襖が開かれる。

重衡、二十七歳。通盛三十一歳。いずれも、華やかな公達武者である。それが、姿をならべて、手をつかえている。

卯の花おどし。萌黄おどし。きらびやかな陣刀。そうした眼を射るがごとき装いを見て、清盛は、はっとした。

（……そうか、二人を呼びにやり、陣触れを申し渡したのだ。陣触れを）

思い出した面持ちだが、しかし、それは少しも悔いている色ではない。

自分以外のものが、自分をして、こう、させたのだと思う。日ごろの小心な自分では、決断しえないことである。自分に代って、何ものかの力が、二人を呼びよせたものだろう。それならそれでいい。いや、今となっては、それ以外に取る方法はないだろう。手を拱いていれば、平家の自滅だ。清盛自身の死は、さほどにも惜しみはない。正直、そう死にたくない気もして来ない。年齢である。だが、煩悩は、捨てきれない。一族、無数の行く末を思えば、このまま、自滅を待つ気には、どうしてもなれないのだ。

（かくて、死ぬまで、食うか食われるかの業を、おれは、やり尽さねばならないのか）

そう思いながら枕についた昨夜であった。——いやなお、業の厭わしさに、心も定まらず、善心と鬼とが一つに住む空洞を抱いたまま、眠らぬごとく、いつか眠ったものとみえる。

「早かった。よくぞ」

こういうまでに、かれの頭はまだ、索寞としていたが、自分の吐くことばが、次第に、かれの意志を、打ち堅めていた。

「重衡は、八千騎を持て。通盛は、五千騎を、ひきいて行くがよい」

「はいっ」

「行くては、南都ぞ。——以仁王、頼政の謀叛のおりにも、南都は、うしろにあって、宮を使嗾し奉り、以後も、あらためる風は、みじんもない」

「宇治川の落武者、三井寺の僧どもも、みな奈良に潜みおりますとか」

「いずれにせよ、南都の伽藍と、平家の門とは、ひとつ地上に、ひとつ日輪を仰ぎえぬ異物だ。夜明くるごとに、陽の沈むごとに、清盛の死を祈り、平家の滅亡を念じおる衆徒めらを、どうしても、一度は懲らしおかねばなるまい」

「きっと、いたして参りまする」

「攻め入りなば、一度で事のすむように、威力を示して来い。藤原氏代々の氏寺、摂家堂上の泣き恨みやら非難やら、いずれは、わが家へ降りそそぐに違いない。――が、あらゆる謗りは、おれが着る。悪入道清盛が、身にかぶる。――年久しゅうて、魔性外道の古巣となった末法の暗黒界に、大鐘を打ち鳴らしてまいれ」

これほどには、いう気もなかったのに、清盛は、自分の語気に酔っていった。一言を吐くごとに、かれ自身、陣頭の阿修羅になった。

「行け」

とばかり、重衡、通盛は、勇みあって、その朝、一万余騎を催し、奈良へ馳け向かった。

奈良坂にある大和守兼忠の手兵に、妹尾兼康の残兵も加えて、まず、奈良坂口の砦を攻めつぶし、次いで、般若寺の城郭を取りかこんだ。

ここは、堅塁である。

戦に、その日は暮れ、夜になった。

奇兵を忍ばせて、やっと、そこを陥したのが、夜半である。陥ちたとなると、僧兵の多くは徒歩、武者は騎馬、法師勢の討死は、数も知れない。

坂ノ四郎永覚という大法師は、「七大寺、十五大寺のうちにも、われほどな者やある」と、つねに豪語していた大悪僧だけあって、見事な退き方であった。同宿（仲間の僧）大勢と一つになり、引っ返しては戦い、引っ返しては、追手を悩まし、ついに、一人になり果てながらも、悠々と、平家勢を、しり眼にかけて、南の方へ、落ちて行った。

辻合戦や矢戦は、昼に終わった。

そして夜にはいるころ、般若寺は、炎々と、楼門の甍から、焔を噴いていた。

奈良の夜は火光に染まった。辻を縦横に、馳けうごくのは、兵馬の影であろう。まっ黒に蝟集して、西大門、南大門などの、要所要所へ迫ってゆく。

打ち負けて、寺内深くへ逃げこんだ衆徒は、興福寺の金堂、南円堂、中院、北院、そのほかの仏舎宝塔へかくれこみ、東大寺の方もおなじだった。ただ、そこでは、東大寺の大仏殿の二階へ無数の人影がのぼっていた。講堂や四面の廻廊、戒壇などの、いたる所の暗がりと、物蔭にも人影がかがんでいた。床下の奥まで、僧兵が逃げこんでいた。

「誰ぞ、火を出せ、暗うて、敵味方のけじめも分からぬわ」

大将軍の頭ノ中将重衡の声に応じて、

「火を出しまするか」

と、軍勢の中のひとりがいった。

「おう、火をかかげよ」

火を出せ、火を掲げよ、というのは、常ならば、紙燭をという程度のことばに受けとれるが、ここでは、大火をあげろということである。数千の将士の足もとを照らせという命令と取ってよい。

「心得ました」

と、すぐ気転をきかして、楯を細かに割り、それを松明として、かなたへ走り去った男を見ると、次郎大夫友方だった。

大路を遠くへだてた民家へ行って、そこらの家々へ、火を放けまわった。

武者たちの顔は、たちまち、巨火の明りに赤く燃え、手に持つ、弓や長柄の線までが、影法師となって、地上に映った。

「罪なき女童や、修学者などは、殺めまいぞ。法師武者と見なば、ただ一人とて、討ちもらすな」

重衡も下知し、通盛も、声をからした。

すさまじい武者声が、どっと沸き、虚空からも、谺が聞こえた。

その夜は、十二月二十八日、もう幾日かで、初春を迎えるという極月だった。奈良大衆も、よもや、こんな大軍の襲来を見ようとは、夢にも思わず、待つ春の支度に、油断しきっていたものにちがいない。

火は、民家の軒から軒へ、走りはじめた。炎の奔馬が狂い合うさまにも似ている。そのうちに、風は、猛烈な木枯しとなり、ひょうひょうと、大きな飛び火が、虚空にはためき、虚空に舞い初めた。

「あれよ……。かしこにも、こなたにも」

「こは、怖ろしの猛火ぞ。どうなることか」

火を放った平家方が、まず、うろたえた。

見る見るうちである。

興福寺の寺中寺外も、焔となり、東大寺のそこかしこも、紅蓮の海となった。

わけて、大仏殿の二階に、火が燃えつくと、

「――助けて給べえっ」

という無数の人影と、悲鳴とが、楼の欄に、ひしめき合い、蚊が焼かれ落ちるように、焦げた人影が、大地へ、ぽろぽろ、落ちて来た。

老僧がある。女童がある。また、戦いに関与しない若い修学者の姿もあった。

屈強な僧兵たちは、われがちに、階をまろび落ち、外へあふれ出して来た。しかし、昼のような火光の下に、たいがいは、よい的になって、遠矢に射られ、脱兎の勢いで、逃げ出して来る者も、武者の好餌となって、諸所で討ち殺された。さもなければ、縄を打たれて、ひかれて行った。

南都炎上。ひと口に、いわれるものの、およそ、治承四年十二月の、興福寺、東大寺の焼亡ほど、後の世まで、悲しまれた惨事はない。

わけて大仏殿は、聖武の御代、天皇が、平和の祈りを、地上の万世へかけて、建立されたものだという。金銅五丈三尺の盧遮那仏――平和の御願をみかどの籠めおかれた巨大な黄金像は――燃えくずれる万丈の火の塵の中に、黄金、紫金、白毫の光を放ち、ま

るで、この人間愚を、微笑しているかのように、灼熱された御姿を、さんらんと明らかにし、それを眼に見た武者どもは、眼がつぶれたかと思い、弓を伏せ、刀を下げて、わっと、遠くへ逃げ退いたという。

無残は、それだけではない。

それにまさる非業な跡は、火中に焼け死んだ人びとである。大仏殿の二階では、千七百余人が死に、興福寺では、八百余人の死体が後に見出されたとある。そのほか、ある御堂では何十人、ある塔下では何人と、数えきれないほど、たくさんな人が死んだ。まだある。戦いで討たれた僧兵である。これも、千人に近いといわれた。

あくる二十九日。

重衡は、僧兵の首級を、般若寺の前に、切りかけさせ、主なる大法師らの首だけを、おのおの、馬の鞍わきに結い付けて、洛内へ、引き揚げた。

南都二た晩の炎は、洛外からも望まれていたにちがいなく、野山に働く何も知らない農夫から、都の道ばたに、茫然とむらがっている庶民まで、みな、悲しげな眼ざしで、凱旋の将士を見ていた。

中宮、後白河、また御病中の高倉上皇も、この由を聞かれ、

「世も終わりか。入道殿には、天魔に魅入られ給えるよ」

と、お嘆きに沈まれたという。

春日野の露の色も変り果て、三笠山の姿も、まっ黒に変じてしまったと、心ない人び

とまでが悲しんだ。人びとは、入道の心に、魔物が憑いたのだといったり、いやあれが御本性だと恐れたり、そして、やがてはこの仏罰をこうむらずにはいまいと、口をそろえて、いいあった。

耳に飼う蟬

入道は、けさも暗いうちに、もう、便殿の浄ノ間（洗面所）へはいって行った。早起きはかれの久しい習慣だが、とかく健康もすぐれず、齢も加えて来ながら、近ごろはまた特にその傾向が強くなって来ている。

ゆうべ――二十九日の夜も――寝所にはいったのは、夜半過ぎであった。重衡、通盛などの凱旋の将に会って、つぶさな実情を聞きとり、さいごに敵の〝首目録〟を一見したのであるが、さすがにつかれた容子を見せ、

「検分は、あすにゆずろう。たくさんな法師首を、今から実検していたら夜が明ける」

と、その座を立ったものである。

しかし、まもなく鶏鳴だった。眠りについたにしても、眠る間が幾刻あったろう。それも果たして熟睡したであろうか、どうか。

南都を撃ち懲らせ、とはかれのくだした命令にちがいない。――けれど、興福寺、東大寺の堂舎宝塔をことごとく焼き払い、大仏殿炎上――死者数千人――というような極

端な結果には、入道自身さえも、「……これは」と、その酸鼻な徹底ぶりにあきれもし、意外に思った容子だった。そして「ちと、薬がきき過ぎたわい」と、悔いる色さえ顔に滲ませた。

とはいえ、悔いを、口に出す清盛でもない。「世の誹りは、すべて、悪入道の名のもとに、おれが着る」とは、初めからの肚である。――結果の重大に、今さら若年の大将を譴責したり、責めを他へ転じようなどとは、考えもしなかった。

「乙御前、乙御前」

雑仕（侍女）の一人は、便殿の掛樋ノ床で、入道が大声で呼ぶのを聞き、

「はい」

と、紙燭を袂にかこいながら、走って行った。

入道は、口を含嗽し、顔を洗っていたが、柄杓で水甕の氷をたたき割ったとみえ、子どもが悪戯したあとのように、そこらじゅうを、水だらけにしていた。

「お召しでございますか」

「どこやらで、大勢の読経の声が聞こえるが、何者が勤行などいたしおるのか。宿直に申して、やめさせて来い」

「仰せではございますが、何も聞こえてはおりませぬ」

「聞こえぬと。称名の唱和やら鐘の音が、あのように、聞こゆるのに」

「いいえ、そのような気ぶりは、どこにも」

「せぬことがあるものか。……鐘が聞こえる……大勢の人間が声を合わせて経を誦みぬいておる」

「ホ、ホ、ホ、ホ。お耳のせいでございましょう」

「耳のせい？　……。そうかな」

入道は、つよく首を振って、

「そう申せば、耳の奥で蟬が啼くような心地もする。はて、気のせいであろうか」

つぶやきながら、便殿の別の間へ行き、その姿は、大勢の侍女にかこまれていた。

肌着から小袖、大口など、衣裳をかえるためだった。

まもなく大またな跫音が、床踏み鳴らして出て行った。

その跫音も、ここ幾日かの入道の挙止とともに、どことなく、あらあらしいものがあった。

いつも政務を聴く蓬壺の廊ノ口には、妹尾兼康、難波季貞、秦重房など、みな起きそろって、平伏していた。

「兼康」

「はっ」

「今暁、第の内にて、大勢の者が、読経を唱和していたか」

「さようなことはございませぬ」

「が、なんとのう、そうぞうしいが」

「おさしずのまま、奈良より凱旋の兵馬は、なお鎧も解かず鞍も降ろさず、御門の内外に屯して、非常へ備えておりますれば」

「なるほど、あれは兵馬の騒めきか……。はて、けさの耳鳴りは」

耳の穴を、指でまさぐりながら、入道はいつもの座について、

「重衡を呼べ」

と、左右へいった。

その頭ノ中将重衡は、おりふし、ここに見えなかった。しかし、人びとが第の内を探している間に、どこからともなく帰って来て、父の入道へ向かい、静かに、朝のあいさつをしていた。

子煩悩に過ぎると、常にはいわれている入道清盛であったが、けさは、重衡の姿を見ると、いきなり頭から叱咤した。

「兵はまだ、夜来、物具も解かずにおるのに、大将たるお汝は、おのれひとり家に帰って、ぬくぬくと、眠って来たのか」

「いえ。わが屋敷へ帰ったのではございませぬ」

「では、今ごろどこから戻って来たぞ」

「母の二位殿からお召しがありましたゆえ」

「二位殿が、何用あって」

「南都焼き打ちの報を、聞かれ給うて、気でも狂うたかと、わたくしをおしかり遊ばしてやみません。……悲しや、一門一族は、仏敵の罪を負い、死後まで地獄の責苦はのがれまいぞ……と、お嘆きやら、おしかりやら、かき口説かれて参りました」

「お汝は、なんと答えたか」

「おなぐさめ申すことばもなく、ただただ、重衡が落度とのみ……」

「詫びたのかよ」

「はい。お詫びのほかには」

「なぜ、父の命だとは、いわなかったぞ。父入道の厳命にて、やむなくと申し切ればよいに」

「二位殿にもそれは御存知でござりまする。しかし、あれほどにとは、父君も仰せられず、重衡も、思いもよらなかったことでございました。――敵の法師勢が、ことごとく、寺中へ逃げこみましたゆえ、暗がりの合戦では、由緒ある宝舎や堂塔を踏み毀ちもせんと、足もとの明りにと、民家へ火を放けたのが、悪かったのです。――時ならぬ狂風のため、火は、あなやというまに、東大寺へも、興福寺の諸伽藍へも」

「ば、ばかな」

入道は、烈しく、かれのことばを、さえぎった。

「狂風のためだったと、お汝は、世迷い言を申すのか」

「まったく、あの凄まじい大風さえ起こらなければ」

「さようないいわけを、たれにいう気ぞ。今さら世間がそんな言に耳をかそうや。——二度と軍を出さずともよいように奈良を懲らして参れとは、この入道が申しつけたこと。……また、おりからの大風が、七大寺の堂塔を灰燼に帰せしめたのも、何やら人業とも思われぬ。いわば天意だ。天も無用の社寺の荘厳や坊主どもの末法堕落の様を怒らせ給うて、天罰を示したものといってよい。……いずれにせよ、かくなるうえは憚るな、世上へヘタないいわけ顔をするのはよせ」

「はいっ……」

「罪はおれがかぶる。清盛は、死後の地獄など恐れてもみぬ。極楽もまた望んではおらぬ。願うことは、お汝らがみな仲よくして、一門をかため、諸民をいつくしみ、一日も早く世を泰平に」

いいかけて、かれは、なんともいえない寂しい翳を老いの姿にけむらせた。必然的な人間の天寿といったような考えが、ふっと、意識をつき抜けたものとみえる。あすのはかなさを知って、あすを語る自信を欠いていたのかも知れない。

「ともあれ、今が、わが一門の浮沈ぞ。外へたいして、内の怯みを見するな」

それから、かれは、強いて毅然とすわり直し、

「いで、悪僧どもが首を見ようか。誰ぞ、首目録を読み上げてゆけ」

と、いった。

重衡は、広縁へ出て、将士をさしずし、戦場から持ち帰った四十九人の法師首を、順

に、庭さきへ披露した。

が、入道は、その二つ三つを実検すると、すぐ舌打ちして、こういった。

「よせ、よせ。もうよい。武門の誇りにもならぬ法師首、見るも物憂い。一しょにまとめて、芥塚へでも埋けてしまえ」

ふつう、敵方の主なる者の首は、大路を渡して、衆人に見せ、獄門の木にかけるのが慣例であったが、こんどは、そのことも取り廃められた。

取り廃めたといえば、年暮の行事から、正月の恒例まで、すべての式事も見合わせらしい。

それについて、右大臣兼実からも、

「宮中元旦のおん儀、四方拝のこと、諸臣拝礼の有無、節会のおん催しなどは、どういうことになりましょうか」

と、問い合わせて来ている。

時局のけわしさには、年暮も初春もない。「できたら、やるもよい。できなかったら、行わぬもよい」――入道はそう答えてやった。

別室には、朱鼻の伴卜が伺候していた。

例の、兵糧米の集荷が、依然、はかばかしくゆかないのである。そのため、罷り出て来たらしい。

「院宣を仰ごう」

入道は、断乎といった。

「かかる非常のばあい、やむをえまい。諸国の公田、荘園にむかい、兵糧米を課すとの院宣を降す」

もうひとつ、伴卜から入道へ、直裁を仰いでいた問題がある。

奥州藤原氏への回答だ。

金売り吉次から、伴卜を通して、秀衡が求めて来たものと、平家側の望む秀衡の全面的協力との、締結だった。

「もし、秀衡が、頼朝追討の勅をうくるならば、功として、充分な恩爵は与えよう。……が、密使の吉次とやらには、入道の内意と申し、ひとまず、その程度につたえておけ。明春、さらに秀衡の肚をたしかめたうえで、勅使を奥州へ降すであろう」

伴卜は、旨をうけて、退きさがった。

もちろん、かれと吉次とは、べつにまた、時局の裏で、何を取引していたか知れたものではない。しかしまもなく、吉次が奥州へ帰ったことだけは確かである。

——ともあれ、それらの枝葉的な動きはおいて、今や運命の日は、全平家のうえに、近づいていた。その年の暮から治承五年の正月にかけては、一日刻みといってよいほど、事々みな、およそ、平家の衰兆でないものはない。

わけても、新院高倉の上皇が、にわかに、御危篤とあって、あわただしいお使いが西八条へ馳け入った夕は、入道も燭の前に茫然たる面持ちであった。

春なきおん国母

正月十四日の宵である。

夕方からの粉雪が、もう町すじを白くしていた。入道相国を乗せた牛車の供人は、雪まだらな牛の体へムチを振り鳴らし、六波羅池殿へと急いでいた。

「お年からいえば、まだ、春はこれからという上皇なのに……」

車は、五条大橋を、とどろに渡って行く。

冷えこむ両のひざを組みあわせ、入道は、はこの内にあって、物見（窓）の簾を打つ幻のような雪風の明滅を、眼をうつろに見つめ——

「上には、御孝心篤く、下々には、お情けぶかく、何事につけ、お気性のよい上皇であったが」

と、ひそかな悔いに責められていた。

——自分と後白河法皇との不和が、どれほど、上皇のお心を傷め、また、おからだにも障っていたことか知れまいと思う。

後白河は、御実父。

自分は、高倉の上皇の舅である。

いわば、親と義親との争いにはさまれて、いいようもない御苦境に、その青春を萎ませられたお方だった。

早くに、御退位を見たのも、そのためであり、厳島御幸の御立願も、それにあったことは、下々まで、およそ知らない者はない。

以後、お体もすぐれなかったのは、まったく、そうした御心労のせいである。とりわけ、お淋しかったにちがいないと思われるのは、清盛のむすめ、中宮（おききさき）の徳子とも、ひとつお暮らしさえ久しく絶えていたことであろう。

上皇と徳子とのあいだの御子（安徳天皇）はむつきのうちに御位につかれ、建礼門院徳子も、国母として、つねに幼帝を抱いて朝廟にあるため、飽きも飽かれもせぬ鴛鴦（おしどり）のおん仲とて、一つ御所に住むわけにはゆかなかったし「吾が妻よ」「吾が良人よ」と心で呼びあうことさえ、何かの儀式に列するときでもなければ、相見る日はなかったのである。

「……罪な。……思えば罪な」

どこから吹き入るのか、車の内まで、蛍のように、雪が舞った。

まもなく、車が停まる。

併立して迎える公卿たちの列のあいだを、入道は無表情に通って行った。

そして奥深い中殿の廊まで来ると、ふと、打ち悄れた人影に行き逢った。左中将清通と右中弁兼光のふたりである。

眼ばやく、みとめて、

「両所両所。上皇の御容態は？」

と、心せくまま、入道の方からたずねた。

ふたりは、相国と見て、ひとしお首を垂れ、

「……今し方、ついに」

と、あとは声も消え入った。

「なに。はや御臨終とな」

そう聞いて、始めて気づいたことだった。広い大殿ではあるが、物音ひとつせず、しいんと、凍てた池のように潜まりきっていたのである。

「そ、そうか。……それはまた」

入道は、妙に舌がつれて、自分のことばも無意識であった。つつつと、小刻みに歩みを早めた。そして、御病間のあたりへ近づいたときである。灯もない一間の簾の内に、よよと声を袿の袖につつんで、泣きもだえている女性があった。

臨終のおん枕辺を遠く離れ、ただひとりで、心ゆくまで、泣こうと思い、そして泣いていた人にちがいない。長やかな黒髪も花の顔も涙にひたして、五衣の臈やかな姿を几帳の下にとりみだしているのである。

「……？」

入道は、佇むともなく、簾の蔭に、立ちどまった。

その女性がむせび泣く声は、すぐ、入道の血に響いてくる、まったく同質な何かを持

っていた。「むすめだ。徳子よ」と、入道は知って、かれの胸もたちまち嗚咽をともにしかけた。

「むりもない。この入道を父としたため、あたら女の生涯をと、さだめし恨みにも思すらめ。来世には、氏も位もない庶民の娘に生まれたやとも思うであろ。……あな傷ましの、おん国母やな」

つい、かれも、はふり落つる親の涙を、どうしようもなかった。

すると、御遺骸のおかれている奥まった辺りから、澄んだ鉦の音がひびき、大勢の僧が、声をあわせて称名するのが聞こえてきた。おん枕べから、細殿にまで詰めあっている近習、公卿、女房たちも、掌を合わせて、それに唱和しだした。

「……や、や。また耳のおくで、蟬が啼くわ」

入道は一瞬、虚空の物の怪でも睨めまわすような眼をして、両手で耳をおおった。

そのうえ、何思ったか、急にそこから車寄せへ引っ返してしまい、車廂の内へ深く隠れてから、初めて、大殿の方へむかって両掌をあわせた。

雪をかぶった牛車が、雪の道を行くあいだ、入道は、流れるにまかせた涙の顔を、人知れず、幾たびとなくふいていた。

お亡くなりになった高倉上皇は、御年二十一であった。

――御在位のおん時、人の従ひつき奉ることは、延喜、天暦の帝と申すとも、いかで勝らせ給ふべきとぞ、人みな申しける。

と時人が頌えたのをみても、この君にたいずる同情の思いは、たれもが、ひとしかったようである。

庭守の仕丁が、過って、御鍾愛の楓を伐って焚いてしまい、罪となるところを、助けておやりになった有名な御逸事。

また。

ある女房に仕えている女童が、辻盗人のために、主人の仕立物の衣裳を奪られてしまったのを、あわれに思われて、それに衣裳をお与えになったうえ、近習に命じて、宿の局まで、送らせておやりになったというようなこともあった。

美しい御事歴は、なかなか多い。

そのうちにも、この君と小督の局との悲恋は、琵琶や謡曲にも語りつがれ、また、大和絵などの好画題にもなっている。

あらましを、ここに誌せば。

いつの年とも知れぬが、まだ、この君が、天皇の御位にあったころ。

中宮（徳子）の御方から、小督という女房をお側へまいらせた。

小督は、桜町中納言のむすめで、禁中にも目立つほどな美貌であったばかりでなく、琴を弾いては、無双な上手であったという。

この才媛には、もちろん、ひく手あまたであった。中にも、冷泉少将隆房朝臣とは、行く末を約した恋仲であった。けれど今は、天皇の御寝に侍く身となったので、泣く泣く思い断つしかない。

入道相国は、そのもつれを、人づてに聞いて、

（怪しからぬことかな。中宮と申すも、わがむすめ。冷泉の少将とて、わが婿〈清盛の四女の婿〉なれ、小督の局に、婿二人まで取られたと聞こえて、世上のわらい草ぞ）

と、怒って、ひそかに、小督を人手にかけて失わせようと計ったとある。

小督は、それを知って、内裏をまぎれ出で、どこかへ、姿を隠してしまった。

主上のおん嘆きは、ひとかたでない。夜の御殿に入らせられても、おん涙に沈み明かしておられるし、月の光を見給うても、すぐお眼を曇らすのであった。

ころは八月十日すぎのある夜。

弾正大弼仲国という侍者があって、

（かかる夜は、小督も君を偲び奉って、月のもとに、琴を弾いておりましょう。仲国が心あたりを尋ねあるき、小督の殿を召しつれて参りましょうず）

と、お慰め申しあげた。

主上のおよろこびいうまでもなく、

（さらば、寮の馬に乗ってゆけ）

と、御寮の馬を賜うたので、仲国は、名月に鞭をあげて、嵯峨野のあたりへさして行った。

月も更け、野末の草の露に、人も馬も、しとどに濡れながらも、なお、さまよってい

ると、小倉山のふもとの辺で、ふと、琴の音が耳にふれた。

草屋の片折戸をうかがってみると、軒ばの月影を、琴の上にうけて、想夫恋の曲を弾いている佳人がある。まぎれもない小督であった。

仲国は、不意の訪れに、小督を驚かして、さて。

（これこそ、恋い病み給う君のお墨にて候うなれ）

と、主上の御書を、手渡した。

（夢か？）

と、小督は、それを披く。

匂わしさ。麗しさ。悩ましげな姿である。

（ぜひぜひ、禁中へもどり給われ）

と、仲国は、すすめたが、小督は、顔を振って、涙を垂るるばかりだった。

（さらば、この家のあるじよ。この女房を、ゆめ、家の外に出しまいらすな）

仲国は、宿の者にいいつけ、また、自分の従者を番において、いちど、宮中へ引っ返した。

ちょうど、夜はほのぼのと白みかけていた。

さだめし、主上には、まだ御寝のころであろうにと察しながら、南殿へ出てみると、主上は、ゆうべの御座の所に、まだ、お姿もくずさず、そのまますわっておいでになった。

仲国の報らせと、そして、小督の返し文を御覧になると、矢も楯もないみけしきで、

(さらば、仲国、夕べをはかって、ひそと連れて参れ)

と、仰っしゃった。

小督を乗せた女車は、やがて、嵯峨野の夕をあとにして、宮中にかくれた。

どれほどな月日が過ぎたろうか。

まもなく、入道の耳にこれが聞こえ、小督は、後宮を出されて、もとの嵯峨野へ追っ放された。——その後、小督は、髪をおろして、一庵をむすび、もう二度とは、人の世の恋はしなかったというのである。

——無下に憂たてき事どもなり。主上は、かやうの事共にも、御悩(御病)づかせ給うて、やがてかくれさせ給ひけるとかや。

古典は、こう結んでいるが、このはなしは、元より真実を伝えたものではない。似たような御事蹟も、じつは、あったかどうかも、疑問である。

唐朝の詩人白楽天の〝長恨歌〟に詠まれた玄宗皇帝と楊貴妃の恋をとって、〝平家物語の作者が、大和調な文体に移し、小督と天皇のことに書き直したものであると、説を立

てる学究もある。

おそらく、そうであろう。そういう例は、ほかにも少なくない。

文学のうえばかりでなく、絵画にも、工芸にも、宗教にも、あらゆる部門に、多いのである。思想すらも、移植であった。

けれど、移植が移植のままではなかった。この国の風土による調和作用を経ると、ふしぎに、この国の国初めからあるような開花と盛りを見せるのだった。

——余談はおいて。

さて新しい治承五年も、正月中から、そんなふうで、百官は喪に服し、大葬は、東山の清閑寺で行われた。

幼帝の安徳は、ことしお四ツになられ、国母建礼門院は、故上皇より六つ年上であったから、二十七というお若さで、はやくも、孤婦となられたわけである。

それやこれやで、宮中でも、平家の門でも、管絃の音さえ聞かれなかったところへ、やがて、東風吹くころに聞こえて来たのは、新宮十郎行家が、突如、美濃源氏を狩りあつめて、尾張へ攻め入ったという報らせであり、また、木曾義仲が、信濃を出て、野火のような勢いを伸ばして来たという早馬であった。

三界の巻

葵と義仲

木曾一の殿御——かれは十州の山岳民から今やそんなふうに礼讃されている——その木曾冠者義仲は、正月すえから、葵ノ前を連れて、信濃の別所の温泉へ療養に来ていた。

かれの陣所は、去年の秋以来、依田ノ庄へ進出していた。依田は、この別所や上田平などをふくむ塩田ノ庄のすぐ隣村なのである。

「葵。もうここも、飽いたであろ」

「いいえ、飽くなどはおろか、殿とこうしているならば、いつまでもと願うております。殿は」

「おれか。おれは正直、飽き飽きしたな。川の瀬で水浴みはよくやるが、湯浴みなどは滅多にしない方だ。それが二十日余りも、こう、温泉浸しでは」

「ま。わらわのために、さもお辛そうな。申しわけないことでございました」

「や。怒ったのか。葵……」

御湯屋（おんゆや）は、俄（にわか）ぶしんだが、木の香も新しく、湯は、湯槽（ゆぶね）をあふれてすがすがと流れている。

この建物さえ、かの女に療治させるため、義仲が、急に命じて造らせたものである。

それほど、義仲は葵を愛していた。戦（いくさ）のない日は、こうして、かの女の白珠（しらたま）の肌に肌を寄せあい、人目ない湯屋の木の香と、湯のせせらぎを、二人だけのものとしきって、何者にもここはうかがわせたことがない。

――それが、その殿が、ここにいるのもはや飽き飽きしたといいたげな顔を露骨に見せたので、葵は、

「知りません、もう、ようございます。わらわも、覚悟いたしますから」

と、肩ごしに乳ぶさへかけた男の手から、人魚のように捥（も）ぎ脱（ぬ）けて、湯ぶねのすみへ、かがまった。

「なに、覚悟だと。これや大げさな。アハハハハ、覚悟とは、なんの覚悟」

義仲は、湯を躍り出て、湯ぶねに腰かけた。

湯の中に透いて見える〝拗（す）ねた人魚〟を、こうながめているのもわるくない――といったふうに。

「なにをお笑い遊ばすのですか」

葵は、恨みをふくんだ眼もとで、顔を斜めに、うしろの人を振り向いていった。

「お忘れなく、見ていらっしゃいませ。次の合戦に、葵は、きっと、御馬前で討死を遂げてお目にかけますからね。……あの日の言葉は、さては、そうした心根であったかと、後になって、思い当ってくださるでしょう」

「わははは。葵よ、そなたは、本気なのか」

「殿に飽かれて、何をたのしみに生き長らえましょう」

「二人の仲を飽いたとは、たれもいわぬ。毎日の温泉には飽いたといったまでだ。ばかなやつ。いつまで拗ねておると、湯気にあたるぞ、もう出ぬか」

義仲は、体をふきはじめた。葵も、そっと上がって来たらしい。たちこめる湯気の白さと肌の白さが溶けあって、義仲の眼にさえ、わからない。

ふと、そこへ、眸をこらして、

「葵。——矢傷はもうふさがったか」

「ええ、傷ぐちも見えないほどになりました」

「痛みは」

「冷えると、おりおりには」

「そうか……」と、ひとりごとに「まだ、ほんとには癒りきっていないとみえる。もすこしの辛抱だ。……もう十日もここの温泉にいたら」

と、つぶやいた。

葵ノ前が、左の股の辺に、矢傷を負ったのは、ことし治承五年一月初めの、浅間山麓の合戦だった。

かねてから、碓氷峠の熊野権現と三社の領域は、平家色が強いばかりでなく、上州一帯の残党平家の多くも、そこへ潜伏しているものと、義仲は、注意を怠らずにいたのである。

上野の平家党――つまり安中、松井田、渋川、秋間、桐生などに散在していた諸平家は、南からは源頼朝に攻めたてられ、北方は、碓氷峠をさかいとして、義仲に撃ちたたかれ、今では国中に、一旒の紅旗もとどめていない。

それらの残党は、やがて、ちりぢりに碓氷権現の領にかくれ込んだ。そしてこの一月早々、わざと風雪の日を選んで、大挙、浅間山のふもとから長野平を突破し、北越にある平家の大勢力と合流しようと計ったのである。

義仲の妾の葵ノ前が、義仲とともに、敵味方の入りみだれる中を、吹雪を衝いて馳け戦い、依田へ凱旋してから後、初めて、股の矢傷に気がついたというのは、その日の合戦のことだった。

戦の日の葵は、義仲の戦友であった。そういっても、おかしくない。

戦友でもあり、また、恋人でもあったのだ。

戦は、死を賭すもの。

恋も、死を賭すほどなものである。

ふたりの愛の燃焼が、世の常の契りでなかったのは当然であろう。あらゆる辛酸をともにし、生死も一つとちかい、あす知れぬ戦場のちまたを、手に手をたずさえてゆく青春の男女が、いかに強度な愛情をかもし合うか、血の出るような接吻を味わうことか、他人のうかがいうる境地ではない。

それに、義仲は美男、葵は美人、似あいの対雛だが、二人とも強烈な野性を根とした青春の花でもある。

義仲の木曾育ちは、いうまでもないが、葵も、山国の伊那で生まれ、後に、水内郡の栗田寺の別当範覚にもらわれていた。

去年の九月。

義仲は旗挙げの第一戦を、長野平の市原野に賭けた。

——敵は、平家党の笠原平五頼直の大軍だった。

範覚は、木曾に味方し、そして、戦捷の後、あらためて、義仲の幕下に加わった者である。

義仲が葵を見たのも、そのときであった。

かれは、序戦から大捷を得、猛将の味方を得、また、めったに巡り会えないほどな稀世の美人をかちとった。

その後、諸所に転戦したが、かれのそばから葵が離れていたことはない。

碓氷を越えて、上野の国へ討ち入ったさいも、葵は、義仲と陣をともにし、木曾黒にまたがった義仲の甲冑姿が駆けめぐるところ、かならず蝶の如き馬上の女武者も見られた。

日ごろのかの女とは、まるでちがう疾駆だった。あの優しさ、あの美しさで。

なんという、雄々しさ、強さ。

義仲すら、ときには、舌をまくほどだった。

けれど、女にとって、恋はすでに生命の全部なのだ。かの女が敵兵と渡りあう果敢な捨て身の姿は、いわば恋の陽炎である、恋の変形だ。つねに恋人の眼と心とに結ばれている体である。恋とべつなものではない。

だから戦いの日も果てた夜。

かっかと燃える篝火を四方のふすまとして、陣幕の内の夜もすがら、義仲の野性に力かぎり抱きしめられたとき、かの女も牝豹に似たよろこびの叫びをあげて「命も、ものかは」と死地を駆けた昼の軍功に、自然、泣かれて来るほど酬われてもいたであろう。で、義仲にしても葵のほうでも、御湯屋の内などでは、ふと、人目なきままの睦みや戯れも出るのだった。

ところが、今、義仲が先に上がって、何気なく、袖の間の遣戸を開けると、たれもいないはずのそこに、一人の武者を見たので、思わず邪けんに、

「やい、何者だ。かかる所へ、ひそと、畏まっているやつは」

と、どなりつけた。

「早馬にて参りました依田の使番にございまする。樋口殿から、火急なるぞ、すぐお耳に達せよと、申しつかりましたので」

「依田の者か。なんだ火急の用とは」

「御覧くださいますように」

胸に掛けていた革の状包みを解いて、一通をさし出した。

依田城の留守をしている樋口次郎兼光からの書面である。

読みくだすと。

かねて「訊問ノ儀アルニ依ツテ上洛アルベシ」という太政官の下文をうけて、年暮うちに都へのぼっていた中原兼遠が帰国したとの報らせだった。そしてまた、兼遠の意として、「帰洛の結果、重大な相談事もあるゆえ、なんじらも即刻、義仲殿のお供をして、木曾へ帰って来い」という催促でもあるとのこと。

「なるほど、これは急だ、こうしてもおられまい」

葵は、かれのうしろへ寄り添った。

真っ白な湯屋着の上に、小袿を重ね、濡れ髪を、肩から胸へ、そして、髪のしずくを、布しぼりに持ち支えている。

「殿。きょうにも、ここはお立ちでございますか」

「ほかならぬ儀。御上洛の果てが、どんなことになったかも案じられる」

「こたびこそは、ぜひ、わらわもお供させてくださいませ」

「どこへ」

「殿の生い立ち遊ばした木曾の里へ」

「というても、そなたは、矢傷もまだ癒えてはおるまいに」

「いいえ、おりには、痛むようなと先に申したのも、なろうことなら、一日でも長く、殿とこの温泉にいたいための偽りでございます。殿のおそばを離れるなど、一日でも、耐えられませぬ」

「はてまた、だだをいうか」

「いいます、いわせてくださいませ、殿」

葵は、甘えるように、義仲の胸へ、胸をよせた。

手は抱いてやろうとしたが、義仲の心の襞に、ふと、それをさえぎったものがある。

木曾にのこしてあるもう一人の女性、巴の顔だった。

君見ずや

御湯屋から廻廊づたいに湯ノ御所がある。

義仲は、まもなく、郎党に布令て、湯ノ御所の駒寄せに、駒をひかせ、

「さらばぞ、葵。——傷が癒えたら依田の館へ戻っておれ。やがて義仲も、木曾から立ち帰ろうほどに」

葵は、もう何もいわなかった。いや、わがままな望みはあれからもいい尽したのだが、義仲に肯かれなかったものである。あきらめきった眼ざしで、義仲の姿を見送っていた。

やがて、義仲は門を出た。

外は、いちめん、凍てついた雪道。

そしてこの辺りの三楽寺——妙楽、長楽、安楽——三寺の堂塔は、義仲がこの附近の平家党を攻めたとき、大半は灰燼となり、その残骸は、まだそっくり、雪まだらになっている。

焼け折れた五重の塔だの、伽藍の肋骨だの、その下には、まだ武者の死体が氷漬けになっているかもしれなかった。しかし、すべては滅び去ったものだ、義仲には、なんの感傷もない。

「それっ、急ぐぞ」

村を出端れた行くての空に、煙ひく浅間の山を見たときである。義仲は、やにわに、馬を飛ばし始めた。

郎党たちも、みな馬だったが、義仲の木曾黒に及ぶ馬はない。

依田まで二里。およそその半道ほど来たころだった。義仲のうしろで、びゅんっとムチ鳴りが聞こえ、「たれ？——」と怪しむひまもなく、かれのそばを、疾風のような迅さで追い越した者があった。

追い越してから、馬上の姿は、義仲の方を、ニコと笑顔で振り返った。

「――殿、おゆるし遊ばせ。先駆けの役、葵がうけたまわりました」

「や、や。こらっ、葵ではないか」

「ホホホホ。殿の木曾黒とて、わらわの栗毛にはかないません」

「おのれ、たれのゆるしを得て」

「いかにお怒り遊ばそうとも」

「帰れっ、葵」

「いやです」

「帰らぬか、やいっ」

「帰りません、はい」

あと、風に乗って、流れてくるのは、かの女の嬌笑のみである。しかも、またたくまに、依田の町屋を駆け抜け、御嶽堂の丘と並ぶ一つの峰に、依田の砦も見えて来た。依田は険岨な山城であり、丘の御嶽堂は、義仲が、士気を鼓舞するため、また、平家調伏の祈誓のため、去年、郷土のそれをここに勧請して建てたものである。

「葵は、どこで駒を捨てたか」

山すその城門には、留守衆が出迎えに立ちならんでいた。

けれど、義仲の問いに、たれも、はっきり答えた者はない。

さきに城門を通ってしまった葵に口止めされているものだろう。――義仲はそう解し

て、

「いや、大儀大儀」

と、留守の諸臣をねぎらいながら、あくまで頑丈でまた巨大なる丸木造りの殿堂の奥へ通ってしまった。

奥の大床の間には。

樋口次郎兼光を初めとし、今井四郎兼平、落合五郎兼行、根井小弥太幸親、楯六郎親忠、小諸太郎忠兼、望月次郎光晴。

また、対の座の方には。

葵の養父、栗田寺の別当範覚。

多胡次郎家包、那波太郎弘澄、物井五郎、佐井七郎、高梨高信、井上九郎光基、手塚別当、諏訪次郎、海野弥平四郎幸広など、年ごろさまざま、風貌、容姿さまざま、義仲が中央の座につくまでは、しいんと、行儀を守って迎えあった。

「みな、変りないな」

義仲のことばを、

「されば、お留守中、なんの変もおざりませぬが」

と、樋口兼光が、それをうけて、

「ただ、書状にも申し上げましたごとく」

「うむ、中三殿（中原兼遠のこと）が、御帰国じゃとな。すぐさま、木曾へ出向こうと思うが、和田、塩尻など峠路の、ことしの雪はどれほどか」

「馬は通うておりまする。……したが、一応は、われらが先に参って、仔細をうかがい、殿には、数日あとよりお立ちあってはいかがかとおもわれますが」

「はて。なぜか」

「……ちと、申しにくいことです。御賢察くださいますように」

樋口兼光は、そういって、憂いを見せた。

そばにいた今井兼平らも、さしうつ向いた。

この二人は、兄弟である。

信濃権守中原兼遠の息子たちだった。

ふたりの考えでは、父の兼遠を都へよびつけたものは、もちろん、平家にちがいない。

そして〝訊問ノ儀アリ〟と下文に見える一条は、義仲謀叛について、何か、兼遠にただすところがあったものと思われる。

（父は、変心をするような人間ではない）

息子たちは、かたく信じているものの、もし、万が一にも、背に腹はかえられぬというような事情のもとに、父が、義仲の身がらを捕えて、平家へ引き渡すという約束をして来まいものでもない。

父も人間である。ふと、そう考えると、兼光、兼平の兄弟は、このまま義仲に供して帰郷するのが、恐くなって来たのであった。

「あははは」

やがて、義仲は、大口開いて、笑いだした。

「察せよとは、親のことゆえ、子の口からはいえぬということか。わははは、女々しいぞ、わいら、男の子のくせにして。——しかも、義仲の四天王とも人にいわるる面をならべながらよ」

この人の性として、じつに憎態にものをいう。

またよく、傍若無人に、あたりをあざ笑う。

けれど、笑うには、いつも、大口を開いて笑い、ときには、きゃっきゃっといって、ひざをたたいて笑うのだ。天性、美貌な人なので、それが無邪気にもみえ、天真らんまんといったような美しさにすら見えることもある。

「よいか、やい。四天王の者どもばかりでなく、いずれも、耳のあなをかっぽじって聞くがいい。兼光、兼平には、じつの親なる中三殿（兼遠）に相違ないが、この義仲にとっても、中三殿は、育ての親だ、また、烏帽子親だ。——年まだ二ツの乳のみ児から、二十八歳の今日まで、養われてきた大事な養父ぞ。——その中三殿が、すぐ来いという。何をおいても、行かざなるまい。行かずば、中三殿が、都へたいして、困ろうではないか」

「おっ、では……」

兄弟は、義仲のことばに、打たれたように、ひたと、両手をつかえていった。

「では、あやうさも、御承知のうえで」

「なにを、あぶながるか。あぶないとは、おれは思わん。少しも思わん」

「もし、六波羅とのあいだに、父が、やむなき言質をとられておりましても」

「六波羅。そんな相手は、いずれ、今年か、来年には、ぶったおしてしまうものではないか。六波羅、西八条などが、百年ももつものなら、ちと困るが、なんの、まもなく消えて失くなる相手ぞ。中三殿が、どんな約束を与えて来ようが、眉をひそめることはない。わけて木曾と都のあいだ、グズグズ答えているうちには――あっちの空は日が暮れる――こっちの空は日が昇る。――そんなものだ。心配するな」

まるで、童謡でも歌うようにいい、人びとの取り越し苦労を、おかしがるのだった。けれど単なる嘲弄ではない。理は通っている。諸臣は、そういわれてみると「それも、そうぞ」と、初めてさとった。

二月初め、まだ山国の雪はふかい。

留守に、部将の大半をのこし、義仲は、その翌朝から、木曾への旅に立った。いや旅人のそれではない、軍旅である。

山野、どこをながめても、まだ土の肌は見えなかった。わけても和田の峠や塩尻の難所では、馬も人も、疲れた蟻の列みたいに見えた。

義仲以下、百余人の将士はみな、武装している。それに、おびただしい食糧をたずさえたり、馬も、斃馬を見こして、幾十頭もの替え馬をひいても行かなければならないのである。

なにしろ、たいへんな軍旅である、難行苦行といっていい。けれど、時代の文明度は、あたりまえとしていたのだ。特に、山岳人は風雪に強い。粗食に耐え、寒気に耐え、歩行の難に耐え、あらゆる抵抗に、強靭である。

「やれやれ、ようやく洗馬の里だぞ」

「おう、ここは木曾口、ここまで来れば」

洗馬と聞くだけでも、木曾の兵は、わが故郷を感じるのだった。

しかし、峡中の国へはいるには、なお、ゆくてに鳥居峠がある。雪の馬道は凍てているが、馬も行き悩む胸つき坂や〝歩危〟と呼ぶ難所も多く、一歩一歩、心をしずめて、喘がなければならない。

ようやく、そこも越えて、藪原の部落へ下りて来た日である。

里長たちが、路傍で出迎えていた。そして、おそるおそる先駆に近づいてこう申し出た。

「おん大将のお通りを、てまえどもの家で、お待ち遊ばしている御公達がおられまする」

「なに、おん大将を、道にて、待ちうけている者とな」

「きのうの黄昏れごろ、宿をかせと仰っしゃって、いずこからお越しやら、そのまま、お泊り遊ばした……それはそれは、きらやかな、御公達でいらっしゃいまする」

「はてなあ？」

部将たちは、首をかしげあった

するともう、里長の家の子を案内として、辻のかどへ姿を現わし、義仲の方を見て、にこにこ笑っている美しい騎馬の人があった。

「あっ、女め」

義仲の声にも、郎党たちは驚いたが、女と聞いたのは、なお意外だった。

あなたの人を見——こなたの人の顔を仰ぎ——将士は、ちょっと、あっけにとられた顔したが、とたんに、義仲は、馬の上で、全身をゆすって、笑い出した。

「しようのない女め。葵にちがいないぞ、あれは葵だ。義仲の先を越して、いつのまにか、かかる所へ来ておるとは」

それは、困ったようなことばでもないし、とがめている語気でもない。

驚嘆の声だった。かくまで、自分のそばが恋しいのかと、よろこびに当惑したといってよい声音だった。

列を脱けて、義仲は、葵のそばへ、馬を走らせ、

「葵か」

と、いった。

「殿」

あとは、眸だけが、答えている。

「どうして来たぞ、ただ一人か」

「はい」

「あの、和田の峠も、塩尻の難所も」

「いいえ、きのうまでは、養父範覚の家来を、二十人ほどは召しつれておりました、けれど、殿にお会い申せば、無用な人数、ここからあとへ帰しまする」

「あきれた女子だ、そなたという女子は」

「これくらいなこと、伊那の乙女は、なんともしてはおりません。まして、木曾殿の想われ人といわるる身は」

「さても、大言を吐くわ。まあよい、ここまで来ては、ぜひもない。義仲と馬を並べてゆけ」

葵ノ前は、欣然として、馬列の中へ、自分もはいった。

峡中の百姓は、この一対の美将を拝して、何か、この世の人ではないように思った。

葵ノ前は、陣中、外出のおりはもちろん、めったに、女装していたことはない。

木曾入りの日も、武者装いであった。けれど、うす化粧はしているらしい。見まもれば、さすが、匂わしい眉や唇もとであり、まばゆいばかりな顔ばせであった。

進むほどに、木祖山、経ケ岳など、山と山との峡はせばみ、その下の渓流のすがたも、あらゆる天工の奇をえがきながら、奔々と、鳴ってゆく。

「おお。駒ケ嶽ぞ。……葵、葵。あれ見よ、おれの里の駒ケ嶽を」

「いつ見てもよいあの姿、なつかしい山、幼な心が思い出される山、葵も、駒は好きな山でございました」

「あ、そうか。そなたは、駒の南の国に生まれ、おれは駒の北がわで育ったわけよな。駒のふもとへ帰って来ると、おれは、やたらに暴れたくなってくる。むかしの腕白がムズムズしてくる」

「ホホホホ。では、それでも今は、おとなしくおなり遊ばしたのでございますか」

「そうとも。われながら、まるで人間が違ってきたかと思うほど、近ごろの義仲は、神妙になっている。たとえば、おれの申しつけをきかないそなたなどは、以前であったら、赤蛙のように引っ裂いて、ムシャムシャ食べてしまったろう」

なぜか、そんな冗談をいったくせに、義仲は、笑いもしなかった。宮ノ原のわがやしきが、小高い所に、もう見えていたからである。

宮ノ原には、かれの館がある、附近いったいの低地高地の、石を載せた屋根も、みな、かれに従属している家人小者の住む屋根であった。

けれど、ここはまだ、かれの目的地ではない。行く先の中三殿の邸宅は、なお小一里さきの山下（現、上田）にあった。もとより、わが家は恋しいが、中三殿の御門へ馬をつながぬうちに、わが家の門に立ち寄ってはすまないと思う。

「あれ、あの館門のほとりで、あのように大勢の者が、殿へむかって、手を打ち振っておりまする。……殿もこたえておやり遊ばしませ」

葵は、いった。葵はまだ、ここを義仲の邸とは思っていないらしい。

かの女に教えられるまでもなく、義仲は、たれより早く気づいている。そして、おそらくは、そのたくさんな人影の中に巴もいるにちがいない。自分と巴とのあいだに生した一子義高も、手をひかれていることだろう。

——馬上、かれは、手をさしあげた。

駒ケ嶽の下なる門の辺りでも、小さい手や白い手や、大勢の家人どもの手が、しきりに、うごいていた。

しかし、すげないほど、一顧しただけで、義仲は駒の手綱を早め、ほどなく、巴の実父でもあり、自分にとっては大恩のある信濃権守中原兼遠の館に着いていた。

この人を〝中三殿〟というわけは、代々、信濃の権守として、木曾に旧い家柄の中原家の三男であったから、中と三をあわせて、中三殿と、人が呼び慣わしていたのである。

大地の乳

中三殿が、むかし、まだ義仲も駒王丸といっていた幼少から手塩にかけて、今日の
——木曾殿——と育てあげるまでには、なみならぬ当初の決心も要し、苦労もあったにちがいない。

またそれを因に、中三殿の大野心も一つに育って行ったわけだが、とにかく、初めは、中三殿でなければできない同情であったとはいえよう。かれの実力と、絶好な山国の地勢とが、はしなくも、まだ無心な一生命を流亡の手から救ったのだった。それが、木曾次郎義仲のこの世への発足だったわけである。

——自然、年代は非常にさかのぼることになるが、やがて第一に、平家へ肉迫して行った猛大将であり、また一番に洛中を軍政化し、一時なりとも朝日将軍と呼ばれた人のことである。ここで一応、義仲の生い立ちやら、木曾党の由来などに触れておくのもむだではあるまい。

で、以下の章は、つまり平家余話であり、「木曾殿・小伝」ということにもなる。

＊

久寿二年は、かの保元の乱の前年で、都では、近衛天皇が崩御、後白河天皇が、即位された年だった。

その年の秋、八月。

東国武蔵野の一角では、源氏の同族たちのあいだで小合戦が起こっていた。

当時、鎌倉にいた源義朝（頼朝、義経たちの父）は、いつかはとうかがっていた弟の帯

刀先生義賢の油断を見て、にわかに兵をさしむけた。

先生義賢は、比企郡大蔵ノ庄を領し、この地方の源氏から〝大館〟と慕われ、住む所を〝御所ケ谷〟とよばれていた。

この義賢が、近衛天皇の東宮時代に、都で、帯刀（刀を帯びた舎人の意、先生は舎人の長）の陣に奉職していたことは、おそらく、まちがいないことらしい。田舎へ下った後も、帯刀先生を、姓の上に名のっていたし、一子駒王丸の母も、都の遊女であったという。

駒王の母は、小枝といった。小枝は、義賢と都で馴じみ、そして、武蔵の大蔵ノ庄へ来て、一子を生んだものである。

それが、後の、義仲だ。

鎌倉の兄義朝から、奇襲をうけたのは、その駒王が生まれてから二年目のことで、無残、先生義賢は、討死をとげてしまった。

争いの因は、まったく分からない。

〝百錬抄〟とか〝盛衰記〟などには、

――時ニ、源義朝ハ鎌倉ニアリ、義賢ノ勢ヒ、漸ク旺ナルヲ見テ、心タヒラカナラズ……。

とはあるが、これは、おかしな話で、弟の繁栄を、兄がそねんで、そのため、討ったというのは妙なものである。おそらく、それだけの理由ではあるまい。

しかも、義朝の密命をうけた襲撃隊の主将は、年まだ十五の長男義平であったとある。

義平は、父のいいつけによって、義賢を討ったはよいが、そのため、叔父殺しの悪名をうけて、以来、世間から悪源太義平なる異名をとってしまった。

それだけでも、単に義朝の「……心たいらかならず」だけの事件ではないように思える。だが、いきさつは分明でない。ただ怨み多い流血を吸った武蔵野の土の一部がこの秘密は知るのみだ。

しかし、これを発端と見て、未来をトうとき、何かそこに、めぐる因果――運命の小車――といったような不吉を、感じずにいられない。頼朝、義経などの父たる義朝の代において、すでにもう源氏党では、骨肉喧嘩の血みどろをやり合っていた。

そこに、何か、〝業〟の始まりともいえるような宿命の胚子が、東国の土にこぼされていたのではあるまいか。

先生義賢の横死の後も、鎌倉の義朝は、

「駒王をさがし出して、命を絶て」

と、捜査の手を八方に励まし、草の根を分けるような追求だった。

小枝は、おそらく、乳のみ子をふところに、武蔵野の知るべの門を、あちこち、転々と逃げ歩いていたのではあるまいか。

畠山庄司重能の門へも頼って行った。重能は、この母子を見て、

「なんと、不愍な……」

と、捕えて差し出す気にもなれず、幾日かを、匿まっておいた。そして、さて、一思案をめぐらし、これを、そのころ、おなじ武蔵の長井ノ庄にいた斎藤別当実盛に、打ちあけた。

「いや、お心は、それがしも同じ思い。——さはいえ、どこへ隠そうとも、東国はみな源氏の縁つづき。まず、まかせおき給え。よきように、計ろうて見しょう」

実盛は、のみこんで、小枝母子の身を、自分の手にひきとった。そして、年明けて、駒王が三歳の春、母の小枝もともに、世間の眼を忍んで、ひそかに木曾へ旅立った。

木曾は、宗像大宮司の領で、当時は〝大吉祖ノ庄〟といっていたと「東鑑」には見える。

但馬国城ノ崎の人、中原兼経が、大宮司家の庄司*をうけたまわっていたが、じっさいに、木曾に住んで、領下の庄務を見ていたのは、兼経の三男兼遠であって——この人がつまり中三殿その人だったわけである。

「なんと、御迷惑ではあろうが、この和子がお命を、御辺の門に拾い上げて、行く末までも、見てあげて給わるまいか」

実盛は、中三殿を、男と見こんで、駒王の将来を頼み入れたものだった。——かれと

中三殿と、どういう関係にあったものか。——一説によると、中三殿の妻が、駒王の乳人であった縁故による——というが、それも疑わしい。

むしろ、大吉祖ノ領と、東国武蔵との、領政や交易上の関係で、つねづね、公私にわたって、何かと、交渉もあったにちがいない。——そうしたことから、中三殿の人物を日ごろにもよく知っていて、

「おり入ってのおすがりに」

と、はるばる、頼って来たものと思われる。

小枝も、ともに、泣いて、中三殿に、こうすがったということである。

「世のけわしさ、まして女の身とて、こう狩り追われては、しょせん、和子君を、守り育ててゆけそうな気もいたしません。……もし、養い給うて、御縁もあるなら、子の一人ともなし給い、あしくば、従者にもして、召し使うてくださいませ」

いかにも、窮鳥の声である。

かの女のことばから考えても、この母子が、今は、身のおきばにも困っていた様がよく察しられる。

中三殿は、

「承知した」

と、快く、ひきうけ、あらためて、こういった。

「この和子は、正しく、八幡殿より四代のおん孫。都にあらば、祖父六条判官殿（為

義）のみ手にも抱かれておわさんに、父の非業の死にあい、孤児となって、かかる山国をさすらい給うとは、なんたる非運。まだ無心の君ながら、まことにお気のどくよ。……及ばずながら、兼遠が守り承って、ゆく末、ひとかどの男には、きっとお育て申しあげん。まずまず、お命の儀だけは、もう、ご心配なさらぬがよい」

中三殿にひきとられた駒王丸は、ものごころつくまで、中三殿を、まったく父親と思いこんでいたことであったろう。

けれど、中三殿は、駒王が十三歳になると、武門の格式なみに、元服の式を与え、

「あなたは、もともと、田舎武家の和子ではない。源氏の嫡孫です。じつの父上は、帯刀先生義賢と申され、祖父は六条判官為義殿、その先は、八幡太郎義家公につながる嫡家の御曹司なのです。どうか、諸芸にお励みあって、よい君になってください」

と、つつまずに、話して聞かせたという。

中三殿の考えでは、男子が一生の思い出の日を機会に、駒王丸の童心へ、ある自覚を、さずけようとしたのであろう。

こうして、男立ちの吉日に、駒王は、名も、木曾次郎義仲とあらためた。

かの、鞍馬の牛若が、熱田大宮司の手で、加冠（元服）をさずけられた——あの境遇、あの運命の道と、どこか似ている。

しかし、駒王は駒王、牛若は牛若、従兄弟ながら、天性と、その人となりは、まるでちがっていた。

いや、京の鞍馬と、信濃の木曾とでは、その民度や文化、すべてがちがう。風土山川も環境も、到底、都に近い鞍馬あたりの比ではない。

大夫坊牛鞋録

駒王丸の容姿については、平家物語、源平盛衰記を初め、諸書も、

——コノ稚子、心ハ豪ニ、ミメカタチ悪シカラズ。

と、みな書いている。

髪うるわしく、色白く、よく弓を射、馬に乗る。——そして長ずるに従い、気だては猛く、容儀帯佩、常人とは、どことなく、ちがっていたともいわれている。

けれど、駒ケ嶽の大裾を、わがもの顔に、駒王の乱暴、腕白ぶりは、これまた、人なみ外れていたらしい。

「駒王君が通ると、犬待場の狼も、尾を垂れて逃げる」

とは、中三殿の家人たちが、みないったものである。

〃犬待場〃というのは、狼の名所のことだ。たとえば、峠のいただきとか、間道の隘路とか、いつも、狼の群れが、屯している不気味な場所をいう。

鹿、猪狩りなどへ行くと、駒王は、わざわざ、そういう場所を、通りたがった。——

なぜといえば、家来の大人どもが、

「およしなされい。あそこは、死の辻」

と、みな尻込みするからである。それを、しり眼に、

「おれは行く。どうでも通る」

と、我をつっぱるのが、かれには、なんともいえぬ愉快さ――優越感に満たされるものらしかった。

そのころの木曾山中には、熊、猿、山犬、狐、狸、貂、鹿、猪、狼など、百獣がいたろうし、猛禽類の鷲、くま鷹、隼なども羽ばたいていたにちがいない。

人里に動物がいたのでなく、動物界のなかに、恐々と人間生活の点綴が始まっていたのである。――そういった方が、適切だった天地。

わけて人間にとって、狼ほど凶悪な敵はなかった。狼の横行は、夜も日もであり、人間が怯えていたことは、想像のほかである。

恐怖は、尊崇になって、この国では、

「――狼は大国の神の御子ぞよ。山神のお使いじゃぞよ。かまえて手むかいすなよ。あだされるぞ」

と、田や道や屋根の上にまで、剣形のお札を立て、狼が仔を生んだのを知れば、狼の巣へ、餅を供えて、人間どもの祝いの意を表したものだった。

狼の仔は、かあいらしい。

里人はよく「へい坊が、里へ迷ってござった」「へい坊が、ちょろちょろ、道へ出て遊んでござらっしゃる」などという。狼の仔は、生毛のうちは灰色なので、そういったものらしい。

けれど、それが育つと、家畜は食う、馬捨て場は掘り返す、人間は襲う、道には潜むなど、手のくだしようもない。

だから、農家はみな、防塁をきずいて、その中に住んだ。猪防ぎと、狼の襲来にそなえるための〝猪木戸〟を持たない家はない。

中三殿のような豪族の家でも、高築土のほかは、石だたみの防壁に囲まれていた。多くの馬匹を内に飼っているからだった。

「狼と見たら、射殺してくれるぞ。道で逢うたら斬り伏せてやる。駒王は人間だぞ。狼ずれに、恐れてなろうか」

じっさい、狼を恐がらないのは、ひとり、駒王だけである。その広言も、初めは、恐い物知らずの稚子の放言と家人たちは笑っていたものだが、そのうちに、こういうことがあった。

中三殿の山下ノ館から十数町ほど南へよった所に、駒ケ根の牧がある。

木曾馬は小がらだが、よく重荷に耐え、長途の嶮も越え、そして何よりは悍気がつよい。都を初め、諸州の武門が、木曾を軍馬の産地と見て、よく馬さがしにやって来る所以である。

駒ケ根の牧には、つねに、何百頭という木曾鹿毛や栗毛、青毛が放牧されてあった。もちろん、狼に備えて、防ぎは、万全を期してあった。

ところが。

一夜、狼群に襲われて、十何頭の馬が傷つき、幾頭かは、食い殺された。その中の一頭は、駒王が、ひどく気にいっていたかれの愛馬であった。

ちょうど、駒王は、都から来た大夫坊覚明という者を連れ、中三殿も一しょに、御嶽へ参籠に行っていた。帰ってみると、その椿事であり、それはもう十日も前というはなしだった。

「おれの愛馬はどうした」

「無残なことに相なりまして」

「亡骸は。馬の死体は」

「手厚う葬うて、山の馬捨て場へ、捨て申しました」

「いつもの、あの馬捨て場か」

「はい」

「よし。だが、それだけでは、馬は浮かばれぬぞ。馬のかたきはおれがとってやる」

覚明という僧は、歯ぎしりする義仲の顔を、黙って、しげしげと、ながめていた。

もと南都の学僧であったという人。

中三殿の父兼経の添え状をもって遊歴にみえたのを幸いに、中三殿から「ひとつ、この地にとどまって、駒王のため、学問の師となって給わるまいか」と、頼んでいたおりでもあった。

そのまま覚明は逗留していた。その間のでき事であった。

一夜、駒王の姿が見えぬ、というので、館じゅうの騒ぎとなり、八方、家人が探しまわったが、ついに明け方まで、見当らない。

すると、夜の白々明けごろ。

駒王は、駒ケ嶽の方から、ただ一人で帰って来た。まるで、紅汁でも浴びたように、満面満身、血によごれていた。

「どこへ行っていた？」

中三殿が、この子にたいして、こう、まことの厳父みたいな恐い顔をしたのは、初めてであった。

「山の馬捨て場で夜を明かしました」

「なに。馬捨て場で」

ぎょっとしたように、中三殿は、駒王の姿を、もう一ぺん見直した。

そこは、斃馬の捨て場である。死馬のためには、馬頭観世音を祀った御堂があり、また自然、腐肉の饗宴に集う狼の殿堂ともなって、夜は、するどい牙と吽をもって、そして腹のうすく巻き上がった貪欲な獣の渦が、月光に描き出されるので、人は近づきもしないという所である。

「何を目あてに、夜、あんな場所へ、行ったのか」

「いつかの、馬のかたきを討ちに」

「狼を相手に」

「そうです」

「そして」

「たしかに五、六匹は、斬り殺してくれました。そのうちに、また行って、また斬ってくれまする。さもなければ、腹が癒えぬ」

と、駒王は、唇をむすんだ。

さっそく、中三殿が、馬捨て場へ、家人をやってみたところ、たしかに、狼の死骸があった。しかも四、五匹もかぞえられたという。

「駒王殿への御学問の指南、野僧では、ちと力不足ですが、とにかく、おひきうけいたしましょう」

覚明がいい出したのは、そのことのあった翌日だった。かれは、自分の日誌――後に〝大夫坊牛鞋録〟と題した紀行に、こうそのおりの所感を書いている。

――仁安元年五月、吾レ中三殿御所ニトドマリ在ル一日、計ラズモ、峡中ノ一異児ヲ看タリ。

コノ子、性、イヤシカラズ、瞳孔（ひとみ）蛍光ヲ放チ、峻眉、紅唇、胆ハ瓶ノ如シ。ケダシ、尋常ノ俚児ニハアラズ、由緒アル雄鷲（わし）ノ雛ナルヲ、天意、深山ノ幽木ニ托シタルモノカ。

この文では、大夫坊は、まだ駒王の素姓を知らなかったように誌してはあるが、わざとであろう。中三殿から、師を託されたかれが、知らないはずはない。

また、覚明自身も、

「――この子は」

と、大きな興味と、未来夢とを、駒王の天性に寄せたことはたしかである。

かれは、それから、駒王を机の前におく師匠となったばかりでなく、義仲の旗挙げ後は、つねに陣中にあって、祐筆をつとめ、また、戦場を往来しては、万夫不当の勇をあらわした。

――また、もっと後に。

義仲が、粟津で戦死し、木曾一族滅亡の後は、一時、どこかの山深くに隠れこんだらしく、ほど経てから、法然上人の弟子、親鸞の室をたずね、親鸞門の一沙弥として、後半生を終わっている。

それはともかく、かれの日誌、牛鞋録の記事が、仁安元年とあるから、ちょうど、駒王元服の年にあたり、中三殿も、それらのことを、よい時機とも考えて、

「――まこと、あなたは、先生(せんじょう)義賢殿の若君」

と、初めて、実を打ち明けたものかもしれない。

岩茸(いわたけ)と運(うん)は危ない所にある

元服後から、二十四、五歳までの間に、木曾次郎義仲は、幾たびか、都へ出ているはずである。

母の小枝(さえだ)の生家は、もと中将なにがしという落ちぶれ公卿であったといえば、あるいは、その身寄りなども、訪ねていたかもしれない。

しかし、目的の要は、洛中見学であったろう。

また、それをすすめたのは、もちろん大夫坊覚明でなければならない。

覚明を供に、若き木曾冠者が、都で見たものは何、耳にしたことは何。

それは、保元平治の乱から、治承初年までの――そして以仁王(もちひとおう)と頼政が起つにいたるまでの――かぎりなき世相の推移と、平家治下二十年の変らない都市だったろう。

それを、大夫坊覚明が、いちいち、どう説明したろうか。

とにかく、公然とは、歩いても、名のってもいなかったし、見学も、ある短期間にとどまり、また幾年かをおいては、出かけたことかと思われる。

従って、都風俗や、都の知性が、この一冠者の身につくほどには、ゆかなかった。かりに、平家にたいして、隠れ蓑を着る必要もない身の上だったら、木曾次郎は、さしずめ、大番として上洛勤めにつくなり、官職をうるなりして、あっぱれ、山家育ちを洗い落し、かれも、公卿真似や、公達写しに憂き身をやつしていたかもしれない。

幸か、不幸か、かれはまだ、平家にたいしては、絶対に、身を秘していなければならず、いかにその若い欲望が、広い世間へ、羽翼をのばしたがっても、木曾を出るわけにゆかなかった。

そのうちに、もう子をもった。

わずか二十歳で父となったのだ。――妻は、巴という。

巴は、中三殿のむすめである。

わがむすめを、義仲にめあわせた中三殿の心もちも、ほぼわかる。

いったい、信濃権守たる中原家には、幾人の子があったか明らかでないが、すぐれていたのは、次男の樋口次郎兼光と、四男の今井四郎兼平であったらしい。

巴は、この二人には、妹にあたる者で、年は、一つちがい――容、美にして、勇あり、武技をよくす――と〝鞆絵伝〟に見えるが、女丈夫型は、巴だけではない、木曾乙女、伊那乙女など、山岳国の自然と風雪は、かの女たちをも、ただ優しいたおやめだけのものには育てなかった。

自然の影響だけでもなく、家居の様、日常の仕事、馬扱い、食物、みな違う。武具のつくろいから、馬に乗ることも、女子がしたし、都では忌む鳥獣の肉も、木曾では食べる。特に、牛乳を煮つめて牛酪を造り、木の実や桑の実で酒をかもし、冬季の貯穀を計るなど、みな女の仕事だし、女子の働くこと、他国に見られないほどである。

巴が、一子をもうけたころ、義仲夫妻は、宮ノ原に移り、樋口兼光、今井兼平、根井小弥太、楯六郎、手塚太郎などを、臣として、一居館をかまえていた。四天王とよばれるそれらの直臣や、そのほか、信濃諸郡の名だたる武将が、いつのまにか、宮ノ原、宮ノ腰に、武家聚落を作り出したころから、義仲や中三殿のあいだでは、そろそろある準備にかかっていた様子がある。

「平家も長くはない」

この一族の間でも、それはよくささやかれていたことである。

――そのうちに、以仁王の挙兵、宇治川の合戦など、木曾にも聞こえ、

「さては、時節か」

と、峡中、色めくものがあった。

新宮十郎行家が、木曾へ来て、伊豆の頼朝へしたような作法で、宮の令旨を、義仲へさずけたとき、義仲は、

「なんと、遅うござったの。先ごろ、われらはすでに、宮原八幡に旗集いをなし、立願の餅撒きないたして、都攻めの誓いをかため申しておざる」

と、年来、抱負のあった志を述べ、

「きょうを待つこと久しであった。――伊豆の佐殿（頼朝）は佐殿で、ぞんぶん、やら

れるがよい。義仲は義仲で、信濃、北陸を斬り取って、都へ上る。――いずれが早く、いずれが遅るるやわからぬが、佐殿との対面は、都の真ん中でしよう。そう、おりがあったら、伝えておくりゃれ」

と、意気を誇示したものだった。

宮の令旨を拝するにも、義仲のばあいは、頼朝のように、うやうやしくない。

故意に、軽んじたのではなく、宮の御位置、その御書などが、どういう力のものか、また、作法をもって拝するものか、義仲には、知識の用意もなかったのである。

しかし、十郎行家へは、大いに、歓待を示し、諸国中央の情勢などを、問いながら、夜を、飲みあかした。

行家が、去った後、巴が、

「お旗挙げと聞きますが、事は、平家の入道相国から、都のすべてを、敵にしてのこと……。よろしいのでございましょうか」

と、さすが憂いをふくんで良人へいった。

「そなたは、案じるのか。いや、義仲の武勇のほどを疑うのか」

「いえ、御武略は、信じまするが」

「では何を、案じるのだ」

「子の義高も、九ツになりました」

「九年たてば、九ツになる。あたりまえなこと。……そうだろう、木曾次郎義仲とて、いつまでも、木曾の山奥に、背を屈めていない。おれも二十七ぞ」

「でも、生涯のおん大事。万一、敗れでもとりましては、父も一族も」

「おたがい、前々から、肚はきまっていたのだ。ただ、時を待っていたその時節を、新宮行家殿が、風に乗って、持って来たというだけのことにすぎない」

「もう、申しませぬ。ただ、大事に大事をおとり遊ばしてくださいませ」

「アハハハハ。いや、女心では、そうもあろう、だが、巴よ」

義仲は、その夜も、杯を手にしていた。木曾人は、みな酒がつよい。義仲は、飲むと、したたかに、大酔する癖だった。

それから、またいった。

「木曾の諺にもこうあるぞ。――岩茸と運はあぶない所にある――と」

「巴御前。すこしは、危ない思いもしよう。そなたも、生涯、猿や鹿ばかり見て終わりたくもあるまい。花の台、月の*高欄、都には、楽しみが多いぞ、末楽しみに、待つがいい」

――巴の杞憂が中たって、突然、父の中三殿にあてて、上洛あるべしと、下文があったのは、すぐ、その年の暮だった。

しかし、良人の義仲は、すでに、宮原八幡で勢ぞろいをあげ、千余の兵馬をひきいて、峡中から、千曲川平原へと撃って出ていた。

行くところ、敵なしであり、木曾軍の士気は、破竹の勢いだった。巴への便りも、吉報に次ぐ吉報ばかりといっていい。

年明けて、案じていた上洛の父は、まもなく、悄然とふるさとへ帰って来た。

しかし、巴もまだ、都での結果が、どうだったのか、父の口から聞いていない。

ただ、久しぶりで、かの女はきょう、一子義高と手をたずさえて、わが家の館門のほとりから、帰郷した良人の将士の列を、遠くで見た。よそながら、その木曾帰りを、迎えたのだった。

「……はて、殿と駒を並べて、あでやかな若武者がまいりましたのう。まるで女武者のような」

館門の内へもどって行きながら、義高の傅役、寝醒蔵人という老臣がいった。蔵人の領林を管理したことがあるので、そう名のっている善良な老人だった。

巴は、ふと、

「爺いや……」

と、蔵人を、よんで、必要以上に、声をひくめた。

「そちの眼にも、女性と見えたかや。いま、殿と駒を並べて行った華やかな将は」

「はい。……やはり馬上の鞍腰が、男とは、どこか違うておりますれば」

「大儀じゃが……。わらわに代って、山下ノ館まで、ごあいさつに参って給も。……そしての」

と、巴は、やや恥じらった。いいにくそうであったが、ついにいった。

「たしかめて来て給もるまいか。たしかに、女武者か、それともただの将か」

「おやすいことでござりまする」

寝醒の蔵人は、ほどなく、義仲の安着を祝う使いとなって、従者を伴い、かたい雪道を、馬に乗って山下へ向かって行った。

権守返上

義仲のきょうの帰郷を、中三殿もどんなに待ちかねていたことか。——婿ではあるが、今では、一族の主君と仰ぐその人を待つために、山下の館は門の雪を掃き、廊も床も、鏡のごとくふきみがかれていた。

厩は、義仲の乗馬をはじめ、何十頭の駒も繋いで、なお余りあるほどであり、多くの下屋は、義仲の従者のためにあてがわれた。また釜殿や調理ノ間には、大勢の男女が煮炊や配膳に立ちはたらき、まるで国守の国入りか、婿取りのような騒ぎである。

しかしそれは、こんどの義仲の帰郷の意味と、中三殿の苦しい胸の中を知らない下部だけのことだった。奥の橋廊下をこえ、幾つかの侍者ノ間をへだてた一室には、ごく少数な肉親と一族だけが、

「さて。どうしたものであろ？」

と、久しぶりな対面の睦みも、その日の饗膳も、ざっとすまして、ひそやかな協議に胸を傷めていたのであった。

——その前に、中三殿から、義仲へ、官符の下文を受けたによって、さっそく、上洛な申し

「知っての通り、じつは先ごろ、前右大将宗盛卿より、直々に、この兼遠への、おはなしなのじゃ。まず聞きおかれよ」

と、中央の政庁に召し呼ばれたことの結果を、ありのまま、次のように語った。

平家が、太政官の名による官符をもって、中三殿の出頭を求めたのは、いうまでもなく、

（——木曾に叛乱の風聞が高いが、実情、いかなる仔細なるか）

の糾問であり、また、

（叛軍の大将、義仲とは、幼少、すでに死んだはずの駒王丸とか申す者の由。——しかも、頼朝、義経の従兄弟にもあたる者とか申す。いったい、そのような源家の嫡流を汲む者の子を、どういう所存で、いやなんの目企みあって、多年、匿まい育ててきたか）

と、二箇条についての問責で、その取り調べは、きびしさを極めるものであったという。

もちろん、覚悟の前として、中三殿は、ふたたび家郷を見ようとも思わなかった。

ところが。

一夕、前右大将宗盛から、手厚い迎えをうけ、その邸へ行ってみると、下へもおかぬもてなしであり、宗盛の口から、ことばもていねいに、

（庁の下官どもが、だいぶ、きつい責め方をしたそうで、お気のどくに思うておる。けれど、御辺も天下の乱は望んでもおられまい。平家としても、みだりに、人を重罪に陥れたくもない。……で、入道禅門へのおとりなしは、よいように、宗盛から申しあげておく。あすは、木曾へお帰りあるがよかろう）

こう、諭され、身の自由をゆるされた。

けれど、そのあとでは、

（ついては、入道殿へも、ことばのうえだけでは、申し上げようもないで、ひとつ、誓文をしたため、この宗盛へ、お誓いを預けおいてくれまいか）

と、いう条件をもち出した。

その前から、暗に宗盛はなぞをかけて「――義仲の首を打って、都へ差し送られよ。御辺の手なれば、義仲を首にすることは、籠の鳥をひねるにひとしいものではないか」と、しきりにすすめていたのである。

いやといえば、もちろん、宗盛の応対もちがって来よう。あるいは、即座に、隠し武者が躍り出て、成敗の処置に、出るかもしれない。

進退これ窮まる、というのは中三殿の立場であった。

ぜひなく、かれは、熊野牛王の誓紙に「帰国の後は、日をうつさず、木曾殿の首、打ちまいらせて、御見に入れん」と、誓約を書いた。宗盛は、大いに満足した。いくたびも、「お待ちするぞ」といった。――しかし、中三殿はもとより本心でないのであるから、悶々として、帰国の途についたのだった。およそ、当時の人にとっては、神文を欺くほど、強い罪悪感にまみれ苦しむものはない。人は欺いても、神仏は欺けぬ。神仏を欺けば、身は、七生、地獄に責めさいなまれ、一族もみな天罰をうくるものと信じていたのである。

「――なるほど」

義仲は、中三殿の語る間に、こう、おりおり、重いうなずき方を見せ、また、

「うム、なるほどな」

と、双頬の紅に、いかにも、皮肉っぽい微苦笑をやがて滲み出した。

そして、中三殿が語り終わるとともに、つと、かたわらの今井兼平をかえりみて、

「……もう醒めた、兼平、まいちど、酒と杯だけを、これへ」

と、一たん退げた酒杯を、また手にとって、幾杯か、かたむけた。

しかし、座は、沈痛な気にみなぎっている。

平家はなお天下の強大であり、木曾は信濃山中の一部族にすぎない。

また、平家の命は、官命であり、そむく者は、賊となる。よくその官軍をうけて、峡

中に守りきれるかといえば、これは守りきれない。たれの眼にも、至難は分かりきっていた。

中三殿の悩み。木曾殿の答え。人びとはともにそれを思い悩んで、かたずをのんでいるのだった。その氷室のような座中を見まわしながら、やがて義仲は、

「もう、一献」

と、手の杯に、また酌を求めた。

眼をつむって、その一杯を飲みほし、

「いかがです」

と、中三殿へすすめたが、中三殿は、受けようともしなかった。杯も眼にははいらない容子でいった。

「――平家はなお、越後の国府（現、直江津）へ急使を派し、城ノ太郎資長を越後守に任じて、いつにても、信濃へ討ち入る用意を命じたりとも聞く。やがて越後、出羽、会津の大軍が、雪解とともにうごき出ることも察せられる。……あれやこれ、木曾殿の前途は、容易でない。まったく、容易なことではない」

と、嘆息をもらした。

「あははは」と、義仲は、響きのつよい、何か亀裂のある磁器から出るような声を張って、こう満身で笑い出した。

「中三殿のおはなし、よく分かったが、要するに、平家に睨まれたら、木曾一族も、

この世から抹消されてしまうであろうと、恐れおののいておられるらしい。……だが、その怯えは、おかしなことじゃ。そもそも、さまで恐い平家なら、旗挙げ集いなどせぬがいい。すでに、われらは、宮ノ原八幡に起請して、平家を討たんと、誓うた者どもだ。……今さらなんの」

と、肩をゆすって、

「義仲は、こう存ずる。世は、いよいよ面白くなった。怯え出したのは、平家の方だ。たとえ、平家が西から来ようと、北から襲せようと、めったに、木曾の天嶮と、われらの備えに寄りつけるものかは。――ただし、中三殿の誓紙には、ひと思案せずばなるまい。その儀は、義仲におまかせおきあれ」

「して、どう答えてやるお心か」

「義仲のにせ首でも、送ってやったらよいでしょう」

「いや、それはむだ事であろ」

「どうしてです」

「いまは老い果てていようが、宗盛卿の御内人に、斎藤別当実盛と申す仁がおる。それなん、むかし武蔵の長井ノ庄の住人で、木曾殿が、まだお乳にすがっておられたころ、わが家へ、あなたを抱いて来られたお人だ。――幼顔とて、実盛が眼はくらませまい」

「さようか……」

と、義仲も、ふと、回顧に沈んだが、

「いかに実盛とて、年経た義仲の顔を——まして死に首を——見破るはずもないが、しかし、さような恩人を、あざむき奉るのは心苦しい。その策は見合わせよう。そして、他の一策とならば、中三殿に、身を退いていただくしかあるまいて」

「お。それは、わしも同意するところ。願わくば、このさい、出家して、一族の長たる位置からも身を退きたいが」

「御遠慮はいらぬ。義仲もかく成人いたし、兼光、兼平、みな男立ちして、一人前の武将とは成り申しておる。——このさい、出家遁世は、よい御思案だ。平家にたいしては、世捨て人といつくろい、義仲の乱暴、一族の向背、すべて意のままにならぬと、ただ一書、答えてやればよいでしょう。……のう、おのおの」

と、樋口や今井をかえりみていった。

やっと、解決の端緒をえて、中三殿も、やや眉をひらいたかに見える。

で、次の日は、さらに一族家人をもれなく集合し、中三殿の出家を告げ渡した。そして即日、髪を剃ろして、法名も大夢と称え、その髪の毛は、大夫坊覚明から南都の法橋禅慶へ送って、得度の証とし、また、権守の職名は、宗像大宮司家へ返納して、すべての世事から離れることを内外に公言した。

巴と葵

当然、ここ幾日かの間は、義仲も、中三殿の館を離れることができなかった。

ひとつ邸にはいながら、葵とも、その後、何を語るひまもない。

ふと、遠くに姿を知るときなど、葵の眸は、何か、怨じるような色を見せた。

しかし、事も一段落ついたので、こよいは、葵を室に呼び入れ、二人きりの夜を過ごそうかと考えていたおりである。

「お迎えに伺いましてございまする」

と、かれの前に、ひとりの翁がひれ伏した。そして畏るおそる、女文字の結び文を、さし出した。

手紙は、巴からのものである。

――お忙しさやら、何かとお心しげき御様子も、よそながらお察し申しておりまする。

それゆえ、わがままは、慎んでおりますが、目と鼻のさきの山下へおいでのよしは、義高（嫡子）も知っておりますので、朝夕、父恋しやの、おうわさは忘れるひまもありません。

こよいこそは、待ちこがれるわらわとも、和子とも、夕餉をともに遊ばしてくださいませ。

厨のいそしみも楽しみに、お部屋の燈し火も新しゅうして、義高とともに、お待ち申し上げておりまする。

そのため、爺(じい)やの寝醒の蔵人(くろうど)を、お迎えにつかわしました。老蔵人に、お馬の口輪を把(と)らせ給わりますように。

ともえ

義仲も、思っていないことではない。さすがに、心をひかれ、

「すぐ参るであろう。厩番(うまやばん)に申し、義仲が馬をひき出しておけ」

と、いいつけた。

蔵人の翁は、雀躍(こおど)りして、出て行った。

すると、ほとんど、入れちがいに、妻戸の蔭で、人の気はいがし、義仲が身仕度しているうしろへ、そっと寄って来た。

「――たれだ」

「わらわでございます」

「あ。葵か」

「いけませんか、ここへ来ては」

「いや、悪いとはいわぬが、人目もある」

「ここは、巴どのの親御様のおやしき。それくらいなことは、心得ておりまする。けれど、お出ましでございましょうが」

「宮ノ原のわが家へも、いちどけ、顔を見せてやらねばならぬゆえ」

「どうぞ」

と、葵は、ひと事のように、ほほ笑んだ。そして義仲のうしろへまわり、その袖皺や袴腰のゆがみを、直したうえ、太刀を取って渡しながら、

「……ごゆるりと、行っていらっしゃいませ」

と、姿はいつもの男装であるが、姿態は、どんな眉目の美い遊女も深窓の女性も及ばないような艶めかしさをもっていった。

「おとなしゅう、待っているのだぞ」

義仲は、ふと、その肩へ手をかけて、人目のない瞬間に、唇を盗もうとした。

葵は、ついと、顔をそらした。そして、

「お心にもないまねはおよしください」

と、義仲の手から逃げて、妻戸の外へ、ひらと姿を消してしまった。

廊口の方で、寝醒の蔵人が、

「おしたくは、ととのうてござりまする」

と、告げるのが聞こえる。

義仲は、そうかと、うなずいたが、すぐには、表の方へ出て行かなかった。侍童をやって、樋口兼光を呼び、何か、いい残している様子だった。中三殿の大夢は、数日前、小木曾の菅御所へひき移って、もうここにはいなかった。

樋口次郎兼光、今井四郎兼平、ほか侍臣に送られて、義仲は門を出た。本家から分家までの近さだし、なんの用心も必要としない。従者は、老蔵人が、馬の口輪をとって行くだけだった。

ところが、そこの長い猪防ぎの赭築土を出端れると、つと物蔭から、小薙刀を抱えた一人の若武者が、

「お供いたしまする」

と、立ち現われ、

「駒の口輪は、それがしが」

と、老蔵人の手を除けて、ひたと義仲の駒わきに、付いてしまった。

「や。そなたは」

義仲は、何かいいかけた。しかし、葵は、その人を、振り仰ぎもしないのである。駒の口輪に片手をかけ、面を真っすぐ向けたまま、足早に歩いてゆく。

老蔵人は、顔いろを変えた。

「これや、はしたない振る舞いをし召さる。わ、わ、和殿は、いったい、たれじゃ」

「たれでもない。木曾殿が一の臣、葵と申す者」

「葵」

「覚えておかれよ。木曾殿がお身内には、四天王の樋口、今井、根井、楯殿などあれど、そが上にも、葵という随一の小姓がつねにお旗本にあることを」

凛と、声音から、眼のすみで、あいてを見るさつさまでが、女子とは思われない。どうしても、男である、侍童上がりの冠者としか考えられない。

けれど、葵が女性であるは、老蔵人も、とうに見抜いていたことである。義仲の帰郷とともに、それは、巴のいいつけでもあったので、山下の邸へ来て、それとなく、義仲の郎党に訊いて知っていた。

――で、老蔵人は、わざと、意地わるく、いい返した。

「ホ。葵ノ前と仰せられる二の君（側室）でおざったか。二の君には雄々しゅう男姿して、雑色のお役までし召さるのか」

「老いぼれ」

と、葵は美しい唇でいった。頬には血の色をうごかして、

「殿を思う身には、雑色のお勤めとて、厭いはせぬ。常には、お馬の口取はおろか、事ある日には、いつも御馬前を先に馳けて、平武者どもに、おくれはとらぬ葵ノ前ぞ。憎ていな年より口は控えたがよい」

と、きめつけた。

義仲は、当惑した。――別所ノ温泉から、依田城へ帰ったあの日のことを思い出し、あえて、帰れともいわれなかった。いったところで、素直に帰る葵でないことは、たれよりも、義仲自身が知っている。

背の人間は、当惑しようが、たじろごうが、馬は口取の御すままに動く。葵は、唇の

うちで「チッ、チッ……」と馬のきげんをあやしながら、義仲を乗せ、老蔵人の老いの足を振り捨て、身も軽やかに、走り出した。

〝鞆絵伝〟によると、巴は、黒髪長く、身の丈すぐれ、豊麗な美人ではあったが、男もあざむくほどな大女であったという。

が、いったいに、大木曾、小木曾とも、山峡の女性は総じて小柄な方である。粗衣粗食をつねとし、風雪に耐え、女子でもみな労働もする。——そうしたせいが、あるかもしれない。

おそらく、巴も、伝説のような大女ではなかったろう。ひょっとしたら、笑くぼのふかい、そして、可憐に見えても抵抗力はある雪割草のような、きりっとした女性だったかとも思われる。

いずれにせよ、都好みな佳人ではない。かの後宮に住む花々や、玉簾の蔭に裳をひく雲上の美女とは、育ちも趣も、また、生命力もちがっていた。——香料の交じらない油に漆黒の黒髪を養い、化粧はほのかに、むしろ地肌の小麦色が優って見え、唇は天然の紅さをもち、歯の白さは、雪柳の花を噛んでいるようだった。

「義高。お父君のようですよ。さ、お迎えに出ましょう」

心待ちしていたかの女の耳は、廊の遠くの跫音も、すぐわが夫と感じとって、壁代の内から細殿へ出た。

義高は、明けて、十である。習字机に、筆をなげうって、母に従いて、走り出た。

「おう」

と、若い父は、いっぱいな笑顔をもって、出あいがしらに、眼の前に来ていた。

「……巴か。……義高か」

「お帰りあそばしませ」

「山下までは来ておりながら、つい、おこと達の顔を見に参るひまさえなく、わが家ながら、思わぬ不沙汰よの。ははは」

と、内へはいって、思う所に、座を占めた。

「義高も、わずか見ぬまに、見ちがえるほど、大きゅうなったな。……はや、元服もさせねばなるまい」

「御出馬のうえは、またいつお帰りとも定まりませぬゆえ、こたびのお国入りをしおに、烏帽子初めもすましてやりとう思いまする」

「それよ。そなたが産屋は、志水の里であった。義高の加冠も、志水の御社でさせ、志水冠者義高と名のらせよう。……早いものだのう、年月は」

「わらわが、産屋に籠ったのは、嫁いだ翌年の十七でございました」

「すると、そなたも、はや二十七か」

「ホ、ホ、ホ。仰せまでもございませぬ。あの、お迎えにつかわした爺やはいかがいたしましたか」

「老蔵人か。年よりの足、後より参ろう」

「では、山下からただおひとりで」

「うム。家臣たちは、みな残して来た。いずれ、兼光、兼平なども、夜には、炉話に押しかけて参るであろうが。……義高」

と、子を招き寄せ、

「そちも、この春は、元服するか。元服は男立ちの儀式。やがてすぐ志水の冠者だぞ。父について、戦場へもゆかねばならぬ。……どうだ、馬には乗り馴れたか、弓も、毎日引いておるか」

と、そのつむりを撫でた。

巴は、釜殿の下部にいいつける何かを思い出したらしく、良人のあいてを、子にまかせ、大炉ノ間へ立って行った。

都風の寝殿造りとちがい、山国の武家屋敷には、どこにも大炉ノ間があった。公卿館の対ノ屋の一部である家族部屋に相当するところである。つまり後世の茶の間といってよい。

下屋、厨、水屋など、あたたかな夕餉のしたくに煙っている。巴は、何かのさしずをすまし、やがて、もとの大炉ノ間へもどって来た。

老蔵人の姿が、片隅にうずくまっていた。何か、申しわけないような恰好で、うち悄れている。

「じいではないか」

「北ノ方様」

「どうしたのじゃ、今ごろ、戻って」

「お耳に入れてよいやらと、思い迷われましたものの、やはりお耳に入れいではと、これに控えておりました」

「何をわらわの耳へ」

「あの、葵(あおい)どののことでござりまする」

「葵ノ前が」

「さればで」

と、ひとひざすすめ、

「世には、憎ていな女子(おなご)もあればあるもの。こよいは、殿おひとりのお渡りと知りながら、みゆるしも待たで、道の途中でおん供に添い、このお館へ来ておりまする」

「え。あの葵ノ前がか」

それには巴も胸を騒がしたらしい。

葵が、どんな女性で、また、陣中の義仲にとって、どんな対象になっているか、素姓や出先の日常のことまで、かの女は、老蔵人以上にも、それについては、知悉(ちしつ)していた。

兄の今井四郎兼平の従者を呼びつけ、直々、調べてもいたし、ほかからも、聞きあつめていた。

——けれど、夢にも思いよらなかったのは、その葵が、この館へまで、良人について来るなどということだった。

自分が胸に燃やしている以上のものを、葵ノ前も、胸に焚いている証拠でもある。巴は、そう感じると、体じゅうが、熱に、ふるえた。ひとりの男を賭け、愛を賭けて、葵ノ前が、挑戦してきたものと、かの女には思えた。

「ホホホホ。何かと思うたら、そのようなことかや」

巴は、さりげなく笑って、老蔵人の当惑顔を、いたわった。

「放っておいたがよい。じいの科でもなし、わらわの知ったことでもない。武者姿しておるとかいうこと、武者部屋をあてごうて、武者なみにしておきやれ。ただ、かまえて、わらわの局戸など、うかがわせまいぞ」

なんの感情もうごかさない人のようであった。そういっただけで、巴は、奥へかくれてしまった。——いや、日が暮れかけていたので、侍女に明りのしたくをいいつけ、それから、義仲のいるほの暗い壁代の内へかくれた様子であった。

少したってから、夫妻のいる一間へ、二人の女童が、二燈の燭台をささげて、そこへはいって行ったが、どうしたのか、童たちは身を縮め、足をすくめ合って、ちーんと、出て来た。しかられたときのような恰好である。また、やがてのこと。年かさな女房が、壁代の外にぬかずいて、

「北ノ方様。おいいつけのように、お膳部もおしとねも、あちらに、おしたく申しあげました。お渡り遊ばしませ」

と、内へ告げた。

「あとで行く」

巴だけの声であった。

しかし、別室の夜のもてなしは、いたずらに冷えてゆき、いつまでたっても、巴と義仲は、そこから出て来なかった。

――そして、よよと、巴の忍び泣く声がもれた。

声として出る涙にも、怒り、悲しみ、狂喜などの、感情の色と音律がある。女性のばあい、その声は、何を泣くのかも、よくわかる。

巴も、女である。

義仲は、それを持て余していたらしい。

ふと、突っ放すような激語も聞こえたが、それは、いよいよかの女の怨を募らすだけのものと分かった。あとは、世の男がよくつかう平凡なことばを繰り返してみるに過ぎない。――けれどなお、泣きやまず、怨じやまず、身もだえしている可憐でそして美しい野性の肉塊を夕灯りの蔭に見ているうち、義仲自身、身のうちの野性と情炎に駆られていた。それはまた、かの女への、極めて自然な愛撫の手段でもあった。巴のむせび泣きは、ふと、のどでも締めつけられたように切なげに途切れた。長やかな黒髪は、あらぬうねりを描いてかの女の袖や裳と一しょに床へ乱れ、もちろん、義仲の姿をも、ひとつの狂える炎にしていた。

——やがて。夜はすこし晩かったが。

別殿にもうけられていた夜食の膳は、つつがなく、久しぶりな若い夫妻のために、箸をとられた。

冷ややかだった燭は、急に光度を加え、義高もい、老いたる近親のたれかれも交えていた。義仲は、しきりに飲み、巴も笑いさざめいて、良人の酔いを、ともども、楽しむようだった。

こうして、次の日。義仲は、ふたたび、上信州へ帰ることになった。すでに両、三日前から、依田城の留守の将から使いが来ていた。

「——越後国府の城ノ資長が、出羽、会津、北越の平家に飛牒して、しきりに、兵備を催している」という報らせが頻々だったからである。

吉例とあって、義仲は、かつて、旗挙げ場所とした宮ノ原八幡に、出発の兵馬をそろえ、

「さらばぞ、駒ケ嶽」

と、その日の木曾山と木曾谷に、眸をあらためて、心のうちの袂別を告げた。

そして、すでに、先の将士から、丘を降りて、全軍、ゆるぎ出ようとしたときである。

何か、どよめく、声がした。

ふと、義仲が、馬上から伸び上がってみると、先頭の将士に、道をひらかせ、見事な葦毛駒に乗って、鎧、太刀、そして手にもつ薙刀も美々しく、こなたへ登って来る華やかな女武者があった。

「殿。わらわも、依田の御陣屋へ、お召しつれくださいませ」

巴である。こう、にこやかに、葦毛の背からいうのだった。

義仲のそばには、葵ノ前が、駒をならべていた。

葵は、眼をそらし、巴は、葵を眼にも入れていなかった。

「――ならぬと仰せ遊ばしても、巴は、ふたたび帰りませぬ。木曾殿の御陣では、伊那の女子が、男も及ばぬ働きをするとか人びともいいはやしますが、木曾女子とて、劣りましょうや。良人の臥す野を家と思い、良人の行く嶮しさをわらわも踏みこえて参りまする。死なばともにおん枕を並べましょう。……子の義高は、人を添えて、けさ、志水の里へつかわしましたゆえ、あとの憂いもありませぬ。どうぞ、依田へのおん供、おゆるし給わりませ」

「…………」

義仲には、答える言葉が見つからなかった。

それを察して、きっと、葵ノ前が、巴を眼のすみで見ていった。

「おけなげです、北ノ方様。さまでのお覚悟を、なんで殿にも、おいなみありましょうか。……依田へ、いらっしゃいませ。鳥居、和田越え、浅間路の道しるべは、葵がいたしましょう。殿と葵の駒を見失わぬように、また、山坂の嶮しさに馬から振り落されぬように、お気をつけていらっしゃいませ」

木曾殿稼ぎ

数日の後には、かの浅間高原の一角、依田の城へ、義仲は、帰っていた。

巴御前と、葵ノ前とは、木曾からの軍旅の途中も、つねに義仲の姿をめぐって、もつれ合う蝶のように、侍いていた。依田へ来ても、もちろん、ひとつ城の中に住んだ。

行軍の日も、宴の夜も、こう二人の女武者が、義仲の左右に見えないことはない。

ひとりの男が、幾人もの女性をもつ。あるばあいは、おなじ居館に、棟をわけてともに住む。時代の風習である。不自然とはたれも思わない。

また、巴と葵との間にしても、形のうえでは、なんの確執もないばかりか、むしろ、姉妹のような睦じさすら見せ合っている。

けれど、義仲の愛を、身ひとつに占めようとする意志とそれとは、まったく、べつであった。

さりげない眸のうちに、心の底に、斬りむすぶ刃交ぜのような細かい女心は、不断に、火をふらして、愛を闘った。

義仲は、二人のいずれも愛した。それが平等なる主君の態度で、閨房の政治だとも考えているらしい。しかし、従来、家事と育児だけを守る女とのみ考えていた巴にも、依田へ来てからは、新しい女体の熟れと情脂の発色を見出し、このごろは、葵以上にも、愛していた。

「殿……。わらわに、みゆるしを給うておきとうございますが」

「巴か。おり入って、何事を」

「雪も解けそめて参りましたゆえ、国元から、木曾の女子どもを、二百人ほど、この城へ、呼びよせたいと思いますが」

「陣中にも女子手は要る。しかし、依田には、そなたの来る前から、すでに、百人あまりの娘、妻女、媼までが住んでおるのだ。さまでには、召さずともよい」

「いえ。それはみな葵どのが、伊那から招いた伊那女でございましょう。葵どの直参の女武者です。巴は、べつに巴の自由に指揮する女部をおきたいのでございまする」

かの女の望みは、むりな申し出ではない。「よかろう」と、義仲はゆるした。けれど、こういう点にも、巴と葵とが、一陣の中に、席を分けて、対立してきたことは、当時の一夫多妻の制も、義仲の愛の平等も、どうすることもできなかった。

安曇野や水内平や、また妙高、黒姫、戸隠などの山肌も、春のゆるみに、雪まだらな陽気をきざし初めると、信濃の天地は、下萌えの草ばかりでなく、諸方に、土豪のうごめきが見え初めてくる。

「賊、義仲を討て」

「討たば、公の庁より、重き恩賞なあるぞ」

雪解の信越国境は、人も馬も、この合言葉のもとに、活発なる浅春の気を孕んでいた。


令は、越後国府（直江津）の城ノ太郎資長から出ていた。

資長は、余五将軍維茂の子孫という。長く撫民につとめてきたので、衆望もあって、国人からは、代々、

〃白川の御館〃

と、尊称されていた。北越の重鎮であり、無二の平家方なのである。

ことしの初春早々。

白川の御館には、はるばる都から、宣旨の特使が着いていた。

城ノ資長にたいして、

（越後守ニ任ズ）

という*除目の恩命がつたえられ、また、前右大将宗盛の教書もあって、

——卿ガ鎮守アル地コソ、信濃ノ乱賊ヲ制シ撃ツニ、マサニ天賦ノ地ナルヲ信ズ。恩命ニコタヘ奉ツテ、北越ノ府ニ、ナホ余五将軍ガ威光アルヲ、コノ時ニ発セラレヨ。

と、うながしていた。

資長にとって、六波羅、西八条は、一族の宗家である。否やはありえない。

「畏まって候う。雪解を見なば」

と、都へ答えた。

その後、越後一円から、会津四郡にわたる領下にむかって、資長は、参陣を求め、信濃地方の諸郡へも、

「木曾は、烏合の衆、頼みある宗家のあるにもあらず、かつは朝敵なるぞ。向背をふみ過って、悔いを千歳に残すな」

と、布令まわした。つまり官軍の名分をうたって、義仲の足もとを脅かそうと計ったのである。

資長に応じる郡家や地侍は多かった。——たれの眼にも、義仲の進出のごときは、なお、

「木曾の小冠者が、何するものぞ」

ぐらいにしか映っていない。

牟礼、小布施、須坂の諸党も、また、高井、更級の輩も、筑摩党の一部も、義仲に反抗した。

義仲はもう一日も、依田の城にはいなかった。

諏訪、塩尻に戦い、桔梗ケ原を北進し、また千曲川に幕舎を張ったり、戦野の夢を、

かさねていた。

しかし、行くところで、かれは勝った。木曾馬と木曾武者の行動は、野を捲く風のように迅いのだ。

水内、高井、更級などの諸郡の平家が、国府軍に統一されないうちに、木曾勢は、村を行き、部落を抜き、しらみつぶしに、個々撃滅を遂げて行った。降伏人を加え、若い男女を徴発し、夜が明けるたび、軍勢は膨張していた。兵はふえ、牛馬が増し、穀倉を占領し、諸所に軍糧を確保した。

信濃一円には、春風とともに、ひとつの流行ことばが、野を風靡していた。

〝――蝗の群は、まだ牛や馬は食い残してゆくが、木曾殿の軍稼ぎに見舞われては、何一つも残る物はない〟

号して、数万と称える越後、会津の大軍が、いよいよ、国府を発して、関山から赤倉をこえ、野尻湖の西まで来たという早馬が、南へ飛んだ。

浅間のすそ、依田の城へ。

めずらしく、義仲は、ここ数日だけ、依田にいた。

「出おったか、越の熊が」

手に唾して、かれはいった。

「大熊も、穴を出て参りゃ、わがもののぞ。時を移すな」

今井兼平、根井小弥太、栗田別当範覚などへ向かって「ただちに勢ぞろいを」と発向の準備が命ぜられた。

樋口次郎兼光は、中三殿に代って、木曾に残されたので、この陣にはいなかった。

「わらわも。御陣のおん供を」

「巴か、いうまでもない」

「わらわも、ともに」

「おお、葵も来い」

かの女たち二将のほか、女武者ばかりの一隊も加わって、総勢五千あまり、浅間山をあとに、千曲川に沿い、善光寺平を北へ急いだ。

もちろん、幾夜の野営をかさね、行く行く、物見を放ったり、旅人をとらえて、敵地の情報をあつめたり、さすが、

（この戦いに敗れたら、また木曾帰りして、数年は、義仲の辛抱のし直しぞ）

とかれもいったように、大事に大事をとって進んだ。

かくて善光寺の裾花川に陣した日、物見頭の望月三郎重隆が、野尻方面から帰って来て、

「ふしぎや、敵の影は一兵も、あの附近には見当りませぬ」

と、報じて来た。

さては、国府の官軍は、道をかえて、高井から上州越えをとり、遠く迂回して、草津

へ出たのではないかと疑ったが、土民のはなしでは、どうしたのか、全軍にわかに騒ぎ立って、一夜に陣を引き払い、越後国府へ引き揚げてしまったというのである。

「読めた」

と、義仲はいった。

「わが木曾勢と、曠野(こうや)にての戦いは、敵も勝ち目なしとみて、われを狭隘(きょうあい)な山間に誘いこみ、妙高、赤倉、燕ケ嶽のふもと辺りで、四山から埋伏(まいふく)の兵を起たせてつつみ撃たん謀事(はかりごと)であろうず。……はははは。その手に乗ろうや」

さして大きな体でもないのに、体をゆすって笑うのがくせである。そしてその哄笑(こうしょう)には、キラキラするような誇りが見える。

「ひとつはおれどもの勢いに、怯(おび)えたのだ。諏訪次郎、高梨高信(たかなしたかのぶ)。二人は重隆に代って、もう一度、国府勢の進退をたしかめて来い」

細心な点は、なかなか細心である。いちどの物見ではと、念のため、なおべつな者を、野尻より先、関山附近まで、探らせにやった。

その間、義仲は、巴と葵の二美将をつれ、栗田別当範覚(くりたのべっとうはんかく)の案内で、箱清水の善光寺に詣でた。

寺伝によると、善光寺は昔、伊那の座光寺からこの地へ移ったものとかいう。そのせいか、範覚と同姓の一族が、ここにもいて、善光寺と戸隠(とがくし)の別当職をも兼ねていた。

ここの坊衆は、もとより、早くから範覚と同心して、木曾方へ加担をちかっていた。

箱清水の坊々、院住の輩は、こぞって、義仲を出迎え、

「ここに、御宿泊のうえは、われらが守備し参らすれば、お心やすく、陣のお疲れも、おわすれあるように」

と、歓待をつくした。

夜は、盛宴を張って、義仲をなぐさめ、古風で土俗的な僧侶たちの念仏舞だの催馬楽なども演じられた。義仲は、稚子たちのササラ踊りが気に入って、例のごとく、したたか大酔して、いつか、身を斜めに崩し、葵のからだへもたれかかってきたが、葵は、その肱と、自分のあいだへ、脇息をおいて、支えていた。

「……次は誰ぞ。……おお葵、そなた舞え、舞ってみせい」

「はい。仰せなれば」

葵は立って、伊那振りの鄙舞を、素直に舞った。

伊那には、早くから、都文化の影響もあった。舞も、どこか、優雅である。それとまた、まばたく無数の燭をうけて立った、かの女の武者いでたちが、あやしいほど、蠱惑なものに人びとの眼へ映じた。

(木曾殿が、そばを離さぬというのも、これや、むりはない)

法師でさえ、そう思った。いや法師なので、よけいに、そういう他人事を、思い煩ったかもしれない。

やんや、やんや、と葵の姿へ賞讃を送ると、義仲は、上きげんなひとみを、自分の右

へ向けて、

「巴も、何か舞え」

と、いった。

巴は唇もとで笑っただけで、起つ容子もない。

「わらわは、葵どのとは違う。木曾殿の北ノ方じゃ」

と、満座の眼へ、姿でいっているようでもある。

「なぜ、舞わぬ。……巴御前が舞わでは、興もうすい。——舞え、舞え、まいまい蝸牛。——あの童舞でも、よいではないか」

義仲が、側女あつかいする。それも、かの女には、気に入らぬらしい。

いや、巴は、箱清水の一院にはいったときから、すこしきげんが悪かった。

善光寺の上僧も堂衆たちも、葵にのみ、気をつかって、葵を、義仲につぐ賓客としているふうに見える。——これは、しかし当然でもあった。——葵の養父は、栗田別当範覚である。

「範覚どのの御息女にして、木曾殿の想われ人」と知る葵にたいして、全山の者が、そういう丁重さをもったのは、仕方がない。

「あのように、人びとの眼が、そなたの舞を待つわ。巴御前、なんぞ、舞うてやれ、舞うてみせてやれ」

義仲は、三たび、巴をうながした。

これ以上は、意に逆らうことになる。良人をして、酒狂を演じさせてはと、巴も、それは惧れて、

「葵どのがみやびた舞のあとに、木曾舞の山家踊りも、味のうございましょう。……さらば、笛など、吹きましょう」

巴は、携えていた笛袋を解き、やや居ずまいを直して、笛を吹いた。

都人の手すさびとするそれとは違い、かの女の笛には、やはり特有な木曾の調べがあった。

まだ幼い女童のころ。

かの女は、牛の背に乗って、よく、春の日を、駒ケ嶽のすそに、花を摘んだり、わらびやぜんまいを採ったりして、遊び暮らした。

そして、侍女に、牛の手綱をひかせ、夕月の下を、中三殿の門へ帰って来る道すがら、よく、笛を吹いた。無心に、笛を吹きながら帰った。

また、幾日も幾日も、屋の棟をゆするような大吹雪の夜には、その恐さを忘れるため、笛が裂けるほど、笛を吹いた。

夏の山神祭りに、寝醒の床とよばれる渓谷の大盤石の上で、盛装して、笛を吹いた思い出もある。

そんなときは、いつも、幼いころの義仲――駒王丸も一しょであった。

義仲は、いつか、脇息に、頬杖をつき、眠るがように、巴の笛に聞き惚れた。――そ

して、木曾の山河を眼にうかべた。駒ケ嶽や木曾谷の流れに跳ね遊ぶ童心が、陶然たる酔中夢のごとく想い出されていた。

「………」

満座の人影は、墨を刷(は)いたように、ひそまり返り、ただ、耳をすましている。——

が、葵は、ねたましげに、笛の音いろを、嫉妬(しっと)した。——自分の舞を見た眸よりも、一そう魅せられている義仲の横顔に、ふと、気づいたからである。

異聞頻々(いぶんひんぴん)

決して、敵方の夜襲などではない。

事実は、その夜の宴楽のため、おそくまで、火を用いていた釜殿の火の不始末にあったのだが、義仲が寝所にはいるとまもなく、坊の一隅(いちぐう)から、

「火事っ」

と、いう大声が聞こえた。

厨者(くりやもの)以外の法師や、宿直(とのい)は、しかし「すわ！」と、不吉な大事でも直感したにちがいない。

「火ぞ」

と、叫びあい、

「怪し火なるぞ。出合え、出合え」

と、あわてふためいた。

たちまち、とどろな跫音が、黒けむりの裡(うち)を、右往左往し、

「殿は」

と、そこへなだれ寄り、血相変えた別当範覚が、

「おわせられて候うか」

と、内をうかがった。

帳台のそばに、悄然(しょうぜん)と、葵だけが、佇んでいた。

「殿は、お見え遊ばさぬ。殿には、いつ、いずこへ、渡らせられましたか」

「や、巴御前(ごぜ)にも」

「わらわも知らぬまに、お姿も見え給わぬは、いぶかしい……。どう遊ばしたやら」

しかし、そこで、多くをいい交わしているひまはない。

もう、炎は、廊の大長押(なげし)を走り、もうもうと、あたりは、赤い煙が、たちこめて来る。

「危ない」

と、範覚は、葵を扶けて、僧院の外へ、馳(か)け出した。

すぐ、出火の原因が分かり、敵襲ではないと、人声で呼ばわる者があったので、全山の混乱も、消火に集中されたが、なお、義仲の姿は、見つからなかった。

その義仲は、宴が終わると、泥酔して、臥床（ふしど）についた。

寝所の前までは、葵と巴とが、両方から義仲の体を扶（たす）けて行った。が、葵はそこで、あとを巴にまかせ、べつな一間の帳台に寝（やす）んだのである。

とろりと、するまもなく、いちめん火光の壁を見たのであった。が、すぐ駈け入った帳内に、義仲の姿は、もう見えなかったものである。——義仲はその夜、大酔の果て、騒ぎが起こっても、容易に、われに返らなかったものらしい。

「なんたる、お方」

と、海鼠（なまこ）のようなかれをつかみ起こして、わが背に負い、たれより先に、院の外へのがれて行ったのは、添い寝していた巴であった。

巴は、義仲を負って、箱清水の東の岡——水内神（みなちのかみ）、諏訪神（すわのかみ）、龍田ノ風神（かざかみ）などが祀ってある——俗に仮寝ケ岡とよぶ小高い丘陵へさして駈けのぼっていた。

風神の御堂に、背の君を降ろして、

「いかにとは申せ、おん大将の身で、この酔いしれ様（ざま）は、何事でございますぞ。まだ、正気におなりなさいませぬか」

と、わざと、御堂の縁に、つきころばした。

義仲は、青白い面（おもて）を伏せ、身を曲げたまま、おくびをした。

「あきれたお人じゃ」

巴は、舌打ちしながら、拝殿にあった土器を取って、どこからか、水をいっぱいいたたえて来た。

「殿……。お水を」

「おお」

と、義仲は、一息にのみほした。

やっと、悪酔いした胸のつかえが、少し下がったように、

「夜討ちか」

と、急に、身を硬めた。

巴は、わざと、

「思わぬにわか火。国府勢の夜討ちとか、坊中に裏切り者が出たとやら、ただ事とも覚えませぬ」

と、笑いもせずに嘘をいった。

腰をさぐったり、身を撫でまわして、義仲は、

「巴、おれの太刀は。……太刀は持ったか」

「太刀は、もののふの魂。あなたは、どこに魂を置き忘れなさいましたか」

「では、薙刀を貸せ、そなたの小薙刀を」

「お貸しするわけにゆきません。薙刀とて、木曾殿のおそばに侍く巴には、ただ一つの打物ですから……」

巴は、つい、笑いをこぼした。やっと、覚ったらしく、怪訝顔を持って、

「ははあ。出火か」

と、義仲は、たずね直した。

「されば、まだ、仔細はよく分かりませぬが」

「あわれ、肝をつぶしたわ」

「見損うた木曾殿かなと、巴も、こよい初めて、殿のまことのお姿を見せられました」

「なに。見損うたと」

「殿と、わらわとは、うない髪の童形からの友でしたが、このような駒王丸様とは、思いも寄りませんでした。行く末、頼みあるお人と思うて、身をゆるしたのに、くちおしいことに思いまする」

「いや、おれの性根はそんなものじゃあない。ちと、こよいは、酒が過ぎたのみだ」

「その酒に、いつも、そのようでは、やがては敵に、寝首をかかれる御運命にも、あいかねませぬ」

「不吉な」

と、義仲は、いやな顔をしたが、それが、はっきり、かれの酔眼を、平常のものに返した。

「……いや、あやまる。以後、大酒はつつしもう。宵に、そなたの笛の音を聞き、そぞろ、身の生い立ちなど思われて、心では、かくてはならぬとも考えていたのだ……。巴よ、もう怒るな」

「そう、御性根がついていただければ」

「いや、酔も醒め過ぎたわ。……たれか、これへ、登って参るぞ。人前では、余りに、幼時のように、ずけずけと物な申すまい」

栗田別当範覚を先に、葵ノ前も、諸坊の法師、宿直の武士なども、

「おお、これに」

と、義仲と巴の影にむかって、

「無事に、おわせられましたか」

と、一せいに、ぬかずき合った。

「みなのもの、心を安めたがよい。殿には、なんのおつつがもありませぬ」

巴は、義仲に代って、そう答えた。そして、

「火災は」と、たずね、「――なお、寺坊は混雑でありましょうゆえ、御陣所は、このままここに置きましょう。また、殿のごきげんをとり結ぶもよいが、夜前のような、度の過ぎた杯盤狼藉は、慎んで給もい。ぜひなく、わらわも、笛の御興は添えたが、戦の途中に、心憂い業ではあった……」

と、ことばに、権威をもっていった。身は、木曾殿の北ノ方ぞ。そういっていることなのである。

「…………」

葵は、父の蔭にいて、あらぬ方を、ながめていた。かなたの天地に、千曲川の線が糸のように白く見え出し、善光寺平に、暁闇のほのけさが訪れていた。

――と、数騎の影が、点々と、山門の下へ、急いで来る。ほどへてから、それは関山まで偵察に行っていた諏訪次郎、高梨高信などの一小隊と知れた。

「おいいつけの旨、しかと、探って参りました」

諏訪次郎光貞と、高梨五郎高信とは、義仲のまえにぬかずいて、何か、確たる情報をつかんで来たもののようであった。

「どうであった、国府勢のまことの動きは」

「上州越えのうわさは、まったくの虚伝にすぎず、事実は、平家方の内に、容易ならぬ秘事を生じたものの如くにうかがわれました」

「秘事とは、いかなる秘事。――そこまでは、突きとめえぬか」

「されば、赤倉、関山あたりの土民のちまたばなしには、敵方の総大将、すなわち、白川の御館と呼ばるる城ノ資長殿が、野尻まで来て、にわかに、馬上にて目まいを催され、そのまま、病篤しとあって、全軍を、国府へ引っ返されたりと、もっぱら、申しはやしておりまするが」

「ほ。……城ノ資長が、途上にて、急病のため、軍を返したと申すのか」

「さようには、うわさはされておりますものの、なお、不審のふしが、ないでもございませぬ。……で、さらに、部下に、姿を変えさせて、駅路のおちこちを、聞き探らせましたるところ、旅人どもは、容易ならぬ儀を、低声にて、ささやきおうておりまする」

「ふうむ。国府の内輪事か」

「いえ。都の取沙汰にござりまする。——さて、それと申しても、いわゆる、旅鳥の駅路評判、真偽のほどは、相わかりませぬが」

「ともあれ、聞きおこう。まちごうても、そなたどもの曲事とは、とがめまい」

「聞き及ぶところによれば、この二月初めごろ、都、西八条の第において、大相国禅門清盛入道殿には、にわかな病にて、死去されたりとか、なお、重態なりとか、しきりに、申す者もあるやにございまする」

「な、なに」

義仲は、舌のもつれるような早口で、

「入道清盛が、死んだというううわさがあるのか」

「さればで」

「はて」

夜が明けていたのを、いま、気がついたように、ぎょっとした眼で、暁天を見上げた。

「——もし、うわさがうわさでなくば、これや天下の一大変といえよう。城ノ資長が、急病と称して、野尻からにわかに引っ返したのも、何やら、いぶかれる……」

と、じっと考えこみ、

「清盛が、死んだとありゃ、平家一門、音をたてて、雪崩るるばかりな変り方を起こそうわい。いやいや、平家のみかは、世の中が、ここ幾日のうちに、一廻転も、二廻転も、大きく変ろうぞ。われら、諸源氏の立場立場も」

そこまでいって、かれは、急に突っ立った。

（――こうしていられない）

と、いう焦躁の姿であった。

しかし、真偽はなお、定かでない。

地方といえ、都の流言は、往々、まことしやかに、嘘をつたえてくる。

（かかる時、めったな盲動も……）

という自省も、理性がささやくし、身を起こした義仲も、その体を、むなしく、仮寝ケ岡数十歩のあいだに、行きつ戻りつさせてみるだけだった。

急遽。――裾花川の本陣から、今井兼平、ほか、諸将がここへ呼ばれ、極密な会議が遂げられた。

が、なおそれから数日のあいだ、義仲は、仮寝ケ岡からうごいていない。

その間に、気ばたらきのある部隊の隼が、八方へわかれて、諸街道の情報あつめに、馳けあるいていた。

どこからも、まだ、的確な報告は、はいって来ない。

ところが、天龍川を溯って、伊那から安曇野へ出て来た東方の一使者が、初めて、裾花川の陣地へ、都の確報をもたらした。

東方の使者は、着くやいな、

「この書状は、木曾殿、お手ずから抜き給われと、主人十郎行家殿のかたいお申しつけにござれば、直々ならでは、さし出すわけに参りませぬ」

と、きびしい語気をもって、断った。

すぐ、木曾武者に付き添われて、秘使は、箱清水の一院へ来た。そして、義仲を拝したうえ、

「お人払いのうえにて、御披見を」

と、いいながら、行家からの書面を、革の状包みのまま差し出した。

秘使のもたらした書状の内容に、義仲も、まったく、心を天外に飛ばした。血わき、肉躍るとは、この思いか。

われから求めて起った時は、時の方から余りにも、予想外に早く、突然にやって来た。

この月、二月上旬。

入道清盛が、卒去したことは、平家では、なお秘しているが、洛中の低雲、いかんとも、おおい難い。

――行家の手紙は、告げているのだ。清盛は死んだとかれも観ているのである。それ

ゆえに、その行家は、美濃から木曾へ向かって、こう忠告して来たのであった。

（——鎌倉殿頼朝には、かねて木曾殿の、上州斬り入りを、よろこばれていない。また、伊那や諏訪源氏の輩が、木曾軍にはいったのも、内心怒っておられる）

義仲にとって——これは意外な感だったが——あるいはという気がしないでもない。

なお、読み進んでゆくと、

（——そこで、鎌倉殿は、自身が上洛前に、木曾冠者を、まず先に処分して上らんと、自分にももらしたことがある。——今、入道清盛が死去して、源氏の上洛が急となると、鎌倉勢が、必定、いつ碓氷を越えて依田へ攻めゆくかわからぬ。鎌倉殿は、わが甥だが、御辺もまた、行家の甥である。天下一変のこのさい、平家にばかり心を奪られて、万が一にも、＊後門の狼に、あえなき不覚をとり給わぬよう、一そうの御自重が望ましい）

という進言など、いかにも、行家らしい才気がゆき届いている。

「……ありそうなことだ」

義仲は、愕然と、南の空を見た。

つねに忘れがちだったが、そこには、鎌倉の頼朝という者が厳存していた。まだ、会ったこともないが、平家をたおすという目的において、よい盟国だと思っている。

しかし、その頼朝が、真に自分とひとつになれる味方か否か、それは今日まで、義仲自身も、自分に糺してみたこともなければ、疑ってみたこともない。

「――依田へ帰って、まず、碓氷口に、備えおけ。南へ、討って下りるか、ふたたび北へ攻め上るか、思案は、しばらく雲行きを見てのこと」

義仲は、こう自分へいって、また、そのことばを、今井兼平から、裾花川の全軍に布令させた。

「玉葉」筆者

「あ、っ。……あ、っ、っ、っ」

立てまわした屏風の蔭である。とつぜん、月輪殿の頓狂な声がした。

室には、艾のけむりが立ちこめている。日課の灸治をしているらしいことは、屏風の内をのぞいて見るまでもない。

月輪殿とは、右大臣九条兼実の通り名だった。

摂政の松殿（基通）の叔父君にあたり、博学で故典にあかるく、微笑さえも、いやしくしない。そういった風な謹厳家である。

そのお人が、今みたいな叫びをもらしたのは、よくよく熱かったに違いない。

毎日、この月輪の別邸へ通って来て、灸治している灸法師もまた、びっくりして、月輪殿が、あわてて肌から振り払った艾を、揉み消しながら、

「あ、おゆるしを。どうぞ、おゆるしくださいませ」

と、背のうしろで、詫びぬいた。

「……やれ、熱いことであったぞ。火のついた艾が、肌と肌着のあいだに落ちたのじゃな」

「まことに、粗相つかまつりました」

「よい、よい。……あとを」

「はい」

灸医師の鈍阿法師は、残りの灸のつぼを、順々に点えて行った。けれど、いつになく、それからは、手がふるえた。

「鈍阿。いかがせしか。いつものようでないの」

「は、はい」

「何か、憂いでもあるのか。心配事でも」

「おそれいりました。まことは」

灸治が終わると、鈍阿は、座をすべった。そして、しも座に、両手をつかえ直したが、とたんに、その面を、涙にしていた。

「つい、先夜でございまする。長年、西八条殿に仕えていた伜めが、お暇も仰がず、無断で宿へ逃げ帰って参りました。仔細を問えど、答えだに致しませぬ。ただ、武者奉公はもういやじゃとのみ申して、物も食らわず、毎日、ふさいでおりまする。すると昨夕、西八条の追捕が来て、不埒な逃亡者よと、縄にかけて、連れ去りました。あわれ伜めも、きょうは御成敗になったころか。なお、命だけは、あろうやなどと、親心の乱れから、つい、思わぬ粗相な仕りまして」

「……そうか」

兼実は、重げに、顔をうなずかせ、

「したが、そちの子息は、なんで、そのように、にわかに、武者勤めをきらうのか」

「母親へは申したそうでございまする。昨今、西八条の内にいるのは、地獄に飼われている心地がする、自分もやがて戦場へ送られるにちがいない。屍を野にさらし、鳥や獣の餌になるほどならと、思い余って、逃げたとか」

「ほ。戦をきろうてとな？」

「されば、六波羅の内にも、西八条の仕え人にも、戦を恐れて、伜同様、逃げたいと念じている者は、多いそうでございまするが」

「ああ。宿命だの」

「それのみか」

と、鈍阿法師は、声をひそめた。

「――入道相国の御気色は、かの南都炎上のこと以来、日々、お険しさを加えて、何事にも、とげとげしゅう声を荒らげ給うがゆえ、西八条の仕え人は、生きたそらもなく、朝夕、入道の我鳴り声に、恐れおののいておりますそうな」

「うム、近ごろ、人もみなそのように申すの。中には、入道乱心などといいふらす者もあるが」

「御乱心などの儀は、世の悪しざまな偽り言でございましょう。けれど、夜半、時ならぬこころに、人びとを召し招かれたり、朝まだき、遠山にのぼる炭焼のけむりをながめ、すわぞと、武者の陣座へ、物見を仰せ出し給うなど、おりおり、異なお振舞いはあるそうで」

兼実が、衣服を着直しているうちに、客殿の方には、もう、幾人かの訪客が待っていた。二度まで、ここへ召次の知らせがあった

客は、大外記頼業、左少弁行隆、外記大夫師景、親経など四、五人であった。

いったい、月輪の邸は、九条家の別荘であり、兼実は、持病の脚気を理由として、右大臣の要職にはあるが、多くを、ここに過ごしているのである。

そうした閑居と、病養のあるじなのに、ここへは毎日、客が多い。平家ぎらいのあるじをかこみ、平家の悪口もいえるし、後白河法皇の復帰された院の批判も自由に話せるからであろう。

「近ごろ、おからだは、いかがですか」

行隆が、まじめにたずねた。

「まあ……」と、あるじは、笑い濁して、

「持病ゆえ、急には癒るまい。――というて、どうも」

「おわるくもないので」

「いや、よくもない」

「どちらともつかぬわけで」

「いわば世上の容体そのままよ。世の煩いが、兼実の身にあらわれているのかもしれぬ」

「先の月、高倉の上皇の御葬儀にも、だいぶ御無理をなされたのではございませぬか」

「ほかならぬ御儀、あの前後のみは、病を冒して奉公いたしたが、もう、むりはせぬ。何が起ころうとも」

「五条殿（大納言邦綱）にも、このところ、御不予とか、伺いますな」

「あ。あの朱鼻殿の、御養子か。……親は知らず、五条殿は、よいお人なのに」

「むかしは、卑賤な一雑色であった朱鼻殿が、いつか大商人から、五畿第一の富者となられた。そして、親は、夢野に王者の栄耀。御養子は、大納言にまで昇られた……。ひとえに、それはみな、入道相国の寵によるところ」

行隆が、嘆じると、師景が、なぐさめるようにいった。

「さ、それゆえ、入道相国が、南都焼き討ちの後は、とかく、御気色もすぐれず、近ごろ、業苦を病むうわさもあるが、その報いをともにうけて、五条殿も病み臥せられたのではあるまいか。栄華の御相伴だけを、神仏もゆるしはおくまい」

「では、相国の乱心とやらも、根なし草の、うわさのみではないのであろか」

兼実には、自分の病以上、これは心にかかるらしい。しかし、入道清盛を思うがゆえの関心でないことは、いうまでもない。

どうやら、平家全盛も、絶頂をこえたかに見える。もし入道清盛がここでたおれれば、急転直下の崩壊（ほうかい）をきたすであろう。二十年来、自分たちの頭の上を圧していたものが、からりと、除かれるにちがいない。

そのあとは、どういう形の政体が生まれるか。また、世の中に変化がくるか。それはまだ、たれの頭にも、はっきり描かれてはいない。

必然なのは、源氏の進出である。

しかし、平家よりは、ましであろう。平家の轍（てつ）をふむような、大それた野望はもつまい。「――平家だに亡びなば」と思うのは、兼実だけではなかった。公卿は全部である。いや、ことしの飢饉（ききん）は、その飢饉までを平家のせいにして、庶民の声も、そうなって来ている。

そこで、こういう希望的観測は、まま風説の化け物を作って、「西八条の様子がおかしい」とか「入道病む」とかいう気の早いうわさが、きょうまで、幾たび、ちまたにいわれていたかしれない。

しかし、こんどこそは、どうも、ほんとらしいと、けさの月輪殿（つきのわどの）の客たちは、いうのであった。

風説とは、おかしなものである。

いぶかしく、おかしな、得体のしれぬ作用のものではあるが、その中に何か、人間の希求とか、複雑な心理が、べつな相をかりて、つつまれていることも否めない。

たとえば、きのうきょうを見ても。

西八条の第の外ではしきりに、清盛の乱心とか、病とか、あるいはもう死んででもいるような取沙汰がひろまっていたが、その西八条の内や、六波羅界隈では、もっぱら、

「――鎌倉の頼朝は、この春以来、病で引き籠っているそうだ」

とか、もっと、まことしやかなのは、

「いや、死を秘しておるが、じつは、もう死んでおるそうだ。北条時政父子との間に、何か、事件があったらしい」

などといううわさが立った。

頼朝夭亡説は、治承五年二月中、どこから出たものか、かなり伝播したものらしく、九条兼実（月輪殿）が、日々克明に誌していた〝玉葉〟のうちには、二十日の日記にも、二十一日の項にも、それを耳にしたことが、書いてある。

けれど、さすがに、かれは、

伝ヘ聞ク、頼朝ニ病アリト。或ハ、夭亡ノ説アレド、カクノ如キ謬説ハ、唯、多キノミ。

と、その偽妄性は、看破していた。

この頼朝の夭亡説が、嘘であったように、清盛の乱心説や死亡説も、みな嘘だった。

――当の入道清盛は、福原の地を思いきって、ふたたび都がえりをして以来は、

（一門に、恃む者はない）

と覚り、また、

（このうえは、自身、現状の頽勢をもりかえし、平家を安きにおかねばならぬ）

と、ちかってから、たしかに、日常の起居言動も、変ったことは変ってきたが、何も、乱心などという性質のものではない。――かりに、いかに健康な壮者でも、かれの立場となって、昨今、かれが観ているような天下の情勢と平家の内部を見くらべ――そしてなおままならぬ去年からの天候異変による衆民の飢餓を見たりなどしていれば――当然、まれには声を荒らげたり異常な憔悴や血相も顔にあらわすにちがいない。

つまり、その程度には、清盛も、たしかに変っていたろうし、困憊のあまり、疲れていたであろうことも察しられる。

それが、大げさに伝わったわけも、しいて探せば一、二の事実がないこともない。

いちど、孫の資盛を、蓬壺の縁から蹴落して、ひどく怒ったことなどあった。

右京大夫がよい

権少将資盛は、維盛の弟で、亡き小松内府重盛の次男である。

この少将資盛は、いつごろからか、建礼門院徳子の側に仕えている右京大夫の局と、恋しあっていた。

右京大夫は、歌人藤原俊成の養女で、かの女もまた、歌をよくし、音楽や書道にもすぐれていて、中宮（徳子）からも愛されていたが、それにもまして、周囲の公卿や公達は「むかしは、紫の君。いまの才媛は、右京大夫の侍従」と、さわがれていた。

資盛とは、相思の仲だった。

けれど、高倉上皇の喪に服して、中宮が深くお引き籠り中のため、この春ばかりは、ふたりの逢う瀬も、まったくなかった。

恋はたれをも盲目にする。そんなときほど、逢いたさがなおつのる。二月のある夜、資盛は、築土ごしに、中宮の御所にまぎれ入った。――そしてやみに匂う白梅の明りをたよりに、右京大夫の局に忍んで、罪ふかい快楽をぬすんでいたのだった。

運わるく、その夜、備後の鞆ノ津から、西八条と六波羅へ、早馬がはいった。

――事の次第は。

伊予の住人、河野通清は、清盛が、安芸守のころから目をかけていた者だったが、俄然、平家にそむいて、源氏側と、何か、うごきを謀しあっていた。

すると、備後の額入道西寂が、これを知って、「年来、恩義のある平家を裏切る卑劣者」と、急に兵を催して、内海を渡り、通清の居館を急襲したうえ、その首を挙げて帰った。

ちょうど、そのおり、通清の一子通信は、留守だったのである。

通信は、無念やるかたなく、報復の機会をさぐっていた。そして先ごろから、額入道が、鞆ノ津の遊女に通っていることを知り、決死の旧臣数十名をかたらって、舟を漕ぎ出し、額入道が泊っている妓楼を目がけて、夜半、海からおどり上がった。

通信は、額入道の首を獲ると、また、疾風のように、舟で四国へ逃げ去った。——そして、こんどは公然と、伊予の一角から、「平家を討とうよ。源氏とともに、極悪平家を討たんとこころざす者は、伊予へ来い」と、源氏の白旗をかかげているというのである。

——もう夜半すぎていたが、備後からの飛脚状は、ただちに、清盛の寝所へ、達しられた。

いつ、いかなる時刻でも、遠国の飛脚は、即座に、手もとへさしよこせと、特に近ごろ入道からいい渡されているためである。

寝所の簾や帳の蔭に、明りがゆらぎ、入道はすぐそこを出て、披見した。そして、それから暁にかけて、一族のたれかれが、名ざしで、招き出されたのだった。

ところが、権少将資盛だけは、どうしても、行方がしれない。近来の情勢と、世上の非常に備えて、召次番から、宿直、昼の侍者、また遠侍や、陣座の武者まで、すべて、西八条はいま、準戦時態勢にあるのである。——それなのに、資盛が見えない。

「家には？」

と、六波羅の住居をも、問わせにやったが、

「西八条にお詰めです」

家人は何も知らずにいう。

やがて、集議も終わってしまい、夜も白みかけて来たころ、資盛は、右京大夫の侍従の移り香をこっそり抱いて、帰って来た。

姿を見て、青侍の一人は、

「不時のお召しで、お行く先を、さまざま、おたずねのようでしたから、そのおつもりで」

と、資盛へ、耳打ちした。

しまった、と思ったことであろう。しかし、資盛はぜひなく、蓬の壺への廊を渡ってゆき、西の広縁のすみに、かしこまった。

評議はすでに終わっていたが、召し呼ばれた一門のたれかれは、なお、明けかけた大廂の下に、燭さえそのまま、居流れていた。——門脇殿（教盛）や池殿（頼盛）や右大将殿（宗盛）までがそろっている。忠度、重衡、経正、経俊、仲盛、光盛、そのほか、同年輩の一族までも、みな座に見えた。——そっと、末座にうずくまった資盛の姿へ、人びとの眼が、期せずして、静かにうごいた。

しかし、たれも、かれに声をかける者もなかった。正座のお人——入道清盛の意が

——どうあらわれるか、わからないからである。

「資盛、いま参ったか」

果たして、入道の顔色は、おだやかでない。語気のひびきだけで、充分である。

「はっ」

「おことが、夜前の勤めは、南の陣の篝番や、衛門の武者とともにいることではなかったか」

「さようでございました」

「おったのか、そこに」

「い、いいえ」

「いいえ、とは」

「おりませんでした」

「なぜ」

「…………」

「どれほどな大事があって、夜の守りを怠ったるぞ」

「申しわけございませぬ」

「そも、どこへ、他出しておったか」

「……はっ」

「武者のくせに、なぜ、はきはきと、もの申さぬぞ。どこへ行ったのだっ。どこへ」

「…………」

資盛ならぬ人びとまで、鼓膜に、震雷のような、つんざきを覚えた。
——が、その声には、どこか、割れがはいっていた。健康なときの大喝とはちがう声のヒビが、耳に痛く人びとの胸をも打った。

「…………」

資盛の方は、なお、沈黙をつづけている。しかしその蒼白な面とはべつに、心のうちでは、右京大夫の侍従という恋人を、誇らかにさえ、思っているかれなのだ。——何も遊女の宿へ通ったわけではない。あれほどな才媛を恋人として、まれに、人目を忍んで逢うぐらいが、なぜ悪いか。——姿では詫びながら、胸は不服をつぶやいていた。

「資盛、なぜ口開かぬ」

「……はあ」

「どこへ行っておった」

「恋人の許へ通うておりました」

「う……。なに、恋人の許へ。……恋人とは、たれ」

「右京大夫の侍従です」

こういってしまえば、もうすがすがしかった。資盛は、いい放ってから、ぽっと、顔をあからめた。

それといい、また、かれの若々しい髪のほつれといい、清盛の眼は、むらと、嫉さに燃えた。後朝の別れに、女の涙が、どんなに、この男の魂を濡らしたか。老いた男には、そんな想像が、あざやかに、えがかれるのである。そして、匂いまでが、その男の体から、老いたる男に、咽せてくる。

「ふ、不埒者よ。この腑抜けよ」

清盛は、どんと、床をふみ鳴らして、突っ立った。

「中宮には、この正月、さきの上皇との、あえなきこの世の別れに会われ、おん嘆きの涙も乾かず、ふかく喪に服しておらるるところではないか。——さるを、その中宮に仕えまつる女房の許へ、忍んでゆく男も男、局へ入れた女も女」

こう、わめいた入道は、ずかと、資盛のそばまで来て、

「しゃつ。言語道断」

扇を振り上げて、孫、資盛の肩を、丁々と打った。

子にも、孫にも、目のない禅門がと人びとはその手を止めた。が、次の瞬間、清盛はさらに足をあげて、資盛の浮腰を蹴った。

資盛は、広縁のおばしまから、庭へ落ちた。蹴落されたまま、地にひれ伏した。

「う、失せおれっ。今が、いかに非常の世か、身に知るまで、門に帰るな。……ああ、見るも、いまいましいやつよ」

五体の老い骨をがたがた鳴らした。そして突然、その顔は、子どもがベソをかいたような皺になった。はったと、資盛の背をねめすえ、唇にけいれんを刻みながら、制しき

れない余憤をなおも浴びせかけた。

「東国、信濃、紀伊、西国までも、いまし平家にそむく輩が、時を得たりと、呼びおうて、蜂起している様が、なんじには分からぬのか。……もし、なんじの父、小松内府重盛が世にいたら、その姿を見て、なんと嘆こう、この入道が足蹴のような生やさしい折檻ではおくまいが。……」

息がつづかない。肩でいうのである。

「思えば、なんじの自堕落は、幼少からのものだった。忘れもせぬ、あれは嘉応二年のことよ。なんじの乗れる牛車と、摂政基房の乗れる牛車とが、途上で大争いを起こし、多くの科人まで出したが、因を糺せば、親の威光をかさにきたなんじの罪ではなかったか。以後数年、伊勢の片田舎に、蟄居を命じ、いささかは、性根も直ったかと思い、重盛が亡き後は、ひとしお、入道も慈しみをかけてきたものを、かかるおり、役儀の陣座をまぎれ脱け、女房通いにうつつを抜かしおるようでは、もはや清盛も思い切ったり。――誰ぞ、この男を、わが眼のまえより遠ざけろ」

人びとは、とりなすひまも見出せなかった。清盛は、やっと、落ち着きをもどして、座に返ったが、

「常ならばとにかく、まだ喪にある中宮のお側に仕えながら、男と忍び合うなど、右京大夫の侍従と申す女房も不埒。きょうかぎり、女も、建礼門院の御内より追放させい」

と余憤はしずまっても、なお、にがにがしい語気で、門脇殿へそれをいいつけた。

入道発病

右京大夫の侍従は、恋のため、追放された。幾日か後には、建礼門院の内を出て、泣く泣く、都の人目立たぬ片すみの侘住居に、身を移した。

資盛は、謹慎した。――そのうちに、禅門のごきげんを見て、一同からおとりなしを申そうからと、一時、門脇殿が、かれの身がらを預かったかたちである。

しかし、入道清盛の起居は、それから、ただの一日とて、安らかとは見えなかった。

侍女の乙御前さえ、

「きょうは、み気色も、おうるわしそうな」

と、ともに眉をひらいたことはない。

従って、蓬壺の近習は、みな、入道の怒りにふれることばかり恐れて、薄氷をふむような気づかれに尖りあっていた。

こういう西八条の門へ、以後二月中、諸国からつぎつぎに聞こえてくる飛報には、どれ一つといえ、平家にとって、吉兆なものはなかった。

わけて、鎮西の状勢は、日のたつほど悪い。

豊後の緒方三郎維義が反むいて、大宰府が、反軍の手に墜ちたという悲報。

緒方党につづき、臼杵、戸次、松浦党も、寝返りして、叛旗をひるがえしたなどという取沙汰も高い。

また、河内国石川郡の石川義基と、その子息、判官代義兼も、源氏に通じ、六波羅から は、すぐ討手の兵馬数千が、馳け向かっている。

さらに、清盛の胸に、こたえたのは、紀伊の熊野別当湛増の心変りであった。

重代、平家と一心同体の者と、かたく信じていたのが、たちまち、変心して、源氏方に呼応し、那智、新宮に兵火を起こし、また一手の兵力は、伊勢へ出て、伊勢大神宮を荒しまわり、松坂、山田など、随所に、兵革を起こしていると聞こえた。

伊勢は、平家の発祥地だ。清盛の父、忠盛以前からの、いわゆる本領地である。

「……そこすらも、足もとを見られて来たか」

と、清盛にとっては、惨たる回顧と、そして、支えきれぬ崩壊の物音を、もう、自分だけは、はっきり聞いていたにちがいない。

木曾、東国はもちろん、宇内宇土、敵旗を見ないところはなくなった。そういうおりもおりである。美濃、尾張地方にわたって、先ごろからまた、妖雲のごとき一軍が起こっていた。各地の目代や、平家の与党を攻めたて、破竹の勢いで、はやくも、不破ノ関を突破し、今にも都へ上ってくるかのような風聞である。

やがて、その一軍の正体は、新宮十郎行家のひきいる美濃源氏の一党が中心とわかった。

「行家こそは、以仁王の令旨をたずさえ、頼朝、義仲をそそのかしたる叛賊の張本なれ」

と、清盛はその月の上旬、宗盛の舎弟にあたる三位中将知盛に、万余の大兵をさずけ、美濃平定に向かわせていた。

ところが、その知盛は、二十六日ごろ、なんの沙汰も待たず、不意に、征地から都へ帰って来た。

「何ゆえぞ」

このことにも、入道はひどく怒ったが、知盛の帰洛は、まったく、急病のためと分かって、やや不きげんの色を直し、翌二十七日、

「何病か、容体はどうなのか、よく診てまいれ」

と、侍医の典薬頭定成を、知盛のやしきへ差し向けた。

その定成が、やがて、復命のため、もどって来たとき、めずらしく、入道相国は、他出していた。

「院の御所へでも？」

と、定成が、蓬壺の近習にたずねると、

「いや、きょうのにわかな御他出は、法皇の御所ではないようです。――九条河原口の平盛国殿のおやしきへとか」

「ほ。……盛国殿のお招きへ」

定成は、これまた意外な、というような顔をした。

平盛国といえば、入道清盛にとっても、ずいぶん縁の遠い父系の一族である。祖父正盛の従兄弟(いとこ)なのだ。この春、八十八にもなる老齢な人である。きょうは、その人の家で米寿の筵(えん)があるとか、定成も聞いてはいた。しかし、入道相国が、みずから、そんな遠縁の、しかも、世間さえ忘れている老武者の家へ臨もうとは、嘘みたいな気がしてならない。

「ほんどに、盛国殿の賀筵(がえん)へお渡りになったのでしょうか。どうも、おめずらしいこともあるものですな」

典医の寮へ帰って、そこの医生(いせい)や薬師(くすし)などとも、うわさしたことだった。——そしてこの日は、入道が不在のせいか、西八条の第(てい)も、時局のけわしさを一日忘れているように、鳥の音までが、春らしく、のどかに思われた。

すると、たそがれ近くである。

「——すぐ、お越しください。定成どの、ほか、典医、医生の方々にも」

と、あわただしく、医寮の外へ来て、どなっている人びとがある。

見ると、主馬判官(しゅめのほうがん)盛国の家から、使いに馳けて来た盛国の子息、盛俊(もりとし)だの、西八条に留守していた公達や武士たちである。

「な、なに事が、起こりましたか。一体、ど、どうなされたので」

と、物々しさに、定成も、つい、あわてた。

いや、使いの盛俊すらも、息をきって、声さえ、かすれがすれであった。

「禅門には、急に、御発病でおざる。――もう、お帰りというまぎわにあたって」

「げっ、禅門相国が」

「はやくなされい。何を、猶予」

「た、ただ今」

典医たち三、四名は、薬籠をかかえ、医寮の庭口から、どやどやと、走り出した。

西の平門まで、馳けるあいだにも、定成は、迎えの盛俊にむかって、

「よほど、熱でもおたかい御容子でしたか」

「さ。……しきりと、お頭痛を訴えておられましたが」

「そして、すぐお横にでも」

「いぶせき一室ながら、夜具をさしあげて」

「おう、お臥りで」

「が、すこしも、じっと、お横になっておられませぬ。よほど、御苦痛らしく、両の手で、かしらを抱え、おさむけのしきりなせいか、おふるえになっておられた。……やあ、馳けてなどいては、もどかしい。たれもかも、馬に乗られい、馬を召されい」

盛俊は、もとより、乗って来た駒の背へ、すぐとび乗った。

典医や医生は、馬には不馴れである。しかし、武者たちは、遮二無二、かれらの尻を押しあげて、みな馬に乗せ、そして一頭一頭の尻を、ムチでなぐりつけた。馬は驚い

て、弦を離れた矢のように飛び出した。

二位どの看護

その夕べ、九条河原口の盛国のやしきでは、灯をともすのさえ忘れていた。

「お医師がたは、まだ見えぬか」

「盛俊殿は、どうなされたやら。もう、戻ってもよいころだが」

人びとの影は、門の内や外に、また、家のなかでも、うろうろしていた。みじかい刻々も、おそろしく長い気がして、たれの顔にも、安き色はない。

考えると、ふしぎな日である。宿命の日だともいえよう。

家父の平盛国が、八十八の賀宴で、きょうは息子の盛俊、盛康、盛信をはじめ、その妻や孫たちまで、親類縁者が顔をそろえ、「こんなよい日はない」「春ものどかに」と、米寿の翁をとりまいていたものだった。

ところが、前日はおろか、その朝の前ぶれさえなく、突然、

（平相国さまの御車が、ただ今、これへ渡らせられます）

という先駆けの知らせに、

（なに、禅門のお渡りとな。こ、これはまた、なんとしたこと）

盛国は仰天し、一家親類も、うろたえの中に、入道の車を迎えた。

入道清盛も、じつは、ここへ臨む気もなかったのである。ほんとは、このところ、なんとなく気が鬱するまま、建礼門院（徳子）を、そっと訪れ、よもやまの話のうちに、「きょうは、盛国殿の八十八のお祝いだそうです」と聞いたので、ふと、立ち寄る気になったのだ。

しかし、盛国に会ってみると、さすが、懐旧の思いがわいて、もし、亡父忠盛が生きていたら、ちょうど、この人ぐらいな年齢ではあるまいか、などと偲ばれもした。

盛国はまた、清盛の幼少も見てきた人だし、忠盛のことも、よく知っている。何かと、思い出ばなしが尽きない。

なぜか、この日にかぎって、清盛は、子どもが大人に物問いするように、亡父忠盛のことを、根ほり葉ほり訊きたがり、時のたつのも忘れ顔に、

（御老台には、よく御存知であろ。清盛にとって、刑部卿どの（忠盛）は、養い親。実の父は、白河院（白河天皇）なりとは、亡父がいまわの際にも聞かされていたが、それに、相違ないであろうか）

などとも、たずねた。

（それや、正しいことでおざる。あなたさまが、白河院の御子なりゃこそ、なんぼう、忠盛どのは、ひとところの逆境にも、すえ楽しみに、御身を、いつくしんでおられたか知れぬ）

（……が、母の祇園女御に、あのころ、みだらなうわさもあったゆえ、母をうらみ、父

とて、たれが実の父やらと、自身を疑うて悩んだものだが）

（めっそうもない）

盛国は、白いあごひげを、横にふった。

（君の寵を争う後宮の女房たちと、縁につながる公卿の門には、いろいろな策やら、根もないうわさも行われまする。――祇園女御のお身もちなども、よう、われらも当時耳には、いたしまいた。……そして忠盛どのへ嫁したのちも、なかなか、お振舞いはようなかった。けれど、八坂の悪僧と通じていたとは、あれや嘘じゃ。白河院の夜々の通い路を絶とうがためにした何者かのワナでおざろうよ）

（ほう、そう、はっきりとは、清盛もいま初めて聞いた。嘘かの、あれは）

（それが証拠には、あれ以後、八坂の覚然とかいう悪僧が、世間のどこかに立ち現われたことがありましたかの）

（ない。名も聞かぬ）

（それ、御覧じ。人の口が作ったまぼろしじゃ。ただ、祇園女御というお方は、人に誤られやすい御気質ではおざったの。……あれが、つつましい、凡の母性でおわしたなら、人もいうまいに、何せい、貧乏な忠盛どのへ嫁がせられたことが、御不服であったのじゃろ。子を生み生み、母という運命に逆ろうておいでじゃった。……われら、縁者として、それを見るがいやさに、近よらずにいたものじゃったが……ああ年経てみれば、あの女御も、御不びんなお方ではあった。根が白拍子、無知ではあったが、邪智は

ない。むしろ、善人でおわしたとも申される）

清盛は、この八十八翁が、ぼそぼそ話す昔がたりを、終始、黙然と聞いていたが、心の窓に、春の日を容れたように、いくども、明るくうなずいた。

（いや、きょうは、この賀宴にのぞみ、よいことをした。刑部卿どのの御恩は、一日だに、忘れもせぬが、生みの母には、何か解けぬものを、久しいあいだ、胸のすみに、しこらせておった。しかし、それもきょうは、春風に逢うた池の氷のように解けた）

と、いい、そして、

（御辺は、わが家の祖父のお従弟。遠縁とは申せ、騒がしい世の片すみに、おき忘れて、日ごろも訪わず、申しわけない。きょうの賀のお祝いに、有馬あたりに領田をさし上げよう。有馬の里には温泉もあれば、養生して、くれぐれ、長生きしてくれい）

そういって、祝杯をともにし、盛国の孫娘たちの舞など見て、上きげんに、座を立ったのである。

そして、車へ移ろうとしたときだった。よろと、足もとを、踏みだして「ああ、暗い」と、軽くつぶやきを放ったと思うと、両方の手で、あたまを抱え、そのまま、侍者の手へ倚りかかってしまったのだ。

それからの騒ぎは、何しろ、ひとかたではない。

所も所、お人もお人、賀の宴などは、どこへやらである。全家の者は、まったく、途方にくれてしまい、ともかく、入道相国のからだを、大勢して、母屋の一間へ、臥せさせた。

けれど、その間といえ、入道は「あたまが、あたまが」と、一瞬の休みもなく、苦痛を訴え、五体を烈しくふるわせて、「――お水でも」と、すすめても、歯をくいしばっているし「どこか、おなでいたしましょうか」と宥わっても、看護の手も受けつけなかった。

（これや、おん息づかいも、ただならぬ。誰ぞ、西八条へ、事の由を、はやはや、お告げ申さぬか）

と、盛国のわめきに、初めて「そうだ」とばかり気がついて、子息の盛俊、孫の盛光などが、急を、西八条へ告げ、同時に、医者迎えに馳けたのだった。

「や。盛俊殿が、戻ってみえた」

「典医がたも、見えられたかや」

「参ったような。やれ、やれ」

家じゅうの者は、眉をひらいた。

といっても、なお、奥の一間には、入道のうめきが、やんではいないが、とにかく、医者の姿は、弥陀来迎のように、ありがたくて、拝みもしたいほどだった。

「……御病間は」

典薬頭定成と、典医頼基は、医生三人をうしろにつれて、

「すぐ、禅門のおん枕辺へ、ご案内ください」

と、硬ばった面をそろえて、奥へ通った。

驚くべきものを見たように、医師たちは、そこにすわったまま、しばらく、かたずをのんでしまった。

夜具を被いた急病人は、うつ伏せに、背を高くまろめて、もだえていた。たえまない悪寒とふるえに襲われるらしく、灯のない壁と夕やみのうちに、それは怪異な物のように見える。

「………」

定成と頼基は、眼を見あわせ、家人にむかって、「お明りを……」と、燭を求めた。

そして、おそるおそる、清盛の枕べへ近づいたとき、切燈台が、わきに置かれた。

清盛は、枕へ顔を横伏せにしている。苦しげなその形相を、無慈悲なまでに、明りが照らした。鼻腔をひろげ、唇をかみ、あぶら汗を額にたたえ、眉と眉のあいだには、針を立てたような深い皺が、あらわれていた。

「いかがなされましたか」

「禅門、禅門」

「定成でおざる。頼基も参っておりまする。おこころ安く思し召されませ」

「……ともあれ、おん脈を」

医者たちは、左右から、夜具をとりのぞいて、容態を診にかかったが、胸の下へ、屈折している手も、そのこぶしも、うごかばこそ、おそろしい力である。呻(うめ)きのたびに、両の肩、背なかに、波をうたせ、つめの先まで、けいれんを示し、口もきけないし、意志も表情もえがきえない。

ただ、訴えるらしいのは、頭であった。ひどく、頭が痛むかどうか、するらしい。医たちも、手のくだしようがなく、

「にわかなお頭風(ずふう)とみえる」

「火のようなお熱じゃ。まず、解熱(げねつ)をさしあげるしかあるまい」

頭風とは、悪質な感冒(かんぼう)と診(み)たわけである。定成は次室へ退がって、薬籠(やくろう)のくすりを調(ちょう)じ合わせ医生をして、煎薬(せんやく)をつくらせた。

そのころ、門前には、おびただしい人馬が押しかけていた。入道相国が、お出先でにわかな御発病とわかり、続々やって来た一族が、とてもこの屋敷にははいりきれず、道にあふれて、「御容子は」「御病状は？」と墨のような夜色と憂いを、揉み合っているのだった。

大理卿時忠(だいりきょうときただ)も、宗盛も、馬で馳けつけ、

「すぐ、西八条へ、お移しまいらせい」

と、車のうちに、夜具まで運ばせ、家人(けにん)を督(とく)して、うながしたが、

「典医方の仰せでは、とても、いまのところ、お移しは、ごむりであろう。おん病(やまい)のためにも、よろしゅうあるまいとの、御評議でございまする」

と、奥からの答えであった。

「さまでに、おわるいのか」

宗盛は、時忠と一しょに、すぐ病間へ行きかけたが、廊の途中で、教盛に行き会った。教盛の顔は、もっと沈痛なものだった。「……おそばへ参ってもむだだ。いまは、うつつもないお苦しみ」というのである。そして「しばらくは、医たちにまかせ、やや落ちつかれ給うしおを、ひそと、お待ち申すしかあるまい」と、いう。

かくて、病人のからだを、この家からそっと抱え出したのは、夜半もすぎて、明け方ちかいころだった。

外には、入道の夫人二位ノ尼の車も来ていた。建礼門院の御使いの女房、阿波ノ局も車を立てている。女車だけでも幾輛ともかぞえきれない。そしてかの女たちは、車を降り、道に菅莚を展べてすわっていた。数珠を指に、夜もすがら、天に祈っていたのである。

大勢して、入道をかかえ入れた車廂のうちには、雪を重ねたような褥が見えた。やがてまた、入道のあとから、白絹のころもに白絹の頭巾をした老女が、ひとつ簾の内にかくれた。いうまでもなく夫人の二位ノ尼である。

揺るぐともなく、静かに、牛車の輪がめぐり出した。簾中の病人と、二位殿の胸を気づかって、あとの車も、車わきの騎馬も、お互いの声すらはばかった。およそ、音もない車馬の列と、松明の流れが、西八条へ水のようにつづいてゆく。

ふと、入道の車のうちで、囈言じみた入道のうめきが聞こえた。また、しばらく進むと、二位ノ尼の咽ぶがごとき声ももれた。「……そばに、妻が来ている」と、清盛は気がついたことであろうか。——それとも昏々として分からぬために、二位ノ尼が泣いたのであろうか。

医師詮議

——次の日。

「あわれ、神明の御加護か」

と、西八条の人びとは、眉をひらいた。

「おもいのほか、けさがたにいたって、禅門には、うるわしい御気色です」

と、典薬頭定成が、宿直の廂へ来て告げたからである。

けさがたといっても、もう陽はたかい。膳部寮から心をこめて配んだ食事は、手もつけられず、病殿から退げられた。

経盛、教盛、頼盛、忠度など、入道の舎弟。また宗盛をかしらに、入道の子息も、すべて別殿につめきっている。

さきに、美濃方面へ、出馬した重衡と、病中の知盛と、そして入道の勘気をうけた孫の資盛をのぞいては、一門の子弟で、見えぬはない。

女子は、九人いた。

長女は、花山院兼雅の室であり、次女は安徳天皇の御母建礼門院、三女の盛子は、この世にいない。

四女、五女、みな藤原氏の名門に嫁ぎ、ひとり六女だけは、腹ちがいである。

その六女は、厳島の内侍迦葉の腹で、福原の山荘でそだてられてきたが、後白河法皇の都がえりのさい、意識的に、清盛はその子を側女にさしあげた。やがて、法皇の寵をうけて、冷泉ノ局といわれ、今では、法住寺殿の後宮につかえていた。もちろん、その冷泉ノ局は、見えていない。

「にわかなお病気、それも、御重態と知らされたときは、胸もつぶれるここちでした。……けれど、ああ、これで、少しは心がやすらぎました」

女性は女性たちだけで、一殿に籠りあっていた。四女の藤原隆房の室、七女の藤原信隆の室、そのむすめ、姪など、

「どうか、このまま御本復あそばしますように」

と、ようやく、明るい春の陽ざしを、廂のそとに見いだしていた。

「けれど、二位殿もいらっしゃるのに、どうしてすぐ、諸山の智識を請じて、御祈禱なさらないのでしょうか。……さなきだに、世上では、禅門をさして、仏敵と呼ばわり、今に仏罰がくだるであろうなどと、悪しざまに申しておりますのに」

「禅門がおきらいでは、しかたがありますまい」

「でも、死か生かの、こんなさかいには、どんな者でも、神仏にすがるものでございましょう」

「めったなことをして、もし、御病中のお気にでもさからってはと……どなたもお口になさらないにちがいありません」

「わたくしが、そっと、おすすめ申しあげてみましょうか」

「めっそうもない」

「いけませんか」

「せっかく、御容態もややおしずまりのところへ」

「なぜでしょう、なぜ、禅門には、ご自身、御法体もとげ、浄海入道と、御法名までおもちあそばしながら」

「そして、福原には、堂塔もお建てになり、法華堂では、千僧供養の御奉行もなされているのに」

「御本心には、人いちばいの御信仰もおありなのです。ただ、南都や山門の悪僧たちを憎しみの余り、去年の暮のような、怖ろしい焼き討ちも、つい、お命じになったものと思われます。禅門のお心は、仏陀が、御照覧です。わたくしたちが、禅門にかわって、南都炎上の科を、おわびしましょう。僧侶でないわたくしたちが、祈禱しているぶんには、お怒りにもふれますまい」

そこの女性籠りの廂では、昼をしずかな誦経の斉唱と、低音な鈴や鉦の音や、そして、香のにおいが、けむりたっていた。

そのうちに、ど、ど、ど……と病殿から蓬の壺の南廻廊を、たれか、あわただしく馳けてゆくので、女房たちが、簾を割って、さしのぞいていると、やがて典医寮の方から、侍医の定成、頼基などが、呼びたてられて、病殿の細殿へはいって行った。

夜来のつかれで、侍医たちは、清盛が落ちついたのをしおに、つかのま、まどろんでいたのである。――かれらは、そこを、呼びさまされ、愕然と、不吉な予感にでも打たれたように、入道の臥す所の帳と、また屏風とを、ふた重にへだてた医師の間に伺候した。そして、すわるやいな、入道のあらぬ囈言と、すさまじい苦しみかたに、胸をつかれた。

つい、いまし方まで、ここでは、二位ノ尼と、入道のはなし声が、とぎれとぎれながら、笑いさざめきさえ交えて、静かに、もれていたのである。

「このぶんなら……」

と、一門の人びとのうちには、いちど、わが館へ帰った者すらあるほどだった。

事実、清盛も、よほど熱も下がり、気ぶんもよかったらしく、二位ノ尼を、いくたびか、

「時子」

と、よび、

「近ごろは、わずらいでも致さねば、そなたと、こう睦まじゅうおるひまもない」

などと苦笑したり、また、

「おもえば、清盛のような男の妻となったは、そなたの、倖せに似て、じつは、女の不幸ではあったよのう。……のう、二位どの」

と、沁々いったりしたという。

時子と、よばれたせつな、かの女は、はからずも、べつな自分を、久しぶりで見いだした。――おもえば、自分は、ただ一個の女性――時子でしかなかったのが、いつのまにか、出入には、*准三后の儀仗に護られ、子に会うのも、良人と語るのも、ただの人妻として、また母として、することができなくなっていたのである。いったい、これが人間のなんの栄華、女としてのなんの誇り。

つねづね、思わないではなかった。しかし、不平のいえることでもない。冷ややかな白ねりの絹に身をくるむごとく、半生、女の心もくるんできた。つい老いるまで、べつな自分になりすましていた。

良人は、それをいってくれた。――時子とよんだ一語のうちに良人にも、じつは、おなじ想いのあったことがわかる。かの女は、ゆうべから怺えていた涙をはじめて清盛の枕にそそいだ。そして「……夫なればこそ。夫なればこそ」と、しがみつきたい思いにかられた。

清盛の腕は、かの女を抱いていた。――ああ、老夫婦。そういいたげに、眼はふさいでいた。

処女のごとく、そのむかしの時子のごとく、二位ノ尼は、良人の顔のそばに顔をまかせた。——むうっと、熱くさい。なお、お熱がある。二位ノ尼は、しかし、身のいのちに代えても、このひとの玉の緒(お)を、離しはしないと心でいっていた。

病殿には、さっきからたれもいない。ふしぎにも、なにか無限に楽しかった。むかし、このひとへ嫁(とつ)ぐまえに、このひとが、夜な夜な、三日通いに、忍んできたあのときのように、うれしさが、こみあげてくる。

「……まだ、お苦しゅうございますか」

「いや。……ああ……からだが」

「おからだが？」

「なにか、雲のうえに、浮いているようだよ。苦痛もなにもない」

「きっと、このまま、お癒(なお)りあそばすでございましょう」

「時子」

「……はい」

「そなたが」

「……なんでございますか」

「そなたが」

「おや、おん涙などを、眼(まな)じりから」

「ぬぐうてくれい」

「なにをお考えあそばしましたか」

「そなたが、きょうは、菩薩のようにおれには見える。観世音菩薩のように」

「もったいない。なんで、わたくしなどが」

「いや、大勢の子ども、一門のやから、女たち、みな、そなたの蔭の助けで育てられてきた。清盛は、それらのことは、何もせぬ。おれがしたのは、福原の都、厳島の造営、それから、世を良くもしたが、悪くもした。世を正そうとして、世は乱脈になり果てた。しょせん、清盛のやったことは、あらまし、泡沫にすぎぬ。……残ったのは、何もない。……おれは、そなたにとって、味もない良人だった。が、そなたは、よい母として、妻として、こう、いまわの際までも、おれの枕べに、かしずいていてくれる。拝みたい、清盛は、そなたを、菩薩とおろがむ」

「いやです。そんな、不吉なことを仰っしゃっては」

悲鳴を吐くように、二位ノ尼は、泣きむせんだ。その咽び声は、しかも、非常に、若やいでいた。尼の老いたる声ではなく、むかしの時子の声であった。

「……が、楽しかったなあ」

清盛は、手をうごかした。妻の手に、手をあずけると、また、瞼をふさいだ。どかんと、急に落ちくぼんだように、眼のあたりが、二つの穴に見えた。

「あなた。あなた」

聞こえなかった。ギクとして、時子は顔のいろを引いた。が、清盛は、ぽかっと、また眼をひらいて、

「水薬師のころのそなたに、そなたが見える。……初めて、重盛を生んだときよ。大雪だったのう。おれは、馬をとばして、雪の中を、刑部卿どの（忠盛）のお住居まで告げに馳けた。……あのころ……それから、六波羅をひらいて住んだ、若葉のころ、蛍のころ。……ふたりの暮らしも悪いことばかりではなかった」

にっと、笑った。二位ノ尼にも、笑えとせがむように、白い歯を、乾いた唇のうちに見せた。

それから、まもなく、とつぜん「寒い」といい出したのである。同時に、烈しい全身のふるえを見せ、もう、何をいっても、うけ答えはなかった。

定成や頼基が馳けつけ、さっそく、脈をとろうとしたが、何か、吠えて、とらせもしない。硬直すると、四肢は木か竹のようにかたく、胸まで突っ張って、いまにも、悶絶するかのような形相に変った。

「およそ、かような大熱には、出会うたこともございません。世のつねの頭風、傷寒の病とはおもわれぬ。このうえは、われらの御投薬のみにてもいかがなものか。都じゅうに名医をお求めあって、よほどな、御治療に努めぬことには」

と、定成たちの侍医も、ようやく、狼狽して、枕べに詰めよった経盛、教盛などに、

もう、ある注意を、ほのめかした。

「では、たれが名医か」

いってみたところで、たれにも心あたりはない。典薬頭定成、施薬院頼基をのぞき、朝廷の典医には、これ以上な医師があるとも思われぬ。一世の名医、和気百川や丹波雅忠は、もう故人だし、現存の医家としては、主税頭定長、入道知康など、みな西八条へ呼んである。しいて、他に良医をさがすなら、叡山、南都などの、寺院にはいることもいるが、現下の時局、にわかに迎えることはむずかしい。

「いや、ひとりいる」

と経盛がいった。

「たれです」

と、宗盛の問いに、

「和気百川の弟子」

「ほ。それなら……。して住居は」

「三条西ノ洞院。柳ノ水のそばにおる阿部麻鳥という者だが」

「はて、あのあたりは、餓鬼町とよばれる貧者の屋群がある所ではございませんか」

「そうです。が、貧者の中で、慈父のごとく慕われているということ。近ごろ、仁和寺のうちにおる慈尊院の隆暁からうけたまわった。町医者とて、和気百川が随一の門下とも申せば、一応、招いてみてはどうであろ」

典医たちは、答えない。

さきに、早馬を出して、宋医を招こうと評議したときも、うなずかなかった典医たちである。

が、そのときと、今とでは、重態さがまったくちがう。それに、参議経盛は、舎弟中の長兄でもあり、日ごろは、めったに、意見を口に出さないたちだ。その人のことばとて、宗盛も、ほかの一族も、

「では、すぐにも」

と、使いを派して、餓鬼町の貧乏医者を、心ならずも、迎えにやることにした。

この間とて、病人の清盛は、「……熱い。身が灼けるようぞ。熱い」と、大熱の苦しみを訴え、はたの見る眼もつらかった。

「しょせん、水などで、お冷やし申しあげても、何もなりませぬ。このうえは、どこぞの、雪をお運びください。氷なれば、なおよいが」

医者たちの、さしずである。

春も、もう二月の末。壺（庭）の梅は散りかけている。きのうきょう、水も温む陽気である。京をめぐる山々にも、雪はみえない。まして、氷のあろうはずもなかった。

「――龍華の氷室へ人をやれ」

それも、経盛のことばだった。

「そうだ、龍華には、古くからの雪倉があったわ」

いわれてから気づいたのだ。延喜式にも〝――近江国志賀郡龍花谷、氷室一箇所〟と、明記してある。夏の大饗などに、どうかすると、その雪氷が、飾りや馳走に膳部へ出る。

「早くせねばならぬ。そうだ、さっそく、人や馬をやって」

四、五名が、その用意にと、病殿の廊を立ちかけたときである。高欄の下から、つと、身をのばして、こう、せがむように、叫んだ者がある。

「そのお役目。――雪氷を雪倉から切り出して運ぶお役、どうぞ、それがしにさせてください。身を、牛馬ともなして、懸命に、御病殿へ、雪氷を運びまする」

たれかと見ると、それは、数日まえ、入道清盛の怒りにふれて、庭さきへ蹴出され、以来、勘気をうけていた孫の権少将資盛だった。

火の病

「聞いたか、おい、辻のうわさを」

いま帰って来た鏡磨ぎの男は、隣近所の埴生の小屋の暗い窓や軒先へ、こう、大声で話しかけていた。

所は、三条西ノ洞院、そういえばもう近ごろは「あああの貧乏町か」と有名になっているいる柳ノ水の跡である。

「なんだい、なにか、耳よりなことなのかい。また、お救恤米でも、くれるっていうような」

向こう側の、笊編みがいった。

年暮と春に、二度の救恤があった。

*賑給令が出て、朝廷の廩倉が開かれ、富家の穀倉も調査されて、およそ、余剰とみられる食糧は、これを検非違使の手から、洛中の窮民へ布施されたのであった。

だが、ことしの飢饉には、それも、焼け石に水だったのはいうまでもない。

「あははは。おあいにくさまだ。はなしは違う」

鏡磨ぎは、いちど、自分の小屋へはいって、商売道具を土間のすみに片づけてから、また軒下へ出直してきた。

「なんでもこの二、三日前から、西八条の様子は、どうも、おかしいということだぜ」

「おかしいとは、また、戦か」

「いや、清盛公がよ、あの、平家の太柱、浄海入道ってひとが、なんでも、あぶないらしいっていううわさなんだ、ひどい、熱病だっていうことだがね」

「ほんとかい」

両隣の土器売りや、くぐつ師も出て来るし、近所の下駄造り、漆掻き、牛追い、桶

師、すだれ売りの女まで、鏡磨ぎの男をかこんで、

「ほう。えらいこっちゃが、どこで聞いたえ、そんなこと」

と、驚き顔も、なかばは、疑いの目をしていった。

「仕事先の公卿やしきで聞いたのさ。そこの小舎人のはなしでは、入道殿の大熱は、おとといの夜からで、ゆうべあたりは、湯水も喉へはいらず、お体は火のようだし、臥床をめぐって、看護している者まで、身を灼かれるような熱さだとか……」

「へえ。それはまた、なんという病であろうか」

「何病か、聞いてもみぬが、入道殿は、七転八倒のくるしみかたで、口から吐くことばは、ただあっつ、あっつ、あっつ、というだけだそうな」

「では、あっつ病とでも、いうのであろうか」

「まあ、火の病にはちがいない。掛樋の水で冷やしても、水が湯になるだけで、大熱は少しもさがる容子がないそうだ。――そこで、けさから六波羅の公達卿がさきに立って、おびただしい牛や馬をひきつれ、龍華の奥の雪倉から、雪氷を切り出して、ひっきりなしに、西八条へ運んでいる」

「おう、その雪氷を運ぶ牛なら、おらも三条の辻で見たぞい」

「見たか、それなら、うわさは、嘘ではないぞ」

どよめくように、いいあった。

鏡磨ぎは、早耳を誇るように、

「たれが嘘をいうものか。一軒や二軒の公卿やしきでいっていることじゃあない。公卿の家々では、そら見たことか、天罰よ、平家の落ち目よ、といいはやしている。西八条へもまわって見て来たが、いやもう、輿や牛車や、騎馬武者の往き来で、近づけもせぬ混雑だ。あれだけでも、ただ事ではない」

「どうして、公卿衆は、そう、よろこぶのだろ」

「きまってら。平家のために、二十年ってもの、きゅうきゅういわせられて、あたまも上がらずに来たんだから」

「それにしろ、人の死ぬのを、よろこぶなんて」

「業のむくいで、しかたがない。あの入道殿がして来たことを思えば」

「どんな悪業をなされたろうか」

「いえば、針の山ほどもある。保元、平治では、たくさんな人を殺し、堂上に取って代って、勝手気まま、一門ばかりを高位高官にすえ、驕り栄えてきたろうが」

「だが、悪いといったら、公卿も山門も、おらたちから見て、いいやつはいない。みな、おのれらの欲の皮と、立身栄華のいがみあいだ。入道殿だけを、責めるわけにもゆくまい」

「いやいや、いくら山門でも、法皇さまを押しこめたり、わが娘を、宮中に入れて、その皇子を天子さまに立てたりはしていないぞ。藤原氏は、それをやって、四百年も栄えたが、こいつあ、遠い先祖からのことだから」

「先祖からでも、した罪はおなじだし、長ければ長いほど、罪は深かろうに」

「つべこべいうな。なにしろ、入道殿の火の病は、天罰だ、仏罰というもんだ。南都の大仏殿やら、あまたな寺々を、焼き討ちした罰が中たったにちがいない」

鏡磨ぎは、痛快がった。一しょになって「そうだ、そうだ」という者もある。けれど、平家二十年の治世の、それ以前をも、眼に見て来た中年以上の者は、「悪いのは、平家だけではないぞ」という考えらしく、あながち、清盛だけを、怨嗟してはいなかった。

清盛を、悪入道と、単純に思いこみ、飢餓も、貧乏も、みな平家のせいに考えているのは、総じて、若い仲間であった。かれらの年齢では、貴族末期の腐えた世代と、その後の世代との比較がもてなかった。社会が見渡せた時は、すでに平家全盛の時代だったから、世に思う不平は、すべて平家の悪さに見えていたのは是非もない。

清盛の大きさともいえよう。ひとたび、かれの重態がつたわると、世間は未曾有な関心をよせた。天皇の御不例にもまさるほどな衝動だった。

それが、どんな感情と表情をつらぬいて、京中へひろまったか。古典平家物語では、こう活写している。

——あくる二十八日、重病をうけ給へりと聞えしかば、京中、六波羅ひしめきあへり。「すは、しつるわ」「さ、見つる事よ」とぞ、ささやきける。

つまり、洛中の人びとは、「そら、やったわ」「ざまを見たことか」と、みな、快哉をさけんだというのだ。そして、入道の病状描写には、次のような文章を用いているのである。

――身のうちの熱きこと、火を焼くがごとし。臥し給へる所、四五間が内へ入る者は、熱さ堪へ難し。ただ宣ふ事とては、「あた、あた」とばかりなり。まことに、只事とも見え給はず、比叡山より千手ノ井の水を汲みおろし、石の船に湛へ、それに下りて寒え給へば、水おびただしう湧き上つて、ほどなく湯にぞなりにける。筧の水をまかすれば、石や鉄などの焼けたるやうに、水、迸つて寄りつかず、自ら当る水は、焔となつて燃えければ、黒煙、殿中に充ちみちて、炎うづまいてぞ揚りける……。

なんと凄愴な苦熱の大図絵であろう。焦熱地獄そのものを、詩とすれば、こういう文字になるであろう。

だが、これほどでは、一瞬の肉体も保てるわけはない。古典の詩であり、誇張である。

古典の筆者は、これでもまだ、入道の大熱苦を歌い足らないように、「――入道の北の方、八条の二位殿の夢に見給ひけることこそ恐しけれ」と、自己の地獄詩を書いている。

ある夜、入道の夫人二位殿が、ふと、まどろんでいると、いずこよりか、猛火にくるまれた車が、門に馳け入って来た。

車の前後は、牛頭馬頭の鬼どもがかこんでいる。また、車の前にはただ「無」とばかり書いた鉄の札が打ってあった。二位殿が「こは、いずこへ」と訊ねると、ひとりの鬼が「平家の太政入道殿の悪行、この世に超過したまえるによって、閻魔王宮より、おん迎えの車なり」という。かさねて、二位殿が「あの札は、なんぞ」と問うと、「されば、南閻浮提、金銅十六丈の盧遮那仏（東大寺大仏のこと）を焼きほろぼし給える罪によって、無間の底へ沈めたまうべき由、閻魔の庁にて、おん沙汰ありしが、無間の無のみ書いて、いまだ間の字は、書かれぬまでのことなり」と答えたという。

夢さめてみると、二位殿は、汗みずくになっていた。人に語ると、聞く者も、みな身の毛をよだてた。そこで、各地の神社仏閣へ、使いを派して、金銀七宝の財物やら、良き太刀、良き鞍など、惜しみもなくささげて、祈りに祈ったが、なんの験もみえそうもない。そういう一場の夢物語なのである。

だから古典だけに拠って、清盛の容体を、正しく知ることはむずかしい。ただ、公卿日記は、例外なく、その大熱であったことは誌しているし、二十七日（吾妻鏡は二十五日）に発病したことも、ほとんど一致している。

しかし、どの公卿日記も、清盛の病にたいしては、非同情的であった。いわゆる、「すは、しつるわ」「さ、見つる事よ」の心理が見える。

公卿側としては、これも当然であったといえよう。――けれど、すべての階級一般も、そうであったとはいいきれない。

たとえば、柳ノ水の貧乏町でも、早耳をつたえて、驚いたことは一つだが、清盛にたいする庶民感情というものは、必ずしもおなじではなかった。惜しむもの、気味よがる者、あすを案じる者、世の変革をよろこぶ者、複雑であり、一様でない。

そんなところへ、この貧民窟に、西八条の騎馬徒士のきらやかな一群が、雑色に空輿をかつがせて、はいって来た。――ちょうど、鏡磨ぎの男が、おしゃべりをしていたときである。――このことの方が、かれらにとっては、降ってわいたような椿事だったのは、いうまでもない。

「や、や、何か来たぞ、なんだろう？」

「平家衆じゃ。ゆゆしげな人数ではある。強らしい武者やら公達やら」

「おら、知らぬぞ。入道殿のことを、悪しざまにいうたのは、鏡磨ぎと、そこな桶作りだ」

「平家の悪たいが聞こえたのかもしれぬぞ。それ、武者たちの眼にふれるな」

と、かれらは、蜘蛛の子みたいに、どこかへ、潜りこんでしまった。

無事是貴人

柳ノ水のそばの老柳も、うっすらと、浅緑の芽を吹き初めていた。

阿部麻鳥の小屋は変らない。変哲もない人生の見本みたいだ。ここに定住して、いつかもう二十年近くになる。

家の裏には、小さな薬草園だの、野菜畑などを耕し、萱屋根の苔、垣のつる草も、風雅めいて、竹の小窓からは、医書を積んだ書斎ものぞかれ、朝夕の掃除に、土味も出て、貧しさは貧しさのまま、趣があった。――古語の〝無事是貴人〟の意味がおのずからここにある。

「もの申す。……もの申す」

尋ねあてて来た西八条の武者は、そこの門垣に立って、内へどなった。

「お医師の、阿部麻鳥どののお宅は、こなたであろうか。これは、西八条よりまかり越した御使いにて候うが」

と、かさねていう。

おりふし、妻の蓬は、裏の畑にいた。

子の麻丸は、もう九ツ、次女も、五ツになっている。二人の子をあいてに、笊に若菜を摘んでいた。

「おや、お客さまらしい」

かの女は、身のびして、表の方を見たが、物々しい人影に、ぎょっとしたらしく、あわてて台所から、良人の書斎へかけこんだ。

「あなた、あなた。武者が見えていますよ、それも大勢」

「え。たれか来たのか」

麻鳥は、机から顔をあげた。

家にあれば、いつも書物に埋もれているかれだったが、このごろはまた、暇さえあると、筆をとって、何か、医学の自著にでもかかっている様子だった。

「何を、そわそわしているのか。客ならば、早く出てごらんなさい。子どもたちは」

「畑にいます」

「おまえも、いつまでも、子どもだなあ」

「三十七ですよ、ことしは」

「はははは。年だけはな」

「あなただって、とうに、もう四十をこえたではありませんか」

「困ったものだ」

「どうしてです」

「おたがいに、なかなか、大人(おとな)にはなれん。そのうち、白髪が生いても、まだ、こんなことで、暮らしちまうかもしれないな」

「おやおや、わたくしたちは、いつのまにか、老け過ぎてしまったと、月日のあとを、悲しんでいるのに」

「おまえのいう大人と、わしの思う大人とは、意味がちがうのだよ。年ばかりとっても、大人といえるものじゃない。……おう、垣の外でまた、訪れが聞こえているわ。蓬、御用を伺ってみい」

「でも、いやに物々しい人数です。検非違使からでも来たんじゃないでしょうか」

「ええ、役にたたぬやつ」

　面倒に思ってか、麻鳥は、自分で立った。

　そして、柴垣の戸をひらき、

「麻鳥は、わたくしですが」

　と、小腰をかがめた。

　武者たちは、そこを退いて、うしろへ向かい、何か、かなたの主人へいっていたが、やがて従者をつれた人品のよい侍が、しずかに、前へ進んで来て、

「御辺が、医師の麻鳥どのか」

「はい。ここに住む貧しい医師にござりまする」

「それがしは、参議経盛が嫡子経正と申すもの。じつは父経盛、門脇殿など、御一門の旨をうけたまわって、おり入ったお願いに参ったが」

　もの腰のしずかな人である。ことばは、いんぎんだ。音に聞く、経盛卿の子息とは、

思えないほど、辞が低い。

「とりちらしておりますが、ともあれ、どうぞ屋の内へ」

麻鳥は、経正ひとりだけを、書斎に通した。

そこでは使者の経正から、ひそやかな話があった。もちろん、入道相国の病状についてであり、寮の典医や医生のともがらも、さじを投げて、手をこまぬいている有様なので、ぜひ来診を仰ぎたいとのことだった。

「………」

麻鳥は、病人の症状について二、三の質問をしただけで、あとは黙然と聞いているだけだった。

「いかがであろうか」

と、経正は、使いの重大さを、色にもたたえ、案じていう。

「……さあ」

と、麻鳥は、浮かぬ色である。

たとえ助からぬような病人でも、これが貧乏人のばあいは、すぐ駈けつけてゆく麻鳥であった。

けれど、きょうは、勝手が違う。

時めく入道清盛殿の病を診てほしいと請われたのである。元来、権門の出入りをかれは求めたことはない。——ただ求めぬまでも、いまは和気百川が遺弟の随一として、かれの名は、貧民街だけのものではなくなっていた。——そのため、まま公卿権門の迎えもあり、おりには、請いをいれて、出向いた例もないではない。

そして、富者から得た礼は、貧者への施療になっていたのである。官の施薬院の仕事は、かたちだけのものだったが、かれの仕事には、愛情がかよっていた。去年からの飢饉で、いたるところに、窮民はあふれているが、柳ノ水の一劃だけは、病人も少なく、餓死もなかった。麻鳥の善意が通じて、ここには、怠け者が減り、どの十小屋でも、何か、仕事をやっていた。助けあい、働きあうので、以前は、ごろごろいた怠け者も、いたたまれなくなったのである。

経正たちの主従も、ここへ来て、意外に感じたのは、それだった。うわさほどには、きたなくもないし、飢えた人間も見かけない。わけて麻鳥の家の、貧しいながらも、清潔で雅味のある暮らしぶりには、ゆかしい気もちさえ抱いた。

「まげても、お越し給わりたい。夜昼もなき、禅門の御苦患ゆえ、それも、さそくなる、おねがいなのです。麻鳥どの、すぐ同道してくださるまいか」

かさねて、経正は、礼をくり返した。

「ごていねいな」

と、麻鳥も、こう答えずにいられなくなった。

「西八条には、あまた、医療の典医も、施薬院の薬師がたも、御病褥にお侍りとぞんじまするに、名もないわたくしなどへ、わざわざのおん迎えは、恐縮します。ともあれ、御意(ぎょい)におこたえ申しましょう」

「では、御承諾くださるとか」

「はい、伺いまする。……けれど、あなただけには、おことわりしておきますが」

「何事を」

「相国のおん病は、わたくしが伺ったところで、必ずしも癒(いゅ)るとは、うけあえませぬが」

「天寿とあれば、ぜひもない儀」

経正の声は、ふと、かすれて、眉のあたりの血の気をひいた。

「それだに、御承知のうえなれば」

と、麻鳥は、もういちど、念を押した。

経正は、迎えの輿(こし)で、とすすめたが、麻鳥は「貧乏医者に、晴れがましすぎる」と断って、違約なく、あとから行くことをちかって、物々しい使者には、先へ帰ってもらった。

「蓬(よもぎ)、蓬」

「はい」

「洗ってある肌着(はだぎ)と、狩衣(かりぎぬ)を出してくれ。この身なりでは、穢(むさ)かろう」

「いやです」

「なんじゃ、その顔つきは」

「どこへいらっしゃるおつもりですの」

「そなたも、聞いていたろうが」

「台所で聞いていました。だから、あなたの気が知れないんです。わたくしには」

「はて、なぜの」

「日ごろ、口ぐせに、わしは貧しい人の友になって一生を送るのだ、富家や権門は性に合わないと仰っしゃりながら、なんできょうにかぎって」

「医者だもの。力ずくや、金ずくで、なんでも来いというならば、断れもするが、経正どののように、礼をもって、迎えられては」

「ヘエ……いい気もちになったんですか。わたくしには、わかりませんね、そのお気もちは」

「妙に、すねるの」

「すねるどころか、くやしくって……。あなたの、意地も張りもないのには、あいそをつかしているんですよ」

「ふウむ……」

「何が、ふウむ……です。笑い事ではありません。どんなに、ていねい振ったかしりませんが、経正殿は平家でしょう。西八条の入道相国殿も、平家の名だたるおあるじではありませんか。平治の戦に、源義朝殿を討って、それから、目ざましい出世をとげ、朝廷から法皇さままでを、思いのままにして、我意のしたい放題をした悪人でしょうが」

「お待ちよ。そう、おまえのように、かんたんに、たれは悪人、たれは善人と、色分けのできるものではない」

「なくっても、あっても、わたくしにとっては、入道殿なんて、悪党ですよ。憎い憎いお人です。一日だって、怨みを、忘れたことはない。そんなお人の許へ、あなたらしくもない、なんだって、腰をかがめて、診に行くのですか。それが、くやしいんです、わたくしは」

「おやおや、たいへんな権まくだね。いったい、どんな怨みがあるのかい、太政入道殿に」

「いわなければ、わからないんですか。あなたには」

「わからぬなあ」

「まあ、あきれた。――わたしたちも、まだ夫婦になったばかりの若いころではあったけれど、あなただって、常盤様にはお目にもかかっているじゃありませんか。わたしが長年お仕えした常盤様に」

「それが、どうしたのか」

「わたしにとっては、常盤様は、忘れがたい御主人です、今だって、忘れてはおりません。その常盤様の御悲運も、義朝殿を初め、一族すべてが、平治の戦いに、亡ぼされたのが初まりではありませんか。平家は、源氏のかたきです、常盤様にも、かたきです。

――幼いお子たちを、助けたいばかりに、お心にもなく、清盛殿に従って、囲われたりはしましたが、あのお方のお胸は、たれよりも、わたしが一番よく知っています」

「蓬。……おまえは、思い過ぎているよ。そう、むやみに、ひとの心を推し量って、ひとり合点の力みかたをするものじゃない」

「なんで、ひとり合点なもんですか。常磐様は、今でも、源九郎義経どのが、やがて、平家を討って、父君の御無念をはらすであろう日を、心待ちにしていらっしゃるに違いありません」

「ちがう、ちがう。それは、他人の当て推量というものだ」

「どうして、あなたこそ、そんなことが分かるんですか。あなただって、常磐様のお頼みをうけ、牛若様が、まだ鞍馬山にいらっしゃるころ、あんな苦労して、お文を届けたり、おかたみを預かって行ったりしたこともあるではございませんか。――その牛若様は、今では、兄君の頼朝様と、鎌倉の新府にいて、ひとかどの武将とおなり遊ばし、やがては、この都へ、攻め上って来ようと、人もうわさしているのでございますよ。それなのに」

「それなのに？」

「あなたは、平家へ味方する気なんですか。入道殿のお脈をとって、西八条から御褒美でももらいたいのですか」

「ばかっ」

「いわしておけば、つべこべと、憎(にく)てい口(ぐち)も、よいかげんにせい。おのれの良人を恥ずかしめるのは、自分を恥ずかしめているのと、おなじだぞ」

「なにが、ばかです」

「夫婦は、それほど一つものだということなんでしょう。それなら、なぜ、わたしにとっては旧主にあたるお人、あなたにとっても、忘れがたい御縁もある源氏の御曹司(おんぞうし)を裏切って、縁も恩もない、平家の迎えなどを、おひきうけになるんです。わたしの良人が、ぼろをさげて、西八条の門を、おずおず通り、源氏のかたきの入道殿のお脈を伺うなんて、思うてみるだけでも、たまりません。よしてください、そんな卑屈は」

「卑屈」

「ええ、卑屈です。平家が恐(こわ)いから、いやいや、御承知なすったのでしょう」

「ああ、おまえは、女だ。つまらない女だな」

「どうせ、つまらない女ですよ。けれど、あなたみたいに、意地も引っ腰も失ってはいませんからね」

「なんとでもいえ、怒らない良人には」

「怒れないんでしょう。御自分の心にも恥ずかしくて」

「そうだ、わしは怒ることを知らない。だがね蓬(よもぎ)。……まあ、落ちついて、怒らない良人のいい分も聞いてごらん。わしは医者だよ」

「ええ、貧乏の好きなお医者さんです。女房子よりも、貧乏の方が、まだ好きなくらい好きなんですから。――そのくせ、入道相国殿のお迎えには、意地もなく、出かけるというんですもの。どこが性根だか、分かりゃしない」

「そうまくし立てられては、わしのいうことばが出ないよ」

「仰っしゃいな、そのお口で」

「医者に、差別はない」

「なんのことです、それは」

「富者も貧者も、源氏も平家も、医者の眼からは、なべて一つの人間だ。みな平等な人間でしかないのだよ。前太政入道殿（さきのだじょうにゅうどう）であろうと、そこらの、埴生（はにゅう）の小屋の人びとであろうと、わしは分けへだてをもっていない。まして、平家だの、源氏だのと、そんな区別をつけて、人に対した覚えもなし、今でも、そうだよ。だいいち、この小さい家のおたがい夫婦と子たちは、決して、源氏でもなければ平家でもないはずだ。ただ、こうやって、日々を仲よく楽しく暮らしたいと願っているだけの家族ではないか。――ね、よかろう、そういう気もちで行くまでのことだから」

なだめるには、骨がおれた。

むかし、恋心を奏（かな）でていたころの蓬（よもぎ）は、世の乙女（おとめ）なみに、可憐（かれん）でもあり、優しくもあったのだが、いつのまに、こういう古女房になったのやら、そばに暮らしてきながら、麻鳥（あさとり）にもわからない。

けれど、二十年近くも、ひとつに暮らし、いいたいこともいいあい、人間の美醜、長短、あらゆる悲喜をともにして来たことも、また、得難い終生の道づれと思われて、「困った無智」「口ばかり達者な女」と、おりおり、舌打ちはしても、それさえ、いとおしくなるほど、良人の修養みたいなものに、いつか、麻鳥も馴れてきた。

やっと、蓬のきげんも直ったので、衣服を着かえ、畑に遊んでいる子たちにも、呼びかけながら、麻鳥はやがて、そこの門垣（かどがき）を、出て行った。

垣の外には、さっきから、むらがっていた近所の女子どもが、かれの出先を、案じるような眼で、見まもっていた。

「そう、そう……」ふと、思い出したように、麻鳥は、また家の門（かど）まで引っ返して来て、

「忘れていたが、高雄の文覚（もんがく）どのが、こよい訪うて来る約束だったな。あの上人は、そなたに負けぬ源氏びいき、ゆめ、わしが西八条へ伺ったなどとは、いわぬがよい。ただ、さりげのう、両三日は留守と、おことわりしておいてくれよ」

と、蓬（よもぎ）へいいのこした。

柳ノ水から、西ノ洞院（とういん）の角まで来かかると、平経正（たいらのつねまさ）は、わずかな従者とともに、なお路傍の木蔭にかれを待っていた。そして、麻鳥の姿を見ると、近づいて来て、たって駒をすすめ、経正もまた駒をならべて、西八条の門へいそいだ。

麻鳥拝診

「やれ、やれ。やっと少し落ちつかれたようではある。したが、あのお苦しみは、見ておれぬ。ままになるなら代っておあげ申したい」

いままで、兄の枕もとにいた経盛は、こうつぶやきながら、中殿のひと間へ、そっと戻って来た。

人びとは、憔悴しきったかれをみて、

「でも、いくらかは、おらくになった御容子で」

と、病殿の内の経過を、こまかな点まで、聞きたがった。

夜来。ここの中殿には、入道のすぐの弟、経盛をはじめ、門脇殿の教盛、池殿の頼盛、義弟の平大納言時忠、薩摩守忠度、みな、寄っていた。

入道の嫡男宗盛は、母の二位殿とともに、枕頭にかしずいたきりである。病でひき籠っていた知盛も、病をおして、ひかえていた。

経盛の子経俊、敦盛。教盛や頼盛の子たち。そのほか、資盛、清経、有盛、知章、教経、師盛、時実、清房など、名もあげきれない。

打ち見れば、西八条の広い館も、一門の人びとで埋っていた。天皇、法皇、女院のお遣し人やら、堂上の公卿やら、一族にして僧でもある二位僧都専親、法勝寺の能円、中納言の律師仲快、阿闍梨祐円なども見えるし、また、外門内門の庭には、近国の受領や衛府の将士が、尺地も見えないほど、たむろして、病殿の経過に、一喜一憂していた。

「今しがたに至って、おん息づかいも、いささかは、平調に返られた。——ひとしきりの、おんもだえと、大熱では、はやこれまでかと、医師もわれらも、色を失うたが」

経盛はひどい疲れ方らしい。いや、たれもがそうであった。清盛とはみな骨肉のあいだである。みな大患の苦しみを、病人とともにしている思いなのである。

「医師たちは、もう、さじを投げているのでしょうか」

今は、小康を保っていると聞くものの、人びとの憂いは少しも解れなかった。

「薬餌、手当、医法はつくしたと申しおるが、御平癒をうけあうとは、たれもいわぬ。いずれも、へとへとに、疲れきっているていじゃ」

「医師たちよりも、二位殿には、夜も日も、禅門のおん枕べにあって、帯すらお解きになっておられますまいに」

「つかのま、手枕してなりと、おやすみあってはと、おすすめしてみたが」

「否との仰せか」

「眠とうないと、お顔を振って、看護に心をくばっておられる。また、禅門にも、ややお苦しみがしずまると、すぐ、二位殿のみ手をさがして、嬰児のように、お離しにならぬ」

「…………」

人びとはまたもとの沈黙に返った。病間の光景を――そこの老いたる夫婦のさまを――たれもが瞼にえがいた。

そして、かなたの病間の小康状態を「どうか、このまま順調にゆくように」と、いまは皆、神仏にすがる気もちでいっぱいだった。

こういう非常な門へも。

各地からの早馬は仮借もない。美濃の戦場からは、重衡の飛脚。越後の国府からは、木曾勢の猛威やら、その進出ぶりを。

また、南海、紀州、各地の火の手も、一日ごとに拡がるばかりで、ここ西八条の大廂にまで燃え移りそうな悲報が、櫛の歯をひくようである。

「目代飛脚はもとより、諸国からの早馬状は、すべて、時忠が手もとによこせ」

平大納言時忠は、表の将士へいい渡した。かれのみは、中門廊にいて、一切の外務をひきうけていた。また、大理卿としての、洛中警備の指揮も、そこでとった。義兄清盛の病や、姉の二位殿の健康も「天にまかせた」と、心でいいきっているような姿であった。

経盛の嫡男、皇后宮亮経正は、馬を降りると、

「お迎え申しあげて参ったお医師なるぞ。武者ども、お医師の通る道をひらき候え」

と、西八条の内へどなった。

そして、経正が、かきわけて行く人影の中を、麻鳥は、おずおずと、あとに従いて行った。

外門、二階門を通って、中門廊の東の口から、内へ上がってゆく。年少のころは、宮廷の楽寮にいたこともある麻鳥なので、いかに西八条が宏壮であろうと、建築の大には驚きもしなかったが、中門までの武者のかためと、内殿のいたる所にも充ち満ちている平家人のおびただしさには、何か、吐息が出た。

（これほどな人びとが、これほど心をいためても、一個の人間の死を、どうにもならぬ）

すぐそれを感じたからである。

もうたそがれに近い。奥へすすんでゆくほど、廊、太柱、坪のあたりも暗さを加え、不知火のような明りの点々が、かなたこなたの廂の内にながめられた。

「しばらく、ここにお控えを」

かれを待たせて、経正は、中殿のひと間へはいった。

ここまでは、急がせられたのに、ずいぶん長いこと、かれはそこに、ぽつねんとおかれた。

やがて、宵も更けたころ、やっと、経正に代って、三名のやごとない容子の人たちが、かれの前にあらわれた。それが門脇殿やら右大臣殿やら、麻鳥には分からなかった

し、さきも名のりはしなかった。ただ、

「大儀であったの」

と、そのうちの一人がいい、

「もし、御辺の医法よろしきをえて、禅門御快気のうえは、重き恩賞をとらせるであろう」

とまた、べつな一人は、いいたした。

「はい。はい」

麻鳥は、ここへ来たことを、べつに悔いもしなかった。けれど、この期にまで、恩賞の約束だの、権力などが、何かになるものと思っている人びとが、あわれであった。気のどくに見えた。

掛樋ノ床で、口をそそぎ、手をきよめ、麻鳥は、病殿に伺候した。けれどなお、入道の病室には遠く、侍医の間で、医寮の面々と、あらかじめの談合をとげた。そして、夜もふけ初むるころ、やっとのことで、入道の臥す病臭の濃い枕もとへ侍したのであった。

「……？」

病入道は、平静だった。嘘のように、静かな呼吸をしている。が、見馴れぬ男を枕べに見、落ちくぼんだ眼を、ぽかと開けている。

麻鳥もまた、ぺたと、すわったきりである。ここへはいったときの病臭で、かれは、この病人の直前の大熱と苦患とを、疑っていない。だが、「お脈を」とも申し出なかった。わずかに、そばの明りの位置をすこしすすめ、じいっと、入道の皮膚をながめ入った。

帳のかたわらには、二位ノ尼殿と、右府宗盛卿がいた。その後方には、典薬頭定成、典医頼基、入道知康など医寮の人びとが、息をつめて、麻鳥の横顔を、凝視している。

「…………」

二位殿の眸は、たよりなげに、やがて、麻鳥から、眼をそらした。侍医たちも、ようやく、かれを見るに、軽蔑な眼つきを、露骨にしてきた。

洗いざらした葛布の狩衣に葛袴、何一つ身に飾っていないのは、いいとしても、なりは小さいし、容貌も平々凡々である。知性の光とか、人品の高さなど、見つけようとしても見出せはしない。

（こんな者が、和気百川の後継者とは？）

すでに、侍医の間で、打ち合わせしたときから、片腹いたい、といいたげな者もいたのである。果たして、禅門のおん枕べでは、脈法もとらず、眼瞼、口腔を診るでもなく、ただ禅門や二位殿の威に圧しられているのではないかと疑われる。

いくら、町で名声があっても、帰するところ、貧乏人だましの虚名を博して、おのれは名医ぞと、世間に見せかけている似而非大家にちがいない。「いらざる町医者を招いたものではある。施物を与えて、早々に退きとらせたがよかろう」と、いわぬばかりな眼と眼である。

「麻鳥どの。なにか、御辺として、お看護のうえの御意見でも」

ついに、ひとりがいい出した。

「されば、後ほど、申しあげまする」

「御拝診は」

「相すみましてございます」

「ほほう、もう、それでおよろしいのかな」

「はい。では、これにて」

一礼をほどこして、座をすべり、そのまま、侍医の間へ、退がって来た。

さすが、麻鳥も、控えにもどると、鼻腔で息をしていた。顔は蒼白く冴えてみえる。全能の精を、ある一点へ凝集したあとの異様なまでに昂まった自己の生理を、静かに平調へ返している姿であった。

経盛、教盛などの近親は、中殿の一間に、鳩首して、麻鳥が診断の結果を、待っていた。

とりわけ、経盛は、阿部麻鳥をふかく信じている。——仁和寺の隆暁が「めずらしい名医である」といい、「ほんとうの仁者だ」と賞め称えていた麻鳥なので、その人の医術によって、何か、新たな望みがかけられるのではないかと、期待にみちていた。

そこへ、頼基、定成、知康などが、ぞろぞろと、はいって来た。そして、

「どうも、聞こえるほどな者でもございません。やはり町医は町医で」

と、口をそろえて、麻鳥の医者としての無能を、あざけった。

「あんなことで、病がわかるものではない。御病間へ伺候したものの、とんと、落ちつかない容子で、おそらく、御威厳にわなないていたのでしょう。おん枕べから三尺も離れて、手をつかえたまま、退がってしまいました。さっそく、暇をくれて、引き退がらせてはいかがでしょうか」

「病名とか、療治の仕方などについて、何か、御辺たちとの間に、よい談合は出なかったのか」

「深く考えこんでしまっただけで、いっこう、これという意見も申し出でません。察するところ、まったく、身に重過ぎた大命をこうむり、ただただ、当惑したものとみえまする」

「ふうむ、さもあろうか」

と、門脇殿（教盛）は、うなずいて、

「何か、礼物をとらせて、帰すがいい」

と、いい渡した。しかし、経盛はなお、

「いや、いや。麻鳥とて、身に心得もなく罷り出るわけもない。せっかく、招いた者じゃ。ともあれ、これへ呼んでくれい」

と、期待を持して、やがて、直接、麻鳥に会った。

そこで経盛や門脇殿から「憚りなく診断のうえの考えを」と、求められた。事実、いうべきか、いうべきでないか、麻鳥も、心で迷っていたのである。

医師としては、信じるところを、いわなければならない。

しかし、入道は、一庶民ではない。

ただ、平氏一門の盛衰を左右するばかりでなく、入道の双肩には、時のみかどを初め、おん国母の運命もかかっている。大きくは、天下のうごきに、時局の機微に、重大な影響をよび起こそう。

麻鳥とて、それを、考慮せずにはいられなかった。

（はて、困った）

まったく、かれは、当惑しているのである。自分の力で治癒の見込みがないからでもあった。といって、この病の療法や秘薬があるとは、唐宋の医書にもないし、先師和気百川からも聞いていない。つまりは、不治の病なのだ。

それも、ぜひがない。近親が「忌憚なく」と、求める以上、正直に、いうべきではある。けれど、麻鳥が当惑したのは、そのことではなく、病人の〝死期〟であった。

不治の病といっても、このまま、一時は常態に復するか、半年後斃れるか、あるいは、きょうあすか、分からない病気なのである。――侍医の間に退がってからも、じっと、考えこんだのは、その判断だった。そして今、ようやく、ある判定をもったとき、経盛から呼ばれたのであった。

「お考えのところを、率直に伺いたいのじゃ。禅門のおん命は、助かるであろうか、否かを。——麻鳥どの、どうであろうの」

「まことに、申し上げにくいのでございまする」

「と、いうことは、むずかしいというおみたてか」

「くわしく申し述べたいとぞんじますものの」

「もとより、詳しゅう聞かせて欲しい」

「が、ほかならぬおん位置の君」

「というて、われらも、わきまえおかねば。……くるしゅうない。何事なと、申されい」

「かまいませぬか」

「座には、ごく近親の者と、医療の者よりほかにはおらぬ」

「では、愚見を申しあげますが」

麻鳥は、すわり直した。まず、自分へむかっても、自分の所信をいい歪げまいと誓った。そして人びとへ、こう、説明しはじめた。

「——わたくしの診奉りますところ、禅門のおん病は、瘧と申す奇病ならんとぞんじます。大熱を発するまえに、はなはだしいふるえを催しますのは、あきらかに、瘧慄の御症状で、特に今夕のごとく、おしずまりの後、解熱の兆は見えましても、やがて、一定の時をへだてて、またおなじ発作をおこされましょう。瘧の明らかないわれでございまする。……。

かなしいかな、今のところ、唐土にも、わが朝にも、瘧の治方は、ございません。蓬、みみず、などの解熱の薬法を用いたり、雪氷で冷やしたりなどいたしますが、正直に申して、それで癒えるものではないのです。つまり、奇病とでも、申しましょうか。……。

凡下のあいだでは、瘧ともいわず、これを、わらわやみとか、おこりやみとかいい慣わし、ただ祈禱、禁厭を事としておりますものの、二日おき、三日おきには、大熱に慄えを伴い、七顚八倒の身もだえを繰り返しまする。――おそれながら、神門相国の御容態と、たがうところもございません。……。

貴人にして、瘧で逝かれたお人には、近くには藤原成通卿があります。大和の僧なにがしも、瘧と聞き及びましたが、わたくしが診たわけではございません。けれど、わたくしが前に住んでいた牛飼町にも、ただ今いる柳ノ水の貧しい部落にも、瘧の病人は、まれではございませんでした。今日まで、自分の手がけた病者は数知れません。しかし、お恥ずかしいことには、みな、あえなく、瘧で死んでおります。……。

医師として、かなしく、また、残念でなりませんが、学問も自分の才も及ばぬところで、なんともいたし方ございません。ただ漸々のことで、このごろ、自分に会得されたことは、これは、怖ろしい毒をもつ斑蚊がうつすものだということと、そして、蚊に刺された毒によって、たちまち、病を発する人と、数年間も、身に毒をうけながら何事もなく、時ならぬ季節に、とつぜん、高熱と瘧慄を発する人との、ふたつの場合があるということだけでございまする。……。

察するに、禅門相国におかせられては、後のばあいに、あてはまるもので、蚊毒は、脾臓のふかくに多年ひそみ、今日の世態、内外の御憂患に、み心をいためられ、そのためのおつかれに乗じて、一時に、表へ現われ出たものと申すしかございません。……。以上、わたくしの愚見は、申しつくしました。げにも、われながら冷ややかな言葉ばかりでございました。けれど、これがいつわりなき当代の医学の水準なのです。人間のたどり歩いている智識の途中なのでございましょう。麻鳥もそれまでのことしか何もわきまえておりません。お恥ずかしい次第です。さりとて、加持祈禱は、わたくしの知るところではございませぬ。——要するに、わたくしから申しあげられるさいごの言葉は、いたましいかな、禅門相国の君にも、はや、天寿のつくるときに参りました。そういうことでしかございません」

麻鳥のことばには、いささかの感情もまじえていない。

自然な水のせせらぎに似ている。低く、冷たく、乱れもない。

近親たちや、典医らも、また、水を打たれたように、一語もさしはさまず、聞いていた。

たれからともなく、深い吐息がもれた。しかし、人間である。すぐ次には、否定したい気もちがうずいた。

典医の定成が、まず、いい出した。

「いや、瘧とのお説だが、われらとて、それは考えてみないことではない。しかし、一概に、そうとも申せぬ御容態がいろいろみえる。かつは、われらの身命を賭しても、御平癒にみちびかねばならぬおん方。御辺のごとく、あっさり、御死期を予想するようなことは、われらにはできぬ」

頼基も、つづいて駁した。

「頭風、傷寒の諸症とて、一様ではない。大熱を伴うとか、ふるえを発作することなどは、他の病にも、ままあることじゃ。麻鳥どののおみたては、ちと、かるがるしい。……門脇殿にも、参議殿にも、かまえて、御落胆な遊ばされますな。なんの、町医の一意見、さまで、にわかに御心痛あらせられずとも」

かれらとしては、励ますつもりであろう。しかし、眼ざしはあきらかに「よけいな、雑言を」といわぬばかりに、麻鳥を見た。

麻鳥は、無用と見て、もう多くをいわなかった。「――お暇を」と、さっそく、帰宅を願った。けれど、経盛は、むしろかれの正直を愛でた。その説を、信頼した。

「いや、医師同士の意見たがいは、あって不思議でない。よくある例じゃ。麻鳥も、他の室へさがって、ともに、夜詰してくれい。いつ、御病間ににわかな変があろうもしれぬゆえ」

医の義務である。請われれば否むわけにもゆかない。麻鳥は、べつな小部屋をあてがわれた。そして、召しのない間は、そこで自由に休んでいよと、ねぎらわれた。

「はて、こんなことなら、何か、書物でも持って来るのであったに」

と、かれの悔いは、そこでのなすなき時間を、つまらなく空費していることだった。

といって、いつ召されるかわからないので、寝るにも、心も帯も解かれない。

かくて、翌一日は、何事の変もなかった。

大殿に宿直した近親の面々も、医寮のたれかれも、

「このぶんでは」

と、どこか、明るい眉をたたえ、もう麻鳥のいることなどは、たれも忘れ顔だった。

白眼子

閏二月二日の宵だった。

閏月である。太陰暦（一年を三百六十日とする）による余剰日が積もって、ことしは、一年が十三ヵ月あることになる。

で、先月も二月。月をこえても、また、二月がくり返された。

その夕べ、西八条の門へ、ひとりの怪僧が訪れて、阻める武者たちも眼中になく、

「入道の、おん病篤しと聞いて参った。かくいう自分は、遠きむかし、平太清盛とは勧

学院の学窓に机をならべていた誼みのある者。——いまは高雄に神護寺の建立を営み、ひたすら世の大浄化を祈る文覚と申す沙門。入道のおん見舞いに罷り出でぬと、つたえられよ」

傲慢な物ごし、物のいい方、しかも大殿の奥へも聞こえよとばかり、破れ鐘声でいうのである。

もとより、通すはずもない。

「いや、お取次ぎはしておくが、かかるおりなれば」

と、淡路守清房の部下が出て、追い返しにかかると、文覚は、

「しておいてもらう取次ぎなどをたれが頼もう。いま、申し告げい。その上将はたれか。上将に、物申さん」

と、いっかな、動きもしない。

淡路守が、なだめに出ても、

「平太清盛とは、むかしは、ひとつ瓶の酒も汲んだ仲ぞ。六条の遊女宿の軒ばも、腕をくんで、さまよい歩いた旧い友ぞ。なんじらの知ったことか。——いま旧友の重態と聞き、むかしを想い、生涯の情を叙べんと、初めて、この門へ参ったるに、なんで、取次がぬ。もし、文覚来れりと聞くならば、清盛入道も、いなみはすまい。あわれ、これがかれとおれとの、一生の別れでもあろうずるに」

と、なおいいつのる。

かつて、この男は、法住寺殿でも、法皇御遊楽の御庭に闖入して、武者や衛士をあいてに、大暴れを演じたとも聞いている。伊豆に流されて帰った後も、粗暴の風は、あいかわらずで、怪僧文覚の名は、洛中に高い。いわば、しまつの悪い相手だ。このさいではあり、武者たちも、もて余し気味に見えた。

「よし、よし。通しもせず、取次ぎもせぬとあらば、声の届く所から、病殿にむかって、文覚が、別れの物申さん」

ずかずかと、かれは中門廊のさかいまで進んで来て、そこの墻ごしに、

「――やよ、入道。いや平太清盛。ついに、おれとおぬしとは、塩小路の辻を境に、爾来四十年、まったく、べつな道を歩いたぞ。どうだ、いま死なんとして、悔いはないか」

武者たちは、気をのまれ、がやがや、遠巻きを作っているだけだった。

そのとき、ちょうど中門廊の簾の蔭に立った平大納言時忠は「――何事か」と、怪しむように、前栽の夕明りをすかし、文覚の姿を、遠くに、見ていた。

時忠は、それを、高雄の文覚と知ると、なぜか瞼に、湯のようなたぎりを覚えてしまった。――平太時代の義兄清盛と文覚との仲は、かねて、聞いている。その文覚は、たしか、清盛よりは一つか二つ年上なのだ。どうして、かれほどな健康とたくましさが、義兄にはないのか。

（……ああうらやましい。ままにならぬものだ。もし、文覚ほどな肉体が、禅門にあるならば、鎌倉の源氏、信濃の木曾勢も、何かあらん。西国や紀州の、きのうまでの味方にも、足もとを見すかされて、かくは、平家の落ち目を見もしまいに）

つくづく、そんな思いに、ふと、とらわれたからであった。

その間にも、文覚は、うそぶく虎のように、奥の木立へ向かって、声を振り立てていた。

「思えば、おかしいこの世ぞ。一たんの煩悩によって、無限のやみに墜ちたかとみえた文覚は、かえって、歓喜の楽土を大歩し、安芸守を踏み初めに、血のちまたから血のちまたを見るたびに、太政入道浄海とまで成り上がったおぬしは、おそらく、一日とて、安穏浄土に生くる味を、身に知ったことはあるまい。――いわばおぬしが生涯の業は、経ケ島の石船じゃった。石を積んでは、沖へ漕ぎ、石を沈めては、浮島を築く。したが、自然の風浪は、またたくまに、元のわだつみの姿に返す。さしも、福原の都も、今のすがたは、どうかよ。……わははは。文覚の法悦とは、比較にもならぬぞよ。平太、おれは、おぬしに勝ったぞ」

あごをつき出して、かれは叫ぶ。かれが、旧友平太の、世間的な出世を白眼視し出してから、胸の奥にもっていたのは、いま、露骨に吐いた声のうちにあるものだったにちがいない。いつか一度、それを清盛へいいたかったのだ。ただ、ここでかれが、頼朝との心契や、源氏の入洛の必然をいわなかったのは、さすがに、ここは敵地と、わきまえていたからに過ぎない。

しかし、なお、清盛の罪条など、幾つかをかぞえ、

「いまは、おぬしとも、なんの恩怨はない。これが、文覚の引導ぞ。やがては、おぬしも、西八条の形ある物も、諸ともに、一つ荼毘のけむりとなろう。はるか、高雄の峰から、供養せん。やすらかに逝け、平太清盛」

いい終わるやいな、文覚は、身をひるがえして、外へ走った。近づいた武者たちは、跳ねとばされ、中門廊の上から、

「捕えろっ」

と、叱咤した時忠の命も、まにあわないほど、迅かった。

淡路守清房、若狭守経俊など、兵を督して、追おうとしたが、時忠は、

「無用、無用」

と、制した。そしてこの一騒ぎに、なんとなく、かき乱された広庭の武者へ、

「静かに、こよいも、かがり火を焚けよ。大事は、眼前よりも、遠国にある。遠国の飛脚が来たら、時をうつさず、時忠に告げい」

と、一室の簾の内へ、姿をかくした。

細い、春の夕月が、大屋根にかかって、まだ、その宵も、病殿のけはいは、静かであった。

往生三界図

発病以来、病人のこんな平穏な血色は初めて見られたといってよい。それほど、こよいは気分もよいのであろう。清盛は、わずかに、枕の顔をもたげて、

「二位どの。そこの蔀を揚げさせてくれぬか。空など、寝ながら見ていたい」

と、弱々しくはあるが、はっきりした声でいった。

ゆうべから落ち着きを見、けさも無事、そして午には白粥さえ召されたものの、さて、夕風のふくころはどうかと、二位ノ尼はなお気をゆるめてはいなかった。が、宵となっても、この容子なので、今はかの女も「このぶんなら……」と、眉も明るく、かしずいた。

蔀が揚げられた。格子の目から夜空が見える。風もなく、星はいとど遠くに思われ、藍を溶いたような夜の色である。

――清盛は上眼づかいに、蔀の方を、飽かず枕から見あげるのだった。大熱が降って、われに返った面もちかとも思えるし、ふと、からだを留守にして魂がそこから春の夜へ遊びに抜け出している空虚な人のようにもみえる。

「やがて温かな一と雨ごとには、お坪の桜もほころびましょう。……おん床あげのころにはもう」

妻は、良人の顔へ、顔をよせてささやいた。

つかれたとみえ、清盛は瞼をふさいだ。そしてまた、にぶい眸を、妻の顔へむけた。むけただけで、

「………」ただ微笑して見せる。

微笑と見たのは二位ノ尼の欲目かもしれない。じつは笑いともいえない笑いに似た影だった。しかしかの女は「もう、だいじょうぶ」という気もちをもった。

「お寒くはございませぬか」

「寒うはない」清盛は、つぶやいて「……そなたこそ、眠たかろうに」

妻のひとつの手を、自分の胸のうえにおいて、かれは、いつまでも離そうとしない。触感をとおして、いっぱいな宥りと、感謝と、そして何か心の詫びたいものを、訴えているようでもあった。

それはまた、妻としての、二位ノ尼の心とも、一つであった。大勢の子を産んだので、つい、早くから子どもにばかり気をひかれ、良い母とは慕われたが、良人にとっては、良い妻であったかどうか。

良人にも、精いっぱい、尽したとは思っていたが、良人の放埒性や事業欲を、よいことにして、もう四十だいのころから、放ったらかしのあきらめをもっていたのは事実である。

住居もべつ、朝夕もべつ、生活すべてが、形式的な枠にある権門の家庭では、妻の意

志も、庶民の夫婦のようなわけにゆかない。しかし、もし自分に、不断な愛情があったなら、もっと、何かこの良人にして上げられることは、かずかず、あったにちがいない。なぜ、それをし残したのだろう。この大病を見てから、なぜ、あわてて晩い愛情を急にかきたててうろたえるのか、泣くのであるかと、悔まれる。

（いや、いや、おそくはない。これからは、おそばにもい、何事のお悩みも分けおうて、残り少ない夫婦の日を楽しみ合おう）

手の触覚と体温をとおして、ふたりは想いを語りあっている。このばあい、言葉はいらないものだった。清盛の眼じりに、涙のすじが見え、二位ノ尼も、そっと、白絹の袖ぐちで眉をかくした。

この夜はまた、宗盛、経盛、教盛、時忠、頼盛、忠度なども、みな枕べに呼ばれた。わずかの間ながら、清盛は、きげんのよい顔を見せ、

「日ごろは、つい、おことらの、不足ばかり眼についたが、おのれが、病みたおれてみると、みな頼もしい者ぞや。このほかにも、重衡はおるし、維盛もおる。甥ども、孫どもも、成人した。……仲よくせい。おたがい、ゆるし合うて、仲よく暮らしてゆけよ」

と、さとした。

「そしての……。まだ、おいとけなき、みかどを護りまいらせ、御不運なおん国母をも、くれぐれ、頼むぞよ。みなして、建礼門院のお力になって上げることだ。それが、平家のつとめ、また、平家の栄えを保ってゆく途でもあろう」

しばらく、息を休めてから、また、

「この入道がなき後は、それ以上、法外なことは望むな。打ち続く凶年に、民は飢え、兵の郷土は疲れている。美濃の乱に出向いた重衡、維盛なども、あれより先、東国へまでは、馬を進ませまいぞ。乱の鎮まり次第、呼び返すがいい。紀伊、西国の乱れには、それぞれ、人をやって、よくいいなだめよ。……いずれも、平家恩顧の者、話せば、分からぬこともなかろう。……ただ、ゆく末、怖るべきは、鎌倉の……」

鎌倉の——といいかけたとき、急に、脈搏の数が増したにちがいない。眼窩と、ソゲ落ちた頬のくぼに、苦悩と悔恨とが、青ぐろく重なった。そして、乾いた歯とヒビのはいった唇の間から、ほっと、吐息が聞こえた。

二十余年のむかし。平治の合戦も片づいたあと。

もし、あの時、虜囚の一少年頼朝を、死刑に処していたら、どうなったろうか。

今日の憂いは、起こらなかったにちがいない。

すくなくも、源頼朝なる者も、鎌倉新府なるものも、東国には、出現しなかったであろう。

(——それを思えば、平治のさい、池ノ禅尼のお命乞いにまかせて、頼朝を助けおいたことほど、世にも残念なことはありません。ついに、今日の禍いを見たのも、もとはといえば、その大不覚によるものです。まさに、平家にとっては、千慮の一失とも申すべ

きか）

これは、一門の声である。入道清盛は、何度、一門のたれかれから、おなじ地だんだと、歯ぎしりを、聞かされてきたかしれない。

（そうだ。いってみれば、まあ、そんなものだ）

千慮の一失とは、自分の過失だ。自分の犯した責任だ。清盛は、それを、いい逃げたりなどはしない。

けれど、かれの本心は、べつにあった。一門のすべてが、口をそろえて「あのとき、頼朝を生かしてさえおかなかったら……」といっている後悔とは、根本から考えがちがっている。

（どのみち、世に、栄々盛々など、ありえない。咲いた花はかならず散る。栄枯盛衰が自然なすがたなのだ。まして、自分の亡い後、平家がなお弥栄えてゆけようはずはない）

かれは、こう、結論をもっている。

また、一門のうち、自分ほどな器量の者が、あとにいるとも思われない。たとえ、いたにしても、後白河法皇のおつよくて複雑なあの御性格に、よく対処し、よく抗しうるはずもない。

とかく、周囲は、源氏ばかりを、平家の仇と思っているが、清盛にとって、いちばん怖いのは、後白河なのである。

(あの法皇の御意を立てつつ、一面、その弄策をあいてによく一門を支えうる者は、この入道をおいてはあらじ)

とは、いつも清盛が、近親へいっていたことばである。

かりに、頼朝がいなくても、自分の死後は、かならず、平家を滅ぼそうとする人があろう。それは、疑いなく後白河法皇である。また、その後白河に抗しうるほどな器量人は、まず一門に見当らない。

――とすれば、頼朝が伸びて来ても、結果は、おなじことである。

はかない望みだが、頼朝にして、もし池ノ禅尼の旧恩を忘れず、またこの清盛の寛大な処置を思い出してくれるなら、権力は奪っても、人間は殺し尽すまい。平家人の根は絶やすまい。清盛は、その最悪な日までを、考えている。

だからかれは、周囲の者のような後悔や地だんだは踏んでいない。

もともと、頼朝を助けたのも、かれとしては、

(自分である)

と、思っているからだ。

義母の池ノ禅尼が、どう、すがったにせよ、ほんとに、助けない肚ならば、遠国へ送った後に、人手でも殺せたことだし、また、何より重大なことは、なんでわざわざ源氏の故郷――代々源氏党の多く住む――東国地方へ頼朝を流そうか。

さらに、頼朝の身を、蛭ケ島二十年のあいだ、野放し同様にしておいたのも、清盛としては、いわば当初の心の継続だった。それが、甘すぎたと覚って、悔いたのは、以仁王と源三位頼政の謀叛のときだが、しかし悔いるには、月日も余りたち過ぎていた。

「……水を。……二位どの、水」

妻の手から、ひと口の水を唇にうけて、かれは唇の割れを、なめまわした。ひたいに手をのせ、次のことばを、さがしぬくような眉に見える。

(鎌倉の……)

といったあと、清盛は、なんの反射もない脳膜のなかで、平家の運命をも決するほどな、もっとも重大な一言を、思惟につかもうとするのだった。懸命に考えこむのだった。

しかし、それにはもう、生命の余力と燃焼が乏しすぎた。みるまに、その顔は、疲労にみち、頭の中は、烏賊の墨汁のような暗さになった。――ことばの継ぎ穂をすてて

「ねむたい」と、子どものように訴えた。

人びとは、容態の変をおそれ、おのおの、衣ずれの音も、忍ばせあって、病間を退がった。

一時、二位ノ尼は、はっとしたが、よいあんばいに、清盛は、そのまま静かな寝息になって行った。夜は、ふけ沈んでゆき、かの女も、その真っ白な頭巾姿を、良人のしとねの端にうつ伏せて、いつか疲れ寝に、寝入っていた。

……ふわ、と体は雲の上に浮いていた。

いや、肉体の感じはない。ただ、自分というものはある。意識だけの、自分がある。

雲の世界は、渺として、雲ばかりだ。美しさ、いいようもない。

しかも、病苦、心のもだえ、何もなかった。これこそ、人間が生まれたままのものだと思う。

——蝶のような童心が飛びまわる。

（あっ、いけない）

もがき、もがき、ふいに奈落のやみへでも陥ちてゆく気がした。——しかし、またいつか、あたりは明るい。

鉦鼓や、笛や鈴の音がする。

自分は舞い童子であった。祇園の祭りらしい。舞って舞いぬく自分を、美しい母が、見とれている。

舞い終わると、母は自分の汗をふいてくれた。そして、どこかへ、抱えてゆく。——どこへ、どこへ、どこへ？　——おそろしく遠い。

今出川の貧しい荒れ屋敷に、スガ眼の人が、すわっていた。父だ。

母がいない。母は、どこへ。

小さい弟たちが、ピイピイ泣く。ひもじいのであろう。おろおろ思う。

爺(じい)やの木工助家貞(もくのすけいえさだ)が、ひとりを負って、どこかで、子守歌をうたっている。

……雲が流れてゆく。雲があたりをつつむ。

するどもう、身は、甲冑(かっちゅう)をまとい、騎馬で雲の上をとばしていた。

下界は、ひっくり返るような騒ぎをしている。

人妻の袈裟御前(けさごぜん)の首を抱いて逃げた遠藤武者盛遠を、自分も、追捕(ついぶ)の一人として、追っかけているのだ。

きゃつは、学友。遊び友だち。

見つけたら、助けてやろう。逃げ口を教えてやろう。そう、こっちは、思っているのに、盛遠は、考えちがいしている。――清盛めが、追いつめ追いつめ、おれを追ってくる。そう、とってか、逃げまわる。

ちがう、ちがう。

どなってみるが、通じない。

いちめんな火だ、黒けむりだ。矢うなりが、身をかすめる。加茂川が赤い。

合戦があるぞ。馳けつけなければならない。

気がもめる。が、そこへは遠い。

だのに、笑っているのはたれだ。――見たようなお人、と思えば、それは、家をすてて去った母ではないか。あの祇園女御(ぎおんのにょご)というお人。

そして、あたりにも、たくさんな妓がいる。

どこぞと問えば、江口という。

無性に、腹が立つ。

子も捨て、良人も捨て、虚栄にあこがれて、出て行ったお人。ざまを見ろ、いまは老いかけて、遊女宿のあるじ。

母であっても、こんなお人、母ではない。飲んで、くだを巻いて、辱めてくれよう。

——飲む、飲む、飲みあかす。そして、ぐでん、ぐでんに寝たおれて、母を蹴とばした。

母のすがたは、ちぎれた雲のように、雲を離れて落ちてゆく。

——見ていると、果てもなく、落ちてゆくので、われを忘れて、

（母上、母上、母上っ……。おっ母さん！）

と、さけぶ。なお、声のかぎり、

（母上っ……）

と、よびつづけた。

母の雲は、一直線に、さがってゆく。自分の体も流星が落ちてゆくようだ。果てなく、果てなく、無限に落ちてゆく。

あたりは、暗くなる。赤黒い火の坑かとも思う。おお、炎々たる火。岩が燃える。石が黒煙を噴く。白い火。紫いろの火。大小無数な焔の舌……。………。

三界図　その二

「禅門、禅門。み心をたしかに」

「父君、ち、ちち君」

人びとは、病入道をとり囲んで、狂乱のように、悲しんだ。

よんでも、揺すっても、こたえがない。

ゆうべは、さわやかな気色にみえたのに——そして、晩までも、深々と眠ったらしく思われたのに。

俄然、三日の午ごろ、急変をきたし、また大熱に陥ってしまったのだ。例の烈しい慄えをつづけて、夜にはいるも、輾転の苦しみを繰り返した。あらゆる手当も薬もききめはない。

阿部麻鳥もよびたてられて、さっそく、病間へ伺候したが、かれにも、神異の力はない。ただ経験にもとづいて、応急の処置を施してみるだけだった。

かれにしてさえ、そうなので、典医典薬たちは、なすことも知らぬ有様である。ただ狼狽に時を移した。

二位ノ尼や、近親の人びとには、病人の七顚八倒は、自己の苦しみと変りもない。ともども、もがき、もだえて、寄り添った。しかし、入道自身は、一切、うけ答えなく、夜も丑満となると、もう、暴れる力さえ失っていた。がっくりと、身を平たくしてしまい、おとなしく、面を枕へ横にふせた。

「…………」

麻鳥は静かにそれをながめていた。入道の面は、だんだんに、優しく美しくなってゆく。苦悶の影が除れてゆくものらしい。

呼吸は、つづいている。昏睡のまま、息づかいだけが大きい。深々と、いまはなんの屈託もなく、熟睡しきっている姿である。

「ああ、お心地よげな」

麻鳥も、ほっとしたらしい。むしろうらやましげに、見入るのであった。あたりを囲む啜り泣き、咽び声、食いしばる嗚咽など、かれの耳にはないようだった。

かれは厳として、一個の人間の死期を見とどけようとしている態である。それが、二刻以上もの長い時間にわたった。

涸れ果てた涙の底に、人びとは、いまは人為もつくし果て、人力も及ばないと知る観念に打ちひしがれ、ただ、神仏の名を心のうちに叫んでいた。

やがて、その人びとの肌に、ひしと、夜明けの冷えが迫って来、遠い冥途の国で告げるような鶏の声を聞くと、麻鳥は、入道の枕へむかって、両手をつかえ、一礼の後、静かにそばへ摺り寄った。

「…………」

脈を診、あばらの上に、そっと手をおいた。そして、もとの所まで、ひざを退って、二位ノ尼の方を見た。

「これまでかと存じあげまする。まもなく、おん息をひきとられましょう。お別れを惜しませ給え」

観念はしていたものの、麻鳥のことばは、冷厳な宣告のごとく人びとの心を凍らせた。わけて二位ノ尼は、人前もなく良人の薄い胸いたへすがりついた。宗盛は父の顔を抱いて泣き、経盛、教盛は背にすがり、みな衾のすそに集まって、一瞬、慟哭の声をひとつにした。

悲泣のあらしは、ここだけではない。次の問、次の控え、細殿、廻廊、広縁にいたるまで、いつか、「はや、御臨終」と知った一門の女性、公達、侍たちまでが、ひれ伏した背を並べていたのである。おなじような号泣は、庭面へうずくまった無数の武者からも流れた。屋を揺するばかりな哀傷の旋風であった。

そうしたおりもおり、

「行幸です、行幸です、陛下のおわたりです」

「建礼門院さまにも」

あなたの廊の橋の口から、大声して、こう奥へ触れている侍があった。

「えっ、建礼門院さまが」

泣き腫れた顔の群れが、あわてて病殿の道をひらきかけたとき、遠くの廊から廊を、まだお四ツのいたいけな幼帝（安徳）のお手をひいて、まろぶがごとく、こなたへ走ってくる五ツ衣のひとが見えた。

いうまでもなく、入道のむすめの一人、建礼門院の徳子である。いや、いまは先帝の遺孤をこの危うい世に抱いて、父の病にかしずくことさえ、心のままにならないでいた若きおん国母なのである。

清盛は死に臨んで重大な遺言をしたという記録と、いやそれは後人の「こうもあったろうか」という推察で、じっさいの遺言はあったか否か分からない、という考え方との、二つの説がある。「東鑑」には、

――遺言に云ふ。三ケ日以後、葬の儀あるべし。遺骨においては、播磨国山田法華堂に納め、毎七日、かたの如く仏事を修すべし、毎日これを修すべからず、また、京都において、追善もなすべからず。子孫、ひとへに、東国帰住の計をいとなむべきなり。

とあって、要するに、これが「盛衰記」その他に普遍されたものであろう。古典平家なども、それの誇張と潤色であることが、あきらかに読みとれるのである。

――入道相国、日頃は、さしもゆゆしう、おはせしかども、いまはの際にもなり

しかば、いとも苦しげにて、息の下にて、のたまひけるは

（中略）

「今生の望みは、今は一事も思ひおくことなし、ただ、思ひおく事とては、兵衛佐頼朝が首を見ざりつることこそ、何よりまた本意なけれ、われ如何にもなりなん後、仏事供養もすべからず、堂塔をも建つべからず急ぎ討手をくだし、頼朝が首を刎ねて、わが墓前に懸くべし、それぞ、今生後生の孝養にてあらんずるぞ」とのたまひけるこそ、いと罪深うは聞えし。

右のように、清盛が臨終に、「頼朝の首を、わが墓前に供えよ」といったということは、数百年来、真実らしく伝わってきたが、それは、清盛がいったのではなく、後の人の臆測であろう。

何よりは「墓に首を供えよ」などという表現が、あの時代のいい草でない。儒学から出た士道的で、また殉忠義烈の復讐型を思わせるものだ。――武門は武門でも、平家はまだ「武」と「儒学」とを鍛ち交ぜた武士道をもつまでには至っていなかった。むしろ多分に、平安朝貴族のにおいをもった半公卿武者だった。

では、かれは、ついに、何もいわずに死んだろうか。

そうもいえない。凡人の死に際にいいそうなことは、清盛もいっただろうと考えられる。

潜伏瘧（ぎゃく）は、発作すると猛烈な大熱を示すが、おさまると、平調に回（かえ）る。その間には、二位ノ尼とも、いろいろ話もあったにちがいない。遺言といえば、そのすべてが、遺言といえよう。

諸書一致していることは、

（自分が死んでも、仏事供養の必要はない）

と、いったということだけである。

清盛らしいし、これは、かれの日ごろの言行や、その性格とも、矛盾がない。

ともあれ、内外に、その喪が発せられたときは、洛中、くつがえるような騒ぎであったに相違なく、西八条はたちまち弔問の車馬で埋まったことであろう。いま、その弔客の一人、九条兼実の日記をかりて、その状を想いみることは、もっとも簡略で、真に近いかと思われる。

閏（ウルフ）二月四日。

入道太政大臣、薨（コウ）ズ。年六十四。

天下、走リ騒グ。日ゴロ悩ムトコロアリシト。

身熱火ノ如シ。世以テ、東大寺、興福寺ヲ焼クノ現報（ムクイ）トナス。

八日、葬礼。

さきに、南都の二大寺が焼き討ちされたとき、「世は末世か」と痛哭（つうこく）し、「天魔の所業

ぞ」と嘆いた兼実のことであるから、きょう、西八条の弔問に来て、

（――太政入道は、仏罰にあたって死なれた。怖いものではある）

と、痛感して立ち帰ったのもむりはない。

通夜の晩、ひとつの不思議があった。

六波羅の南の方にあたって、おりおり、大勢の人間が、どっと、笑いどよめいたり、乱舞したり、歌拍子を合わせたり、何しろ、怪しげな人声がした。――はたと、やんだかと思うと、また、夜風のあいだに、聞こえてくる。

「はて、あれは、何か」

「相国のおん通夜なるを、悲しむでもなく」

「心なき業よ。いかなる怪しの者か、見てまいれ」

しかし、立つ者はなかった。

「おそらく、あの声は、天狗だろう。――相国の薨去を知りながら、あんな無遠慮なばか笑いをなしうる者は、天狗以外にないはずだ。天狗にちがいない」

と、ささやき合うだけである。

そのうちに、篝り所の武者で、気負いの男が、

「憎さも憎し、天狗たりとも、射落してくれん。われと思わん者はおれについて来い」

と、弓を握って、馳け出した。

兵、百余人が、かれとともに、怪しげなる笑い声のする方角へ走ってゆき、やがて、それらしい火光をやみ夜の中に見いだした。

近づいてみると、そこはまぎれもなく法皇の御所、かの法住寺殿の御庭である。法皇は去年の冬、福原から還幸されて、いちど、ここへおはいりになったが、何しろ、鳥羽御幽閉このかた、足かけ三年も空家同様にされていたので、樹林雑草も伸び放題に荒れていた。そこで池頼盛の邸へまたお移り替えになり、いまは土木の工匠らと、お留守の備前の前司基宗がいるだけであった。

この夜、基宗は、御庭のすみで三、四十の工匠や部下とともに、よそながら、入道相国の死を悼み、通夜酒を酌み交わしていたが、そのうちに、みな、酔っぱらい出して、踊るわ、歌うわ、通夜もわすれて、歓楽していたのである。

「つつしめ」

「かりそめにも、かかる夜なるに」

「天下の嘆きがわからぬか」

こう、六波羅の武者に、怒鳴りつけられて、かれらが、酔いをさましたのは、いうまでもない。

主なる者七、八名は、引っ縛られて、武者にひかれて行った。ところが、なお、依然として、天狗の笑いみたいな騒ぎがどこかで聞こえるのである。

さらに、手分けをして、捜査してゆくと、前々日、入道の遺骸を荼毘に付した鳥辺野に近い峰に行きあたった。

見ると、そこの新しい火舎（火葬場）の御垣を繞って、鬼火のような焚き火が、幾箇所にも、どかどかと景気よく燃えている。火光のまわりには、山野に飢えていた者だの洛内の飢民が、何百人となく群れていた。そして火舎寺の供物や、労い酒や、諸家から得た施物など持ち運び、太政入道の葬儀を、久しぶりに会った大振舞いと歓喜して、ここでも、飲めや歌えの罪のない宴楽に、はしゃいでいたのだった。

「天狗の声の正体は、かくかくの次第でおざりました」

と、武者の報告を聞いて、通夜の宗盛は、

「……そうだったのか。いや、それならば何もとがめることはない。いかにも、亡き太政入道殿のおん通夜らしいことでもある。捕えて来たと申す大勢の者には、さらに供物や酒を与えて、みな放してやるがいい」

と、いった。

八日の葬儀は、質素であった。栄耀を一世に極むといわれた人にしては、余りにも、うら淋しいばかりな葬日だった。――六波羅ニテ御遺骸ヲ焼キ上ゲ奉リ、愛宕（珍皇寺）ニ葬ヒ侍ル――という記録のほか、この日に語る何事もない。

思うに、時しも、境外に兵事をひかえていたさいであったし、また、仏の清盛自体が、仏者の虚飾や虚礼をきらい、大法秘修などの仰々しい僧列を伴うことをきらったせいであろう。

——それと、何よりは、洛外洛中、青草も見ないほどな飢饉であったことにもよる。

それから、幾日かの後——。

いまは、掌にも乗るほどな、一塊の灰となった清盛の遺骨の壺は、徳大寺実能の子、円実法眼の頸に掛けられて、清盛の好きな福原の地へ、旅立っていた。

湊川に近い輪田の浜のほとり、法華堂（後の八棟寺）の数尺の地が、この世でかれに約されていた永劫の地であった。

かれが、半生を賭けた福原の町も、上下、都還りの後は、また、むかしの姿に回りかけてはいた。しかし経ケ島の築堤は、なお狂風と荒波を拒んで、あまたな船をひきつけている。そして、続々と陸上ってくる西国の兵馬は、六波羅の召しに応じて、ひっきりなしに、都へ馳せ参じて行く者たちであった。

征野管絃回向

美濃に征馬を進めていた味方へ、都から、清盛死去の公報がとどいたのは、その月十日過ぎであった。

もう、その前から「禅門、にわかに病み給う」とは、征途の陣にも、聞こえていた。ただでさえ、都を離れ、敵を前にして、将士はみな、自分の身にも「露の命」の愛しみを覚え、春もよそに草枕を結びあっていたことでもある。

「ああ御逝去とな」

「ついに、おかくれ遊ばせしか」

その日。――墨股へ悲報がはいると、附近の陣地から、大将軍維盛、重衡のいる本軍のとばりへ向かって、生ける空もないような部将たちの姿が、わらわらと、馳けあつまった。

左中将清経、少将有盛、丹後侍従忠房などの、故入道の子や孫や、また、侍大将では、越中の次郎兵衛盛嗣、上総の五郎兵衛忠光、弟の悪七兵衛景清などまで、眼には痛涙をたたえ、ただ暗澹として、かたまりあった。

おたがい、繰りかえすは、

「もうふたたび、この地上で、あのお姿を見る日はないのか」

「一門の親ばしら、われらの太政入道殿も、いまは、われらを世にのこして、先立ち給える」

という悲嘆の声でしかない。

その日、飛脚として、都から一番にこれへ来たのは、権少将資盛であった。

資盛は、さきに、祖父清盛の勘気をうけ、西八条を遠ざけられると、まもなく、清盛の発病を見、やがて死に会ったので、たれより寝ざめがわるかった。

そのためかれは、清盛の病中、すすんで雑色や牛飼の先にたって、かの龍華谷の雪倉から、雪氷を切り出しては、西八条の病殿へ運び、寝食もわすれて、入道の平癒を祈っていたのである。——けれどついに、祖父の口から「勘気はゆるす」ということばも聞かないで、永の別れとなってしまった。

「このうえは、身を粉にくだいて、禅門のみこころを安めまいらせ、あの世でお詫びいたすしかありません。何とぞ資盛をも、御陣のうちに、お加えください。この後は、合戦のたび、いずこの陣にも、馳け向かう所存でもござりますれば」

資盛がいうのを聞いて、人びとはまた、涙をあらたにした。

維盛といい、重衡といい、おなじように、入道からしかられたことは、幾たびか、しれないほどである。それも今になってみると、みな亡き人の慈愛であり、その慈愛と大きな力にあまえていた、自分たちの脆弱さが、ひしと、たれにも、かえりみられた。

ちょうどその夜は、初七日にあたるというので、墨股川を見はるかす平野の一部に、かりの浄壇を設けた。そして、故人のかたみの品をその人の霊と仰ぎ、一柱の香を焚いて、全軍の将士が回向を手向けた。

雲間には、十日余りの月が、おぼろだった。月も、瞼をうるませているかのように。

水は、渺として、対岸の影も、さだかには見えない。遠い白山山系の谿谷をみなかみとする長良川、木曾川、呂久川などを合わせ、美濃と尾張の境を、大江のごとく、へだてている。

そこを。——その川中の洲や浅瀬を、今、一羽の鵜か青鷺のように、馳け渡ってゆく人影があった。

川のなかほどに近づいたころ、男は、

「……おや？」

と、耳に手をかざし、後にして来た美濃の岸の方を振りかえった。

風のあいだに、哀々として、悲調をおびた管絃の音が聞こえてくる。——思うにそれは、亡き清盛を偲びつつ、こよい一門の維盛、資盛、重衡、有盛、清経たちが、戦陣の旅愁もこめて奏で合う夜もすがらな管絃回向にちがいない。

男は、しばらく考えてから、やっと、覚ったように、ひとりで笑った。

「すわ、陣触れの貝鐘でもあることかと思ったら、なんと、お経がわりの管絃供養であったのだな。……アハハハ、まあ、それでありがたいというものだが、さりとは、悠長な平家人だ。また、富士川の二の舞を見るともさとらずに」

男は、東軍の間諜に相違ない。

ふたたび、ざぶざぶと、首まで水に浸り、また、かなたの洲に全姿をあらわし、濡れ鼠となったその黒い点は、たちまち、尾張がわの朧な岸へ、紛れてしまった。

「酒はあるな？　重光。——貯えの酒瓶は、まだあるはずだが」

新宮十郎行家は、得意にみちた声である。

楯に坐し、杯を手に、ふり向いて、こう、泉太郎重光へいった。

「なかなか」と、重光も杯をあげ——「この地は、柳津の御厨なれば、物はゆたかでござりますわい。……それに、養老の滝も遠からぬ国、酒などは、いくらでも」

と、のみほして、他の部将へさした。

「あははは。重光が、ういことを申すぞ。……だが、音に聞く養老の滝は、たしか、美濃ではないか。川のこちらは尾張ぞ」

「いや、大殿。なべて、世の飢饉は、平家の下のこと。源氏のみ旗のひるがえる所に、飢饉はおざらぬ。……なしとみゆる五穀も酒も、ふしぎや、集まってまいりまする」

「うむ。それも、人の心が、平家を離れ、源氏に傾いてきた証だろう。――聞かれたか人びと、泉太郎が申すには、都や西国は飢饉でも、ここには酒も尽きぬほどあるというわ。心ゆくまで、こよいは飲め。飲んで、気を養い、旅の疲れもほどくがいい」

行家の左右から、また、その前には、十数名の部将がいた。中には、僧形の将も見える。

今夕。

行家の故郷、熊野から、およそ千人ほどの兵が、志摩、伊勢を経て、ここへ着いた。それを、ねぎらうための野宴だった。――朧な春の夜の月をさかなに。

「よくぞ、援けに来てくれた」

正直、いまの十郎行家として、この援兵は、どれほど、ありがたかったかしれない。

腹心の泉太郎も、調子にのって、

(――兵粮はゆたか。酒など、いくらでも)

と、広言を吐いたが、このあたりとて、飢饉に変りはない。ただ、海が近いので、いくらか、事情のちがう程度である。

それも、新宮十郎行家が、この尾濃国境に、兵を結集して、気勢をあげだした初めは、まだ、賄えたが、兵数も五千をこえ、七千、八千となると、兵粮集めも、容易でなかった。

――で鎌倉へ向かっては、再三再四、

（兵粮の補給を）

と、催促し、もし、それが遅れるなら、すみやかに、援軍を送ってほしい。対岸の平軍を、一日に撃ち破って、こんどこそ、都まで、追いかけ追いかけ、上洛したいから――という意味の書状を、何度、頼朝へ出していたかしれないのである。

ところが、兵粮も来ず、援軍も来ないのだ。

のみならず、たった一ぺん、頼朝の答えとしてきた返書には、

――後顧しきりなり、いかんぞ、なは、上洛の時ならむや。

かつは、貴所、御気随の戦事は、頼朝にとつて、迷わくのいたりにこそあれ、なんら源氏を益するものにあらず、とく、陣を回して、後方に従き候へ。

と、いうものだった。

「鎌倉殿の肚のせまさよ。かれが、この行家にたいする胸もこれで読めた。もう、恃ま

ぬ」

行家は、ひどく、腹を立てた。

それ以来は、使いを出しても、兵粮も求めず、援軍の派遣も、前のようには、せびらなかった。――そして、こんどは、九郎殿山の源九郎義経にむかって、

（疾く疾く、墨股の陣所へ、馳けつけ候え。おん身のじつの兄君、義円殿も、おわすぞや。ともども、目前の敵を討ちやぶり、都までも、攻め入ろうに）

と、誘い文を送った。

やがて、義経からは、こまごまと、返辞が来た。それを見ると、鎌倉の事情と、頼朝の考えていることとが、一そうよく行家にわかった。

義経の書中の意味は、こうであった。

――叔父君の御書を拝し、すぐにも、馳せつけたいのはやまやまでしたが、とかく、鎌倉殿のみゆるしも出ませんし、また、府内の御多端も、よそには、見てまいれません。

叔父君には、御存知でしょうか。

それとも、美濃の御陣へは、まだ聞こえていないでしょうか。

じつは、鎌倉殿の叔父君にあたられる*志田先生義広殿が、どうしたことか、平家

に応じて、むほんを企まれ、常陸、下野の兵を狩りあつめ、猛威をふるっておられます。

うわさには、逆兵数万が、鎌倉へさして、襲せ来るとのことで、関東いったいに、要害をかたむべしとのお沙汰がくだり、もちろん、討手の勇士としては、下河辺庄司行平どの、小山小四郎朝政どのなど、まっさきに、馳け向かわれておりますものの、形勢は混沌、まだ味方の利とも不利とも、聞こえてまいりません。

まこと、鎌倉殿のごしんぱいも、府内のありさまも、こういう大難にいま直面しておりますので、わたくしごとき者まで、いつ、大事な御命をこうむるまいものでもないと、心の紐を、ひきしめておるところです。

もとより九郎は、鎌倉殿の一家人、九郎の進退は、ひとえに、鎌倉殿のおさしずを待たねばなりません。兄君、義円どのにお会いしたいのも、飛びたつばかりですが、四囲、やすからぬ中、じっと、耐えております。あわれ、書き及ばぬところは、ご推量たまわりますように。

九ろう義経

行家は、読み終わったとき、自分が、後悔にくるまれているのを知った。

常陸の義広が、そんな大それた離反に出たとは、いま、初めて知ったのだ。

鎌倉の府が、その土台骨を、内からゆすぶられたように騒ぎ立ち、あらゆる要意と、そして全力を、東北へ向けている様子は、眼に見えるようである。

（——これは、むりもない）と、おもう。

だが、それの理解と同時に、行家の感情のうちには、なんで、頼朝を見かぎって、離反したか、それも容易にわかる気がした。

「わしですら、いくたび、そんな気にふとなったかしれぬ。自体、鎌倉殿という男は、思いのほか、勘定だかい。自我がつようて、人を信ぜぬ。鎌倉の府も、おのれ一人の力でなしえたもののように、いつか、思い上がっておる。——常陸の先生義広も、何か、よほどに腹にすえかねたことがあったに相違ない」

行家は、近ごろ自分が頼朝へいだいている感情で、そのことを、割りきった。

義広は、頼朝の叔父。自分も、頼朝の叔父にあたる者だ。

何か、ひと事ではない気がする。

しかし、いくら頼朝でも、自分にたいしては、かりそめにも、薄情なまねはできないはずだと、ひそかに思う。

かれの、この自負心は、相当根づよいものだった。

そもそも、源氏の再起を、たれより早く、企図した者は、この行家なりと、しているのだ。

臥薪嘗胆、はやくから、近江に潜伏して、洛内を、不穏に陥れ、源三位頼政を介して、以仁王に近づきまいらせ、平家討伐の口火をあげさせた蔭の策士こそ、われなりと、信じている。

また、何よりは。

以仁王の令旨を秘めて、頼朝の配所をおとずれ、木曾に木曾次郎義仲を訪い、不自由な跛行の足をひきずって、諸州の源氏を、一戸一戸、説きまわった者はたれだ。ほかならぬこの十郎行家ではないかとつぶやく。

それなのに、近ごろ、頼朝が自分にたいする態度はどうか。おもしろくない。なんともかれにはおもしろくない。

叔父御と甥君

行家は、去年中、諸州を馳けずりまわっていたが、やがて頼朝も、鎌倉の新府にはいり、諸将の論功行賞もおこなわれ、町家、武家やしきなども建ち並び、すばらしい繁昌ぶりであると聞き、久しぶり、鎌倉殿を訪ねて行ったものである。

そのことは、かれに、大きな失望を与えた。

頼朝はすでに、きのうの頼朝ではない。

蛭ケ島の配所で対面したときとは、余りにも人間までが違ったような鎌倉殿に会ったのだ。——いや、拝謁を賜わったというべきである。臣下が主君を拝するような型のごとき儀礼を、行家も、余儀なくされた。

そばには、北条時政、義時。

千葉、岡崎、土肥、土屋、天野、佐々木などの直臣が、きら星と、居ながれていて、かりそめな、叔父甥ばなしも、ゆるされない。

むっとした。何か、不満にたえない。が、胸をなだめて、ふたたび三度、行家は、頼朝をたずねた。そのうち、たった一度、二人だけで、話せる機会にめぐまれた。

「きょうは……」と、行家は、まず自分から打ち解けて、こういってみた。

「じつはの。この身にはまだ定まる居館もない。どこぞ一族どもに便宜な地を、賜わりたいが」

「いや、そのことは、頼朝も考えておらぬではなかった。侍所の別当（和田義盛）へ申し出で、地割図を見て、お気に入った所へ御普請あるがよい」

頼朝のことばを、行家は心外とした。あきらかに、不平顔してまたいった。

「仰せではござるが、この行家にも、武者なみの屋敷におれとの御意であろうか。……行家が欲しいのは、所領じゃがの」

「所領」

「されば、行家には、一族や家人も多うござる。それらの者を、熊野から呼びよせ、居館をもつには、領土も要る。あいにくと、坂東者でない行家には、東国に所領がない。それゆえ、おねがい申したのじゃ」

いう方も、押しづよいが、それを、ククククと、喉の辺で笑った頼朝も、この叔父以上、ひとの肚を、先まわりして読む者だった。

「何かとおもえば、はや、分け前のおねだりか。頼朝さえまだ、頼朝の所領はもたぬ。東国武者の持つ所領は、いずれも、かれらが祖先の地。……もし、たって、急に所領がお望みなれば、なお、天下いたる所は平家の領国ゆえ、いずこなりとも、気ままに攻めて、斬り奪りになさるがよい」

決して、喧嘩別れではないが、行家は内心、憤然として、鎌倉を離れた。

そして、海道の蒲郡に、しばらくいた。

蒲郡は、古くは鎌形ノ庄といい、熊野神領であった。自然新宮家との旧縁もある。

「以後、ここを新宮行家の居城地とさだめる。鎌倉殿とも、談合のうえぞ」

と、かれは、たちまち郷党を狩り集めていいふらした。

（――所領が欲しくば、平家の所領を、自分の力で攻め奪るがいい）

頼朝が吐いたその一言を、行家は、くやしくて、忘れようにも忘れえない。

（きっと、よろしゅうおざるか。行家が、行家の力で、攻めとる分には）

後日のための言質とすべく、行家もまた、意地わるく、念を押したものである。

（よいとも。お気のままに）

頼朝は、かさねて、いった。――それを握って、別れたのである。

だからかれが、蒲郡に居城をきずいても、鎌倉から、苦情はなかった。ないばかりでなく、頼朝は、駿河の安田三郎義定に命じて、その土木や普請を、合力させた。

また、居館ができると、落成祝いにと、粮米数百俵、馬二十頭、布百匹を、贈ってよこした。

「ははあ、さすが後では、悔いたな」

行家は、うぬ惚れた。自分の立腹を、頼朝も怖れたものと、考えたのだ。

もうそのころ、かれは、一秘策をめぐらして、都の八条宮で坊官を勤めている卿ノ公義円と、ひんぱんに書状のやりとりをしていた。

まもなく、義円は、日ごろの同志や、大和あたりの地侍をかたらって、手兵五百騎ほどをひきつれ、蒲郡へ来て、十郎行家と、合体した。

義円とは、そも、たれか。

いまは、人も忘れているが、むかし、牛若をふところにした母常磐の手にひかれて、敗戦のちまたを、逃げさまようていたあの三人の幼子のひとり、乙若なのであった。つまり源九郎義経にとっては、母も父もひとつの、実の兄である。その乙若は、八条宮の坊官として、まったく、世人の記憶の外に生きていたが、叔父行家は、いつか、この義円とも、ひそかに、連絡をとっていた。そして「時は来ましたぞ」と、いよいよ、誘い出したものである。

かれは、ここへ来ると、源義円と名のった。

「あなたも、まぎれなき義朝殿のお子、母こそちがえ、鎌倉殿のおん義弟君ですぞ」

行家は、わざと、義円を大将にあがめた。

が、すべての機略は、自分が立て、予定の斬り奪りをやり始めたのだ。遠江から尾張へ伸びてゆき、ついに美濃ざかいにまで、威力をふるい出した。

海道のあぶれ者など、いくらでも麾下へ寄ってくる。平家の降伏人も少なくはない。

行家は、得意になった。「このまま、都へ攻めのぼり、まず洛中を、わが手に占むるにおいては」と、野望も、だんだん大きくなった。

ところが、前の月。

墨股の大河をへだて、美濃平野のかなたに、初めて、敵らしい敵の大軍を見たのである。それなん、重衡、維盛を大将とする一万余騎だった。

対峙しだしてから、もう二十日余り、軽兵を出して、戦機をうかがい合っているが、矢試し程度の小ぜりあいがあっただけで、双方、満を持したまま、まだ、合戦らしい合戦もなく過ぎてきたのであった。

墨股わたし

今。――墨股川をうしろに、川の瀬からはい上がった男は、足近の岸にたたずみ、袖や袴のすそを、絞りながら、ほっと息をやすめていた。

そしてまた、柳津の御厨にある源氏方の陣地へ、馳け出した。

「行家殿には、もうお寝みか」

男は、柵門の哨兵に、こう訊いて、

「おれは、前の月から、美濃の国へまぎれ入っていたお味方の諜者だ。いそいで、お耳にいれたいことがあって、立ち帰って来たのだが」

「おお、泉太郎殿の御舎弟ですな」

「されば、七郎丸吉光だ。夜も更けたが、すぐにお耳へ入れねばならぬ。行家殿は、お寝屋の方か」

「まだお陣幕の内で、にぎにぎと、おん酒もりの御様子で」

「また、酒もりか。悠長な」

「いや、宵のころ、熊野衆の新手が大勢、お味方のため、はるばる、これへ着きましたので、その人びとへ、おん犒いのための酒振舞いでございまする」

「や、熊野の新手が着いたか。それや、さいさきがいい。では、通るぞ」

七郎丸が、人声をめあてに、いくつもの幕舎を見つつ行くうちに、柵門の兵から、もうそのことは、酒もりの座へ、知らされていた。

「なに、七郎丸が、戻ったと」

行家は、すでに、したたか酔っていたが、さすがに、

「さては、異変か」

と、居ずまいを直して、かれの姿を待った。

やがて、七郎丸の口から、清盛の死が、ここで確言された。——座にいた面々はみな「ついに、死んだか、平家の喬木もたおれ去ったか」と、唾をのんで、白け渡った。——

しかし、行家のみは、容易に信じない。行家の耳には、もう、いくたびとなく「入道あやうし」とか「清盛死す」とかいう風説が前々からはいっていた。

そのたび、あとでは、誤報とわかって、がっかりしたものである。七郎丸の知らせにも、またかといった顔つきにならざるをえない。かれは、酔いの醒まし損じでもしたように、ぶつくさいった。

「何を見とどけて、確かとはいうぞ。清盛の病は、初耳ではない」

「いや、病状のとやかくなら、何も、かくはあわててお知らせには参りませぬ。きょう、都より美濃へ着いた少将資盛卿も、鎧の下には、模様のない小袖をきておりました」

「資盛朝臣が着いたのを、その眼で、見とどけたのか」

「それだけなら、なお、推量にすぎぬと仰せられましょうが、夜にはいっては、重衡、維盛、有盛卿など、かりの土壇のまえに、香華を手向けて、全軍の兵もともに、相泣く様さえ、見たのでござりまする……。おりふし、こよいは、入道相国の、初七日の忌にあたるとか」

「七日目とな？」

すこし、行家も、信じて来て、

「——とすれば、この月四日の死去となるが」

「されば、諸卿のささやきにも、四日と、小耳にはさみました。全軍のかなしみ、陣気の萎えかた、ただ事にあらずと見て、墨股を渡って、こなたへ帰る途中にも、風のあいだに、管絃供養の音をすら耳にいたしまいた。……もし、お疑いなれば、さらに、他の忍びをつかわして、お見届けあるもよからんと存じまする。……夜もすがら、平家の陣では、こよい管絃回向に明かしておることでございましょう」

もう、疑う余地もない。いまは、行家も事実を直視した。

翌朝。行家は、鎌倉へ早馬をたてた。「今こそなれ。はや、援軍を繰り出し給え」と、さいごの催促をしてみたのである。

五日待ち、十日待ったが、沙汰はない。かくては、あたら時を失おう。兵力や装備になお不足はあるが、もし単独で、入洛すれば、源氏の中心は、必然、頼朝から自分の手に移るだろう。義円は、かざり物として立てておけばよい。

策士型の人間が落ちいる常道のとおり、十郎行家は、内にうずく自己の智略と野望に、いつか陶酔していた。——考えうる戦略図のいくつかを頭の中にならべ、われながら、天来の妙計と手を打つような一計を思いついたらしく、

「卿ノ公」

と、義円に、諮った。

「川をへだてて、陣気を見るに、敵は、入道の死去に愁い沈み、まったく戦意もみられません。いまなれば、ひと押しに、くずれ去るは必定です。が、万全を期し、川の上下を、ふた手に別れて、攻め渡りましょう。君にはこよい、下流の足近を、丘四千をひきいて、対岸へお襲せください。それがしは、やや早めに、上流を迂回し、敵のうしろへ出て、虚をつきまする。……と同時に、火の手をあげますゆえ、それを合図に、足近の中ノ洲より、一気にお渡しあれ」

「よろしい。おことも、抜かるな」

義円は、若い。

世間もよく見ていないし、戦の経験も、ないのである。

ただ、大いに勇んだ。泉太郎重光兄弟や、ほかの部将たちを、みな、たのもしい人びとと見て、ともに、武者ぶるいして、夜を待ちかまえた。

行家は、一子太郎光家、三郎行宗、浅羽五郎、相良安正などの腹心に、新手の熊野兵を加え、三千余騎、鶉野から、ずっと上流の、次木の川幅せまい地点に出て、夕方のまだ薄明るいころ、敵地へ渡りかけていた。

――すると、この日のたそがれ。

頭中将重衡の舎人で、金石丸という男が、あるじの愛馬〝村雨〟をひいて、馬に草を飼いながら、ぶらりぶらり、上流の岸べをあるいていた。

そのうちに、村雨が、にわかに、悍気をたてた。石を蹴り、たて髪を振りぬくのである。何か、野獣の影でも見たのかと、口輪を握りつめながら、何気なく、川のかなたを見わたすと、今し、一陣の兵馬が、しぶきをけむらせて、川の洲から川の洲のあいだを、争い渡して来るのだった。

「やっ。……あれは？」

一とき、ぼんやり見ていたが、「敵だっ」と、気がつくと、いきなり頭でもどやされたように、村雨の背へ飛び乗った。そして、味方の陣地の方へ、野面を切って馳けだしていた。

渦の中

わずかなうちの変化だった。曠野の夕雲が一瞬のまに変じてゆく、それより早い野面の変貌といってよい。

それは、重衡の舎人金石丸が、自陣へ馳け帰って、

「たいへんです、数千の敵が、上流の遠くへ出て、川をこなたへ渡りかけています」

と、味方の内へ、わめき立てたことからであり、直後に起こった移動である。

平家の一万余は、にわかに墨股の陣地をすてて、馬一頭あまさず、西方の杭瀬方面へと、退却し出した。しかし、規律はあった。迅かった。野を低くおおう夕立雲の移行にも似ている。

「――もう止まれ。ここは安井の里。この辺でよいぞ」

越中の盛嗣、悪七兵衛景清、上総の忠光など、各隊の侍大将は、小旗を振らせて、退陣の地を、守井、小泉、結ノ社の十数町にわたる線に停止し、なお、伝令をもって告げわたした。

「人馬は、なるべく、森の蔭、木立なんどに紛れていよ。野面の隊は、敷波（一せい）に身を伏せい。煙をあげるな、高声を張るまいぞ。――やがて大将軍のおさしずがくだるまで、努めて、ひそとおれや」

その間に。――重衡と維盛の両大将をめぐる清経、有盛、忠房、そして資盛などの帷幕は、結ノ社を本陣として、

「敵の奇襲を交わして、さそくに、臨機の処置はとったが、さて、次の対策は」

と、すぐ評議をこらした。

これまでの例をみても、およそ、この日の夕方ほど、帷幕の意見が、よく一致したことはない。

何よりは、それが、規律と迅速とを、見事に保てた一因であった。――清盛の死去を、征野に知って、いわば親に死なれた子どもらにも似た平家の公達たちが、当然な心の悲調と、自立の覚醒をいだいていたことも、つねにない結束を、見せたものにちがいなかった。

「……では、兵を三分して」

次の行動も、一瞬の軍議で、すぐ決まった。

すなわち、全兵力を、三陣にわかち、一軍は上流の祖父江を迂回し、渡河して来た敵の奇襲隊を、逆に、横から不意を撃つ。

また、一軍は、下流へ転じ、上流隊の鬨の声をあいずに、挟撃のかたちを、せばめてゆく。

のこる一軍は、あくまで、主力のすがたを崩さず、敵を正面にむかえて、かつ、敵を深くひき寄せて離さない。——つまり敵の奇計を逆用して、みなごろしにせん、としたのである。

——一方、上流の一地点では。

源氏がたの新宮十郎行家以下、かくとはまだ夢にも知らず、ひそかに、人馬を渉し終え、

「もう、残った者はないか」

と、やみ夜の中に、兵をまとめていた。

兵力は、約三千、行家の子、太郎光家、三郎行宗、浅羽五郎、相良安正など、いずれも錚々たる部将といってよい。

「ありません」

さいごに、川を上がって来た一隊の先頭で、三郎行宗が答えた。

この行宗は、かつて、父と一しょに、近江の堅田湖賊の中にいたことがある。当時、

山下兵衛義経という仮名を称え、洛中攪乱の大将となって、さかんに〝にせ義経〟の幻影を人心の中に躍らせたあの反っ歯の若武者なのである。

行宗は、その敏捷を知られているので、父から、先鋒をいいつけられた。

「心得て候う」

弓武者七百を、ひっさげて、かれは、まっ先に野を走った。

そして、平家の陣地とおぼしき所へ近づくと、

「――伏せろ」

と、一せいに、影を低め、あとから続く味方の跫音を、耳をすまして、計っていた。

時分はよし、と立ち上がり、行宗は部下へむかって、

「弦を張れ。あなたの敵の幕舎へ、いちどに、射込め」

馬上、自分も、弦を引きしぼった。

野分のような弓鳴りが起こった。春の星は暗く、矢ごたえも、さだかでない。

しかし、矢つむじのかなたには、何か、敵の混乱が幻覚された。――後方の行家は、馬の鞍をたたいて、

「いまぞっ」と、さけび「突き入れ、突きすすめ」と、号令した。

手綱を抑えていた千騎からの武者が、先を争って、突進した。徒歩の兵は、諸声をあわせて、そのあいだを駆けなだれ、弓武者は、位置を走りかえて、さらに、次の獲物を

待ちかまえた。

「や、や。……敵は」

「影も見えぬ」

「どの陣幕にも、ひと気はない」

完全に、空を打ったかたちである。

機鋒をすかされた瞬間、「敵には、備えがあるぞ」と感じたので、かえって、みずから、うろたえた。

「いや、たった今、逃げたのだ。……富士川以来、平家は逃げ上手。あなたを見ろ、かすかに、人馬の気配が夜気をさわがしておる」

行家が、馬上でいうと、

「さこそ、時を措いては」

と、光家、浅羽五郎など、まなじり上げて、また駆け出した。

「そうだ、逃ぐる敵に、いとまをかすな」

行家も駒をとばし、相良安正も、あとから続いた。

まんまると陣をとった敵の平家が、広いやみを占めて、さらに黒々と、うごいていた。

「しめた、敵は、わが手のもの」

行家は、そう思った。

窮地に怯んでいる敵を、捕捉したと考えたのである。

そこで、義円の別動隊へむかって、火合図を揚げた。

ところが、それこそ、かれら自身の陥穽だったことを、すぐ思い知った。前面の平家勢は、一せいに矢風をひらき、烈しさといい、尽きない矢の数といい、決して、怯んでなどいる戦意ではない。

もちろん、源氏がたも、射返した。

行家は、なお、見くびっていて、

「このやみ夜では、むだ矢が多い。光家、斬りこめ」

光家の隊や、浅羽五郎の手勢け、敵へ迫った。矢いくさは、それをきっかけにやみ、平家がたは、退き足をみせた。

「平家は、富士川の二の舞ぞ。機をはずすな」

行家自身も、いつか、深入りしていた。

瞬時の後には、かれの姿も声も分からないほど、まったく乱軍になっていた。勝ちほこる影のすべては、平家がたの武者だった。

すでに、後ろへまわっていた平家の一軍と、べつの一軍との、三面から討ちたたかれて、行家以下、もう、袋の鼠だったのである。

揉み合う咆哮と咆哮のあいだに、すぐ幾十人もの落命者や、手負いが出た。太刀、長柄の光が、蛍のかたまりのように、渦まいては崩れ、いたる所、血と刃金のひびきを発した。

そのうちに、異様な叫び声を交わしながら、一団、また一団の騎馬武者たちが、もとの墨股川の方へ、馬蹄の地鳴りをたてて逃げ出していた。

「しっ、しまった。ひとまず退けっ」

中に、十郎行家の無念そうな声も流れた。

しかし、川原まで来ると、ここにもまた、べつな平家の一手が、弓をならべて待っていた。射落される武者、空背になって流れに狂う馬、昼ならば、水は血に染って見えたであろう。惨として、面もむけられない。

おりもおり、やや下流の中ノ洲から、源義円を人将として、泉太郎重光を副将とした四千騎が、こうとも知らずに、渡河して来た。

「遅い。もう、時は去った」

行家は、歯がみをして、

「返せえっ。引っ返せっ」

声のとどくはずもない。左右の味方は、逃げるに急で、盲目的に、みな、川へ馳け入って行く。

平家がたは、重衡、維盛の本軍。清経、有盛の上流軍。資盛、忠房などの下流軍。

——すべて、その両翼をちぢめ、このとき、乱れたって逃げまどう源氏を捕捉して、痛烈な殲滅を加えてきた。

泉太郎は、川の瀬で、平家の平盛久と組んで、盛久に首をかかれ、弟の七郎丸も、大勢に追われて、討死した。

行家の子、太郎光家は、悪七兵衛景清に討たれ、二郎行宗も平家の盛嗣（もりつぐ）、忠光などの兵にかこまれ、ついに生捕られて、しきりに「父上っ父上っ」と、さけんでいた。

その声も、父行家の耳には聞こえなかったであろう。——かれはもう遠くまでのがれていたが、馬の脾腹（ひばら）に、流れ矢が立ったとたんに、馬上から水中へ投げ出され、泳いで、川洲の一角へ、はい上がっていた。

行家は、跛行（びっこ）で、片足が自由でない。そのため、馬を失うと、たれよりも、逃げおくれてしまった。

——が、ようやく、足近（あちか）の岸へ上がって、味方をかえりみると、三千の兵がわずか二、三百しか見えなかった。もちろん、討死したのも数知れないが、多くは、離散してしまったらしい。下流、上流方面を、なお思い思いに逃げ渡ってくる味方の影がながめられる。

「ひとまず、柳津（やないづ）の本陣まで」

と、行家は、郎党の馬に乗って、もとの屯営（とんえい）まで、引き返した。

ここへは、なお続々と、敗走の味方が、集まった。しかし、ついに泉太郎兄弟も帰らず、光家、行宗の二子も姿を見せず、やがてまた、逃げなだれて来た一団の味方は、

「卿（きょう）ノ公義円（きみぎえん）どのにも、墨股（すのまた）の下（しも）ノ洲（す）にて、敵の少将資盛（すけもり）どのの伏勢に待たれ、さんざ

んに、敗れたあげく、ついに、資盛どのの手にかからせ給うて、あえない最期をおとげなされました」

と、泣く如き声で告げた。

「……な、なに、義円どのも、お討死だと」

行家は、茫然としてしまった。

山岳遁走

平家は、追撃をゆるめない。

暁のころを待ち、弓矢を調べ、腰兵粮をつけ直して、全軍、川を渡りはじめた。

一応、馬や弓矢を整え、朝空を見てから進撃し出したのは、悠長に似ているが、渡河には、充分な要意と覚悟がいるのである。——行家のやぶれは、軽忽にも、ただ奇略をたのんで、それの要意もなく、大河をうしろにしたことにある。

「柳津の敵の営所には、行家以下、はや一影の敵もみえませぬが」

物見知らせを聞いてから、重衡は、はじめて、全軍に、急追を命じ、

「追えや、人びと。敵はしどろに東へさして逃げたるぞ。きょうこそは、新宮行家の首を見るだろう」

と、いった。

武者は、先を争って、驀走した。「われこそ」と、行家の首を、賭け物のように、たれもが、功名心のなかにえがいた。

一ノ宮をすぎ、下津村と四家附近で、敵の一団をもう見つけていた。しかし、それは馬を持たない雑兵の群れであり、撃って取るのも哀れなほど疲れきっていた。

多くは、降伏し、あとは、まばらに、附近の山や農家の間に逃げちった。「追うな、追うな。雑兵に眼をくるるな」と、たれからともなくいいはやされ、平家の騎馬勢は、わき眼もふらず、清洲川まで迫った。

ここで、さらに、源氏方のくずれを捉え、ひと合戦はあったが、ついに行家は、見出せない。

夜は、枇杷島に陣し、あくる日、鳴海へ。そして数日の後には矢矧川まで追ったが、

「うかと、深入りはなりませぬぞ」

と、先駆の物見隊が、引き返して来て、こう告げた。

「矢矧の東には、鎌倉勢が来ております。それも少ない兵ではありませぬ。主なる大将には、和田小太郎義盛、岡部次郎忠綱、狩野五郎親光、宇佐美三郎祐茂、土屋次郎義清殿など、名だたる敵方の勇士もありと見うけられまする。――ゆめ、ご油断は、相なりません」

「さては、鎌倉の援軍よな」

いずれは、それとの会戦の日は、胸に期していたところである。

しかし、ちょうど、その前々日、都の宗盛から、陣へ、急使が来ていた。

（——大相国の御遺言もあること、余りに、東国へさして深入りするなかれ。かつは、相国亡きあとの議目も山ほどあれば、乱、一定の後は、すみやかに軍を回して、帰洛あるべし）

と、いうのであった。

資盛、有盛たちは、

「ここまで、追いまくって」

と、残念がり、また、

「鎌倉の援軍をみて、にわかに、軍を回しては、またぞろ、富士川のときのように、敵の笑いぐさに誹られもせん」

と、それとの一大決戦を主張したが、

「いや、ここは、功に逸るところであるまい」

と、重衡も維盛も、おなじような意見を説いた。

それは、美濃や尾張も、いまは昔のようではない。たれが源氏やら平家やら、ときによって、どっちへも、裏切って来そうな日和見武族が少なくない。

伊勢からも、雑多な人間が、はいり込んでいるし、源氏の潜兵が、海から上がって来る惧れも多分にある。

また、何よりは、都に遠ざかるほど、兵粮の補給が、むずかしい。——もし後ろを断たれ、前には鎌倉勢が、長陣の構えをとったら、ついに、味方は孤立化するであろう。

「……無念といえば無念。ここまで来て、可惜と思えば、限りもないが、相国の墳墓にも、まだ、ぬかずきもしておらぬわれら。ひとまず、都へ引き揚げよう」

ついに、評議は、それと決まって、一万の旌旗は、その日の夕方から、西へ遠く退きはじめ、まもなく、都へ凱旋した。

行家は、今はわずかとなった残余の兵にまもられて、からくも、もとの居館の地、蒲郡へたどりついた。

ここまで来れば、まず、ほっとした思いではあったろう。――平軍も矢矧川をさかいに追撃をやめ、西へ引き揚げたとわかった。

「しばらく、再起はおぼつかない」

門をとじて、かれは、寝こんだ。事実、落馬したときのうちみや、すり傷やら、心身の挫折とともに、起きていられないほどだった。

けれど、もちまえの才気は、これほどな打撃にも、そして、横臥の身になっても、あたまに、休むひまもなく、

「なんとか、この汚名をそそがねば」

と、あせりぬいた。悶々と、悩みに悩んだ。

――思えば、憤ろしいことばかりである。

我慢ならないことは、現に、矢矧まで来ていた和田、岡部、土屋、狩野なんどの鎌倉勢が、自分への、冷淡な態度であった。

かりにも、味方の援軍ではないか。おなじ源氏ではないか。と行家はおもう。

かれらの陣に出会ったとき、正直、行家も、地獄で仏の思いがしたので、さっそく、部下を走らせ、

(お馳けつけ、かたじけのう存ずる。残念ながら、行家も傷を負い、手勢も、あまた四散いたし、陣備えもむずかしゅうござれば、ひとまず鎌形まで引き退がり、手兵をまとめて先頭に立ち申すべければ、その儀、何とぞ悪しからず)

と、あいさつさせた。

しかし、かれらの陣からは、なんらの答礼もなく、また、敗残の行家の兵馬に、援けもない。

ただ一言、

(さっさと、お通りあれ)

と、あだかも、邪魔者を追い払うような語気があっただけだという。

いや、和田義盛だの岡部忠綱だの、いまを時めく鎌倉殿の幕下の者には、おそらく、行家など、眼中にないといっていい。

「ああ、負けたみじめさだ」

行家は、すべてを、鎌倉殿の意志と解した。あの底冷たい頼朝の顔が眼にうかぶ。

援軍はよこしたものの、なんと遅い到着であろう。それは、この行家を助けるものではなく、むしろ、行家を〝追い落し〟にかけたものではないか。

かれは、ひがまずにいられない。――で、なくてさえ、前々からの行きがかりもある。

「いまさら、鎌倉へ、あたまを下げて行きたくもない」

しょせん、旗を巻いて、一時、熊野へ帰ろうか。

そうも、惑(まど)うし、

「敗れて、ふるさとの地に帰るのも」

と、思い直されもする。

いつか、春も暮れ、五月は、近づいた。

このふた月ほどの間に、郎従の数も、ほとんど、身辺から消えてしまった。「見込みがない」と思う主将に、なお、付いている人間は少ない。また、もともと烏合(うごう)の衆でもあったのだ。

「そうだ。このうえは、木曾冠者とともに、大事を、なし遂げよう。もともと、話せる男は、鎌倉殿よりは、木曾殿だ。まだまだ、わしの活路は、そこにあろう」

行家は、おもい出した。

さきに、墨股(すのまた)から信濃の義仲へ、使いをやってある。義仲は、自分の忠言に、感謝してきた。「義仲の許へ身を寄せよう」かれは、いよいよ腹をきめた。

五月にはいるとまもなく、かれは、鎌形の館を、夜逃げ同様に脱け出した。郎党わずかをつれて、山づたいに、遠州から伊那へ落ちてゆき、そして、

「木曾殿には、今、どこに陣しておられるか」

を、まず探った。

踊りの輪

義仲は、この幾月かを、上野と信濃の境、碓氷峠の上に拠って、東国のうごきを見ていた。

しきりに、坂東地方は、もの騒がしいが、それは、常陸先生義広の反乱によるもので、

「——ここまでは、頼朝とても」

と、ひとまず、かれは、猜疑を解いた。

いま、諸州の源氏は、一せいに起ったが、頼朝を中心に、結ばれたものではない。平家を討つ目的は、ひとつであったが、頼朝は頼朝であり、義広は義広であり、また、木曾義仲も、独立独歩の義仲なのだ。

平家は一門ことごとく、一心同体の平家だが、源氏は、一蓮托生の仲ではない。第一、おたがいの間に、生い立ちからの親しみもないのだった。——義仲は頼朝を疑い、

頼朝は義仲を危ぶみ、ややもすると常陸の義広とおなじような、味方割れになりかねない。

「依田へ帰ろう。東国はおれの目標ではない」

かれの烈しい意欲は、つねに、殻を破りたがっている。——木曾、信濃というこの山国の殻をである。

その突破口として、義仲がひそかに既定している方向は、北陸道だ。北陸から都へ攻め入る道のことを、夢寐にも忘れたことはない。

「こうしているまに、先に、鎌倉の頼朝に、都入りを先んじられては」

かれのあせりは、酒に堕しやすい。依田城の毎夜は、酒もりだった。

信濃の月のよさ。座の左右には、かならず巴がいた。葵もいる。

すると、五月の半ばごろ。

越後国府（直江津）の城ノ四郎資茂（長茂）が、ふたたび、木曾征伐をとなえ、大軍を催して、善光寺平へむかっていると、早馬があった。

「ござんなれ、国府勢」

気だるい夏の日、遠雷を聞いたように、義仲は、手に唾して、千曲川へ、陣をすすめた。

ところが、これも、風説にとどまって、城ノ資茂の軍は、ついに影を見せなかった。

「敵も一期の大事と、入念に、さぐりを入れているものでおざろう」

樋口兼光や、栗田別当範覚（くりたのべっとうはんかく）はいった。

そして、義仲がしきりに、「われから、越後へ討って出ん」と逸る（はや）のを抑えて、

「まずは、千曲の月見に出たと思し召して、ここはしばらく、敵の出方を見ておるべきです」

と、かたく諫めた（いさ）。

義仲の覇気（はき）と若さとは、つねに、何かに燃えていなければおさまらない。滞陣中の夜々は、千曲の流れに、幾百点のかがり火をつらね、

「こよいは、葵の舞を見ようよ」

と、月下に興じ、次の夜は、

「巴の笛を聞こうぞ」

と、川原草の咲きみだるる夜露の陣に、酔い伏した。

かれは、だだっ子である。まだ、山出しの御曹司（おんぞうし）そのままだ。いとしい、お可愛いと、葵の眼にも巴にも映るらしい。

ふたりの女武者の介抱にまかせ、露の陣幕（とばり）は、中軍の、さらに離れた一囲いのうちにあった。そして鉄甲の守兵が、夜もすがら、遠くを巡りあるいていた。

「しょせん、待つ敵は、出ても来ぬ。あすは、依田へひき揚げよう」

千曲を去るさいごの夜だった。

巴は、木曾の里から連れて来た女兵ばかりを、川原に立たせて、木曾唄をうたわせ、鄙びた山家踊りを、踊らせた。それらの女兵たちは、ある者は巴にかしずき、また、針女、洗ぎ女、炊ぎ女などの役をしている娘子軍ともいうべき、木曾勢特有なひとつの色彩だった。

「やあ、目覚ましい。葵に仕える女たちも、負けてはおれまい」

義仲は、ひどく興に入った。葵付きの娘子軍も、競い立って、伊那の歌、伊那の踊りに立った。

伊那組の踊りの輪と、木曾組の輪とが、月の下に、手振りをそろえ、ゆるい流線や、さまざまな人間模様を描いた。義仲は、うつつもなく、歌拍子にあわせて、具足のひざをたたいていた。

樋口、今井、楯、根井などの四天王をはじめ、義仲が股肱の諸将も、手拍子打って、踊りにあわせ、思わず、更けるのもわすれていた。

「——やっ。あの叫びは」

たれかが、ふいに突っ立ち、とたんに、旗もとの数名が、そこらのかがり火を、ばたばたと、蹴たおした。

——煙る。暗くなる。踊りの輪が、一せいに崩れ、わらわらっと、女兵たちは、逃げまどう。

「敵かっ。——敵の諜者か」

長柄をとった武将たちが、義仲や巴や葵をうしろに、鉄壁を作って、何か、烈しい人声と、跫音のした方へ、どなった。

すると、その声を目がけて、かなたからも、

「おうっ……。木曾殿は、そこにか。……われらは、決して、怪しい者ではない。まず、身を自由にしてくれい。こう、きき腕をねじ上げられていては、何もいえぬ」

と、わめいて来る者があった。

見ると、十人ばかりの主従らしい一群が、味方の兵にとり囲まれてくる。中の一人は、その先頭に、両のきき腕をねじ取られて、のめるように、追い立てられて来たのだった。

「なんだ、その人間どもは」

「国府勢の諜者か、都のまわし者にちがいありませぬ」

「陣中を、うかがっていたのか」

「そうです。ところが、苦しまぎれか、異なことを叫びますゆえ、ひとまず、おん前にしょっぴいて参りましたので」

「異なことを申すとは？」

「さっ、そこで申し上げてみろ」と、兵は、捕えていた者の背を押して、武将たちの足もとへ突きとばした。

片足が悪いらしい。

ぺたと、その人間は、地へすわってしまった。そして、はらはらと、落涙する容子だった。

「あわれ、新宮十郎行家ともある者が、木曾殿の前に来て、かかる辱めをうけようとは。ああ、われながら、みじめな姿ではある」

空を仰いで、いうのである。

「や、や」

うしろにいた義仲は、つつと、前へ寄って来て、

「ほんに、御辺は、行家殿ではないか」

「行家ぞ。行家でのうて、なんとしよう」

「あっ、どうして、叔父御には、そのようなお姿で……」

「まず、そこらの、盲のような雑兵どもを、退けてくれい。いや、なんぼうにも、このような目に遭おうとは思わなんだぞ。――木曾殿、よもや、おん身は行家を、忘れはしまい。宮の令旨をたずさえて、源氏のため、諸国を憂き苦労して馳けずりまわったこの十郎行家を」

「なんでお忘れ申そうや。……やおれ、おろかな雑兵どもめ。このお方こそは、おれの叔父御じゃ。いかに、陣の守りに気が立っていると申せ、怪しの者ではないと仰っしゃっているのに、なぜ、手荒な目にお遭わせしたぞ」

義仲は、しかって、

「やくたいもないやつらめ、遠くへすされ」

と、雑兵たちを、追いやった。

そして、巴と葵に、

「そなたたちも、まだお会いしておるまいが、わしの叔父御にあたる新宮行家殿と仰っしゃるお人、だいぶ、お疲れのようにもみゆる。ひとまず、あなたへお連れして、何かと、宥(いた)わってあげるがいい」

と、いいつけた。

朝めし前

いつも義仲の寝(やす)む陣幕(とばり)のうちに、その夜だけは、巴(ともえ)もみえず、葵(あおい)も侍(かしず)いていなかった。

夜すがら、義仲とひざぐみで話しているのは、十郎行家の声らしかった。

「いや、長々と、つまらぬ愚痴を、お聞かせしたの。ところで、どうじゃな、行家が身を、ひとつ御陣の列へ、加えてくれぬか」

「よいとも。味方はいくらでも欲しいところ、かつは、ほかならぬ叔父上のこと」

「たのむ……」と、声を落して「いかんとも、鎌倉殿には、もう二度とは、会いとうない。御辺なれやこそ、こうして、ひざぐみで、親しゅう愚痴も聞いてくれるが」

「ははは」——何がおかしいともなく、義仲は笑い出して「叔父御もちと、欲やら愚痴やら、過ぎるのではないかの。鎌倉殿とて、そう分からぬ男でもあるまいに」

「いや、分からぬお人よ。——と申すよりは、はや事成就と、思いあがって、行家など、目のうえの瘤と、思うておるのかもしれぬ」

「それや、そうだ！」

「え」

「ははは。それやそうでおざるよ、叔父御。もし、叔父面などし召されたら、義仲とて、小うるさいわ——。どこへなと行って、所領でもなんでも、斬り奪り勝手に召されよと、おれでもいわぬこたあない」

「いやいや。和殿のごとく、そう、竹を割ったようにいうなれば、わしとて、なんで恨もうか。鎌倉殿の応対はちがう。——墨股の敗戦も、わしを窮地に追い落し、どうだ、といわんばかりなお肚なのだ。ひとり鎌倉殿ばかりでなく、和田、土屋、岡部などの、幕下までが」

「それも仕方がおざるまい」

「なんで」

「いくさに負けては、理も非もない。世に、敗軍の将となっては」

「ウむむ。そのことは、骨髄にこたえ申した。わずかな郎従をつれたのみで、山また山を、これまで参る難儀にも」

「分かりきったこと。いくさをしたら、勝たねばだめだ。金輪際、勝たねばならぬ。叔父御のように、ひとを恨み、ベソをかいても、追いつくまい。もう、およしなされ、ベソと愚痴は」

ずけずけというのだが、なぜか、義仲へは腹が立たないのだ。行家は、ふしぎな心理だと、自分でも思う。

「もういうまい。つい、心のどこかに、まだ、墨股で死なせた光家、行宗のふたりの惜しさが疼いていてのう……。子を思うたび、つい愚痴も出ようというもの」

「おお、御子息ふたりまでも、討死か」

「弟の行宗は、年も、御辺とちょうど、おなじころの」

「身につまされる。そのおはなしは、もうよそう。何はともあれ、叔父御のおからだは、ひきうけた。それで、よいのでおざろうが」

「かたじけない。この通りぞ」

幾山河、ここまで来て、初めて安住をえた心地と、うらぶれた敗軍の将のもろさから、行家はつい眼をあかくした。するとその顔の前で、義仲は、身伸びをするときのように、大きく胸を反らし、そして、欠伸まじりの声でいった。

「ええ、水くさい。およしなされい、そんな行儀は。……はて、だいぶ眠とうなったわ。叔父御も、寝屋にはいったがいいぞ」

いうともう具足のまま、ごろりと横になって、てんで、相手にならぬ義仲であった。

この不作法にも、行家は、かえって、何やら心が軽くなり、静かに、囲いを退がって来た。

外には、ふた重も三重もの陣幕がある。深夜のそよ風に、ふわふわと、ふくらんでいた。すると、そこの幕の通い路を、たれか、紙燭を袖にかこいながら来る人影があった。

行家は、えならぬ薫りに、振り向いた。紙燭の人は夜化粧をした男装の巴ノ前であったらしい。かれの影には気もつかない容子で、義仲の寝屋の内へ吸われるように隠れていった。

むなしく、依田へ引き揚げてから、十日も経ないうちである。

「城ノ長茂の越後平家、二万騎が、一方は高井、須坂道から。また一方は柏原を越えて、雲のごとく善光寺平にあらわれ、諸所に放火、狼藉を働き、なお続々兵を増して来るやにございまする」

六月十三日の真夜なか。

依田の城門を打ちたたいて告げる善光寺僧の早馬だった。

「来たか、ついに」

義仲は、寝衣のまま跳ね起きた。黒木の丸とよぶ一殿の広縁に出て、

「こよいの宿直がしらは、たれか」

と、ひとつに起きてきた巴をかえりみた。

「楯六郎でございましょう」

「六郎親忠か。――やい、親忠、親忠」

と、廊口の方へ、大声で呼びたて、姿を見ると、

「陣触れをつたえろ。暁天の陣立ちだぞ」

「はっ」

「腰兵粮、もちろんのこと。みな、腹いっぱい食うて立つのだ」

親忠の跫音が遠ざかると、

「巴。――具足、よろいを」

次の簾の蔭で、

「これへ、御用意しておりまする」

それは、葵の声だった。

葵は、いつのまにか、華やかに身をよろい、小薙刀さえ、わきにおいていた。

「や、葵か。小気味よいぞ」

義仲は、かの女の機敏さを、賞めそやした。

鎧下着やら具足をまとっているまに、巴もおくれじと、身支度をすました。もう、広縁や階の下には、股肱の臣も続々と、詰め合ってくる。

やがて、朝餉の膳にむかい、箸をとりながら、義仲は、広縁の今井兼平、樋口兼光な

どを見、ムシャムシャと飯を食いながら、話しかけた。

「——思うに、おれどもは、ちと、抜かったな」

「何か、御不覚を、なされましたか」

「城ノ長茂めに、一ぱい食わされたものと思う」

「はアて、何ゆえでしょう」

「いちど、千曲まで出陣しながら、依田へ帰ったのは不覚だ。さきに、国府勢がうごいたとのうわさは、やはりほんとうだったのだろ。——待ちしびれて、退いただけ、敵に先を取られたと申すもの」

「いやいや、越後平家が、信濃平へはい出たのは、いわば蛇が穴を出て来たようなものでおざる。敵の放火狼藉に、多少、在所の民家は荒されましょうが、麦も刈り入れのすんだあと」

「地の利はわれにありというのか」

「われにとっては、またなき倖せ、敵にとっては百年目と申すもので」

「よしっ、国府勢幾万たりとも、木曾男児のおことたちに、その意気だにあればよい。朝飯前ぞ」

箸をおいて、義仲は、廂ごしに、大浅間の方の空を見た。

六月の朝まだき、義仲と、股肱の諸将以下三千七百騎は、滝つぼをあふれた奔河となって、依田の城から、佐久高原を馳け出した。

城内の男女、すべてをあわせ、これが木曾一族の全部だった。

これまでの、市原野の合戦、上野国（こうずけ）の討ち入り、碓氷（うすい）の滞陣などには、なお一部の兵力は依田に残したものである。しかし、こんどは童（わらべ）武者ひとり留守に残さなかった。あとを空き巣として、みな出たのである。「死なばもろとも、勝たば、依田など、ほんの捨て城――」という義仲の気もちだった。

およそ戦（いくさ）に向かって、城門を立つさいには、

（あわれ、ふたたび、われらをして、ここへ凱旋（がいせん）させ給え）

と、諸天へ祈るのが、武人のつねだが、義仲は振り向きもしない。そして、駒をそろえて馳けつづく、巴、葵の二人や、四天王の輩（ともがら）をかえりみて、

「願いは、依田へは帰らぬことだ。いや、誓って二度と帰るまい。浅間の山は、幾度も見ようが、まず、義仲が依田に住むことは、二度ないぞ」

朝風の中で、いいながら、からからと笑った。

露（ろ）団（だん）々（だん）

浅間を後ろに、千曲上流に添って、蟻（あり）のような列伍（れつご）が、北国路を、えんえんと西北へ続いてゆく。

桔梗色（ききょういろ）の空の下。

小県の山々だの、烏帽子岳、虚空蔵山などが、狭ばみあう小平野に、やがて聚落が見えた。上田の宿である。

「待たせられい。やあ、待たせられい」

辻に馬を立て、来かかる先駆の武者へ、こう、手を振った僧侶がある。

「何者?」

と、殺気走った眼が、かれをとりかこんだ。しかし僧は眼もくれなかった。あとの甲冑群へ向かって、

「小木曾の萱御所より参った覚明でおざる。大夫坊覚明にて候う。にわかなことあって、お国元よりお使いに馳けつけて候う。——殿は、おわさん。樋口殿や、巴御前は、いずこに」

と、大声で、呼ばわりぬいた。

「や、あれに、覚明どのが」

巴が、義仲に教えた。

「おう、違いない。大夫坊よ」

義仲も巴も、すぐ駒をとび降りた。

大夫坊は、馳け寄って、ひざまずき、

「おりもおり、御出陣のおかど出とは」

「国元に、何事が、起こったか」

「じつは……」

いい籠る容子は、吉事ではないようだ。しかし、告げぬわけにもゆくまい。覚明は、もだえている。片手を、地につかえ直し、地を見ていった。

「――御病中の大夢殿には、にわかに、み気色が変り、あえなく、お亡くなり遊ばしました。六月九日、宵のころに」

「えっ、父が」

巴は、さっと、唇の色を失くし、睫毛のふるえに、涙をみせた。義仲も、愕然として、

「なに、なに。中三殿がお亡くなりなされたと。……ちぇっ、よもや、さまでのおん病とは、思わずにいたが」

――剃髪して、大夢と名をあらためた中三殿は、義仲には、育ての親、巴には生みの親、驚きは、むりもない。

樋口次郎兼光も、今井四郎兼平も、ともに中三殿――中原兼遠の息子たちなのである。

うしろの方で、かくと聞いた二人もまた、あわただしく馳けよって来た。

「覚明どの。国元の父上が死なれたとは、まことか」

「おお、御子息がたでおざるか。かかる日の途中、お伝え申すも、胸いたき心地なれど、ついに、御養生のかいもあらせられず……」

「さりとは心残り。ふるさとの空、老父の朝夕、思わぬ日もなかったが……」巴も、われら兄弟まで、おん枕べに添いもせで」

兼光が嘆くと、弟の兼平も、

「なんぞわれら兄弟へ、御遺言でもあらざりしか。いまわの御容子はどう、あったぞ」

と、こもごもたずねた。

この間にも、後陣は後から後からつづいて来る。淀みあい、ひしめき合い「何事やらん？」と、遠くからここの主将たちの様子を、案じ顔と、身伸びをもって、見るのである。

義仲は、自己の悲しみよりは、士気の銷沈をおそれた。全軍の将士に「不吉な前ぶれ」と感じさせては、事重大だと思う。かれ自身でさえ、その不吉感に、否みようもなく、襲われている。

「大夫坊、ご苦労だった」

こういうと、義仲は突然、鞍の上へ跳ね戻った。そして特に大きく手綱構えを姿に持って、

「やいやい。いつまでも、泣き暮れているな。中三殿には、こたび木曾勢が一期の平家征伐とて、われらに先駆けし給うたものと思わるる。死のうは一定、こうぞと、先駆けなされたのだ。あすはわが身かもしれぬ。泣くこたあない。……巴っ」

「はいっ」

「そなたは、ここで陣を離れ、大夫坊とともに、小木曾に帰れ。せめて父御の後弔いなとして戻るがいい。兄も行け。兼光、そちも巴と一しょに行ってやれい」

すると、巴は、義仲の鞍わきへ、馳けよって、あぶみへ、しがみつくように、その人を振り仰いだ。

「いやです。父の弔いは、戦場の働きを手向けといたしまする。軍立ちのわが夫と途に別れて、国元へ帰っても、亡父もよろこびはいたしません」

「うむ、けなげなことだ。では、兼光ひとり参れやい」

「こは、情けない仰せかな」と、樋口次郎は、色を面に燃やしていった。

「妹の巴すら、あのように申しますものを、何条、それがし一人が」

「さらば、父の死も、余所語りにして、今はただ、驀しぐらに、戦に行くか」

「こたびの一戦こそ、木曾が浮くか沈むかの大事です。平家との弔い合戦。これで十倍も百倍も、勇気が奮ってまいりました」

「気に入った、それよ」

義仲は、あぶみに足をふん張り、身を後ろへ、ねじ曲げて、

「聞いたか、者ども。われらの親御様、まった木曾の大親、中三殿には、いぬる九日の夜、亡せ給うたと、今、大夫坊覚明の使いなあったれど、巴も兼光も、国元へは行かぬと申す。中三殿の弔い合戦、越後平家を、木っ葉みじんとなして、御供養に奉らんと誓

うたるぞ。……いで急げ、いで戦わん」

と、全軍のうえへ、どなった。

将士の答えは、波となって、長い列から、うねりを揚げた。

そのとき、大夫坊覚明もまた、

「野僧も、このまま、おん弔いに加わらん」

と、馬にまたがって、義仲のあとに、馳けつづいた。

諸将の心を悲調なものとし、全軍の兵にも、それを映じた。かどでの不吉感は、かえって、虚空のふもと、坂城の宿もすぎ、やがて戸倉の部落。

この辺まで、北国路は、ほとんど、降りばかりである。――兵も駒の足も、千曲の流れの急にも似て、それにも劣らぬほど速い。

木曾三千七百騎。生死一如、露団々。――義仲以下、葵ノ前、巴御前、樋口、今井、楯、根井の四天王。また大夫坊覚明、栗田別当。

さらに、落合兼行、小諸忠兼、望月光晴、多胡家包、物井五郎、井上光基、海野幸広、諏訪次郎、高梨高信、手塚別当、那波太郎、佐井七郎などの、旗もと、侍大将の面々も、あとから、あとから、馳けつづいた。

まもなく、視野は急にひらけ、千曲の水の果て、善光寺平の野末まで、かすんで見えてきた。

聞こゆる木曾を眼に見ばや

城ノ四郎長茂は、資長の弟である。

兄の資長は、さきに木曾征伐にむかう途中、病をえて、引っ返し、まもなく、病歿した。

〃余五将軍〃以来の名家の名——白川の御館は、長茂にひきつがれ、また、都の使者は、「越後守に任じ給う」の宣旨をかれにもたらした。

そして、しばしば、

（乱賊木曾を討ち平らげよ）

との、催促であった。

特に、入道清盛の死が、世上へくまなく知れわたった後は、平宗盛の名をもって、

（木曾乱行のきこえ、いと喧まし。いまは猶予あるなかれ）

と、督戦は、一再でない。

もとより、新たに、越後守の任を拝した長茂は、戦備に怠りなかった。

いったん帰国した会津四軍の軍勢をよび返し、信濃のうごきをうかがわせていた。

「さきごろ、木曾は一度、千曲まで、陣を構え出していましたが、またぞろ、依田の城へひきあげ、連夜、酒歌に呆うけておりますげな」

笠原平五頼直は、部下の偵察を、そのまま、長茂の耳にいれた。

頼直は、信濃の事情に、明るかった。元は、信濃の住人で、義仲のため、所領を失い、越後へ落ちて来た者だった。

「よくよく、探らせますに、木曾木曾と、人は木曾次郎義仲を、そら怖ろしげに中しまするが、まことは四千にも、足らぬ小勢のよし。ひとたび、国府のお勢いをもって、出で給わんには」

と、かれもまた、出軍の機なることを説いた。

越後、会津四軍の全兵力、六万と称するものが、関山の国境をこえ、信州へ出たのが、六月十日前後。

おそらく、実兵数は、二万程度か。

いたる所を焼き払い、善光寺諸坊も占領し、千曲川の西岸、横田川原に、陣をしいた。

しかし、これまでは、敵らしい敵にも出会わず、ほとんど、無人の境を行く勢いであったから、越後守長茂も、

「なるほど、沙汰ほどでもない」

と、ようやく、相手をあなどる風を生じた。将座に腰かけて、屋代、松代、稲荷山にわたる山国の平野を見わたし、

「いっこう、源氏は見えぬではないか」

と、左右をかえりみて笑ったりした。そして、

「はや出でよ、はや現われよ。――聞こゆる木曾を眼に見ばや」

と、豪語したということである。

だが、このころすでに、義仲は依田を出ていた。

けれどかりに、国府勢二万としても、木曾はその四分の一にも足らない。

敵の布陣に、布陣をもって、ふつうの弓合わせや、白兵戦を挑んだところで、勝ち目のあるはずはなかった。

かれは、白鳥川原に、兵をとめた。

一夜を明かし、有明八幡にぬかずいて、

「勝たしめ給え」

と、巴や葵と、一しょに祈願した。

物見によると、

「ここに、長陣は、危のうござる。どうやら、敵の一軍は、山越えして、上田へ出たかに見られまする」

と、しきりに、後方の懸念をいう。

いや、更級郡の鳥坂越えにも、一隊の敵が、高所から平野を見おろしているとか。

――それもけさ、かれは耳にしていた。

「いわば、おれどもの軍は、敵の眼には、取るにも足らぬ小勢よ。だが、この小勢は、

ただの小勢ではないぞ。もともと木曾の峡を出たときは、六百人から七百人ではなかったかよ」

楯六郎が、何か、その日、一策を献じた。

「うむ、それもおもしろい」

義仲は、うけ容れたが、

「――その奇略を行うまえに、いちどは、わざと、当っておくがいいだろう。樋口、今井、根井などは、こうせい」

べつに一計を立てて、夕刻、白鳥からさらに陣を北方へ進めた。

敵の横田川原の大陣地は、もう、かなたに見える。

次の日は、終日にわたる激戦が、くり返された。

とはいえ木曾方は、出ては退き、攻めては退き、努めて、兵を損じまいとする風であった。

（――聞こゆる木曾を眼に見ばや）

と豪語した越後守長茂も、まだ、山岳隊の味方が、敵のうしろへ出たらしい合図がないので、

「弄っておけ」

と、主力を用いて来ないのである。

二日ほどは、一進一退の、戦いだった。木曾の潜兵千騎が、有明から妻女山の東をこ

え、牧島の下流を渡って行ったのは、三日目の夕方だった。

横田川原からは、半里も先の下流である。抜かりなく、国府勢は、そこにも一陣を張っていた。

「や。あれは、どこの兵ぞ」

長茂の臣、関山入道善永がすぐに見つけ、

「油断すな、弓を張れ」

と、味方へどなった。

駆けて行った二、三騎は、すぐ取って返し、

「いや、いや。あれへ渡って来た人数は、赤き小旗をかかげ、みな赤き符を袖に付けた平家武者でございました」

「なに、平家方だと」

「問い糺しましたところ、これは北会津の耶麻郡の奥より参った安達平三、小出興次などの与党にて、国府のお召し状あるも、地の遠きため、馳せおくれ、難所折所を越え、いま到着して候う、と申しおりまいた」

「北会津の山武者とな。ならば、通して仔細はないが、いまごろ、のめのめと遅い参陣。……待て、待たせておけ。かしこの川原に」

入道善永は、馬をとばして、本営へ駆け、そのよしを、長茂の耳へ達した。

やがて、長茂の許可のもとに、かれはふたたび、牧島へ帰った。待たせておいた山武

者の一隊を連れ、横田川原へ送り届けたのだ。

夜はもう、二更を過ぎている。善永入道は、自分の持ち場へ、すぐ駒を返していた。するとその途中、ただならぬ叫喚を、いま出て来たばかりな本陣の方に聞いた。振り返ってみると、横田川原は、一瞬のまに、火にくるまれているではないか。しかも、生やさしい火の手ではない。数箇所から燃えあがり、それが、四山の吹きおろしにあおられ、千曲の長流まで、火の色になっていた。

うまうまと、敵の柵内へはいった楯六郎親忠は、越後の野尻久盛が、

「ここに控えていよ」

と指定した陣地の一隅に、部下千人とともに、うずくまっていた。

これを、味方とばかり信じて、国府勢は、およそ、気をゆるしていたらしい。――木曾の潜兵、楯親忠、海野幸広、落合五郎以下にとっては、「天の加護」と、いいたい思いだったろう。

つかのま、あたりに人目もない。諸所の陣屋篝りのほか、やみは濃い。

「首尾はよいぞ」

眼と眼が、うごき合った。

かれらは、赤の小旗の代りに、源氏の白旗を取り出した。赤い帛地を、むしり捨てて、白布を腕に巻いた。

そのとき、さっきの野尻久盛が、

「耶麻郡の者ども——」と、ふたたび姿を見せ「——一族中の主立ちたる者だけ、それがしについて、御前へ罷れ。大将軍のおん仮屋にて、お目通り給わるであろう」

と、つたえて来た。

「かたじけのうおざる」

六郎親忠、海野幸広などの五、六人は、一しょに立った。そして、一せいに太刀を抜き払い、第一に久盛を斬った。久盛の郎党は、「——わっ」と、絶叫しながら、逃げ散った。

追う影、八方へ散らかる影。黒いつむじが起こった。木曾の潜兵の大半は、火放け玉とよぶ油脂びたしの火具を持っていた。柵門の篝火、陣屋陣屋の篝火、それが、蹴ちらされ、燃えいぶる煙の下から、べつな火の手が、各所から揚がった。

混乱はまず馬繋ぎから起こり、数知れぬ軍馬が、つなぎを解かれ、火に吹かれ、煙に巻かれて狂い出した。

「裏切りだ、油断すな」

「いや、敵の潜りぞ」

「陣中に、源氏がいる。木曾が忍びこんだぞ」

この火光は、対岸、義仲の陣地からも、手にとるように見えた。

待つこと久し——である。

「いざ、渡れ」

主軍を中に左翼、右翼、くつわを並べて、千曲へ乗り入れ、横田川原一帯の崩れにむかって、突撃した。

水しぶきに濡れ、火のチリを浴び、まっ先に馳け入った女将軍巴のすがたに、敵も味方も、眼をみはった。

葵も、焔(ほのお)の蝶(ちょう)だった。敵中を馳け躍り、逃げなだれる兵を追ってゆく。

かの女たちさえそうである。義仲の猛将ぶりは、いうまでもない。

聞こゆる木曾を眼に見ばや——といった城(じょう)ノ四郎長茂が、眼の前へ来たその義仲の姿を、果たして眼に見たかどうか。

とにかく、越後の国府勢は、この夜、大敗した。大将長茂さえ、身一つで虎口(ここう)をのがれたほどだった。そのほか、万余の兵も、支離滅裂である。さんざんになって、北へ、逃げ争った。

一夜は明けた。雲の峰が高い。

六月の陽(ひ)のかんかん照りの下に、死兵や死馬のむくろが、累々と、夏草に横たわっている。無言の死者の顔のまえに、昼顔の花がひらき、草むらの黒い血だまりには、きりぎりすが、いつものように、啼(な)きぬいた。そして、木曾方の一騎の影も、いまはどこにも見えないのである。勝ちに乗った義仲は、なお、逃ぐるを追って、越後口まで進んでいた。

越後国府（現・直江津）は、古くから北の首都であり、北陸一の水門でもあった。庁の官衙を中心に、国分寺、八幡、祇園ノ社などの輪奐をつつむ森や町なみも美しいし、また〝白川の御館〟とよぶ余五将軍以来の国守の居館は、七郡の要であった。

——が、およそ形のある物で絶対といえるものは、この世に何一つない、という事実を、人びとは、いま茫然と、眼に見ていた。

「あれよ。御館から黒煙が立つわ。ああ御館が焼ける」

「いくさは、城殿が負けたそうな」

「国守殿がやぶれるとは？」

ふしぎでならないような嘆声だった。

あれほどな支配力と、つい先ごろは、眼にも見た大軍を持つ絶対者が、どうして、こんなにもろいのか。

いったい、国守をさえ打ち負かす敵とは、どれほど強い軍勢なのか。

浜辺でも、町の辻々でも、空にみなぎる黒煙を仰ぎながら、その日の様相を、ひと事のようにながめている顔が無数である。

やがてかれらは、眼のいろ変えた国府勢の将士が、西へ東へ、逃げ落ちて行くのも見たし、御館の女房や女童たちが、さんばら髪の郎従の背に負われたり、馬の背にしがみついて、いずこともなく落ちてゆく姿も見た。

するともう、その日のうちのこと。

敗者の退場と入れ代りに、新たな主人の部下が、われ先にと、町辻や炎の下へはいりこんで来た。

「これは、木曾殿と申し奉る源氏の大将が御軍勢にてあんなるぞ。——木曾殿は智勇兼備の君、領下の民には、やがて御仁政を布かるるであろう。——騒がず、恐れず、稼業につきおれい」

おそらく、その木曾殿の内で、名のある部将たちにちがいあるまい。

かち武者、数十名をしたがえた部将の一群が、まだ煙っている町中を、布令まわしつつ、馳けて行った。

「このさい、騒ぎに乗じて、盗みを働く者は、仮借せぬぞ。みだりに、流言を信じるな。根もない、流言を放つ者は、斬罪なるぞ」

「平家を匿まう者は、届け出よ。名のり出でたる者は、免されん。——日ごろのよしみとて、城家の郎党など匿まいおかば、後日のたたりぞ」

「火を出すな。火放けに備えよ」

「すべて、木曾殿のお布令を待ち、かまえて、いたずらに、走り騒ぐまい」

高々と、こう布令して去った木曾武者の声に、庶民たちは耳をすました。そして家々は、ほっと、いつものように寝た。

夜が明けてみると。

夜来の兵馬が、黒々と、なお辻固めしていたが、御館の煙は、薄らいでいた。諸所には、高札が立ち、僧俗男女が、その前で群れ騒いでいる。

かれらは、新しい国府の主人が、木曾次郎義仲という人に変ったことを、事実として、うけ取っている顔つきなのだ。

それにしても、きのうまでの国守長茂が、わずかな郎従に守られて、妻子眷族を連れ、遠い会津へ落ちて行ったと聞くと、天変地異のあとのように、かえって、日をふるに従い、庶民たちの生業にも心にも、何か、不安を増していた。

和銅、天平年間の遠いころから、戦いもなく暮らしてきた北陸の漁村も町も、また、時の潮の外ではなくなって来たのである。

謎めく卿

七月十四日、改元があった。治承五年は、その日以後、養和元年とよばれ出した。

都は、その後も、落ち着きがない。

平大納言時忠の、治安への努力も、いっこう、なんの効いもなかった。

奇怪な流言やら、院の策動やら、清盛亡き後は、むしろ、増してきた傾きさえある。

（平家にも、勇武はあるぞ。入道殿の子にも、武将の器がないではない。――われを侮ずる者は、こうぞ）

さきに、墨俣（すのまた）で大勝を博した重衡や維盛の大軍は、凱旋（がいせん）の日、特に都大路をうちわたして、無言の示威を行った。

洛中も、山門も、院も、心なしか、ふた月ほどは、静かであった。

後白河法皇は、清盛の亡き後、表面は至極おつつしみを示しておられるやに見える。

法住寺殿（ほうじゅうじでん）の修理が成ると、法皇はそれへお移りになって、むかしのごとき〝院政〟と院中の御生活にもどられた。そして、

「――東大寺も復興せねばなるまい。故（こ）浄海入道の罪業消滅（ざいごうしょうめつ）のためにも」

と、大仏殿再建の議を、政事（まつりごと）の第一に取りあげられた。

また、宗盛の請いによって、奥州の藤原秀衡へ、

「みちのくの兵馬をもって、鎌倉の頼朝を討ち、東北の平氏のために、気勢をあげよ」

という宣旨（せんじ）の使いを派し、同時に、秀衡を、陸奥守（むつのかみ）になされた。

こういう風に、都では、諸州の大乱を見ながら、いまだに、古い観念と政策から、一歩も外へ出ていない。

入道清盛のあととりは、むろん宗盛であるだけに、宗盛自身は、このごろ、身を持すること重く、院参も怠らず、六波羅、西八条にもよく臨み、何事によらず、一門を会して、衆議に問い、同族の和と、外敵の対策に心をくだいているのではあった。けれど何ぶん年はまだ四十にもとどかないし、父入道とは、天分の器量も肚（はら）の大きさもまるで違っている。父入道のような、人を人とも思わない線の太さや、大抜けに抜けた点もない

代りに、宗盛の肌あいには、他から溶け親しまれる味もないのだった。肥えて丸っこい体つきのとおり、円満ではあるが、どこか思慮は生ぬるくて、ただ「お人のよい君」と、いえるだけが、まずまず、一門の上に立つ取り得（とえ）となっているに過ぎない。

従って、院参はしても、法皇のおん前に出ては、清盛のごとく、法皇とも対等に、あたりを払う、というわけにはゆかなかった。

一門の人びとは、その歯がゆさを思うたび「せめて、禅門の亡きあとに、たとえ数年が間でも、小松殿（重盛）が世におわせられたら」と、何かにつけて、返らない嘆声も出る……。

こういう間に、七月の改元となり、養和と改まった早々のことである。

恃（たの）みとしていた、越後国府の城ノ四郎長茂は、人敗して、会津へ逃げ落ち、将士の大半は、木曾に降伏したと、分かってきた。

「すわや、木曾が、北陸へ伸び出たか」

今さらのように、平家一門は、仰天した。東国の頼朝以外に、もう一つべつな魔雲を、北方の空に見たのだった。

八月十四日。

およそ七、八千騎の兵馬が、北へさして行った。

木曾討ちの大将は、中宮亮通盛（ちゅうぐうのすけみちもり）、但馬守経正とのことだった。

こえて、九月には、もう越中方面で、木曾勢との合戦が起こっていると聞こえてきたが、いずれが勝ち色やら負け色やら、遠山のあらしみたいに、都の内では、取沙汰もたしかでなかった。しかし、冬にはいると、人びとは眼にさえ見た。

その通盛や経正も、やがて、都へ引き揚げてきたのである。

「北の国々は、もう馬も進めぬほどな大雪。戦も春まではないによって」

と、家に帰った将士は、人に会うと話しているが、それにしても、勝った話は一つもない。

この冬には、平家方の内輪に、もうひとつ、晴々しない事件があった。

例の、熊野の裏切り者、別当湛増らの露骨な源氏加担を、捨ておけずとして、池頼盛を、総大将に任じ、もう秋には、出軍のはずだった。

ところが、頼盛は、何かと、事に託して、遅延しているばかりでなく、冬にはいっても、出馬の様子はなく、このごろでは、

「心は逸れど、病のために」

と、閉じ籠ってしまったのである。

「仮病ぞ。池殿の病は、口実にすぎぬ」

もちろん、非難の声は高い。

すでに、池頼盛の心と、一門の猜疑のあいだには、清盛の生きていたころから、大きな割れを見せていたことでもある。

（――池殿こそは、ひそかに、鎌倉の頼朝と、多年、気脈を通じている）

と、いうことに含むものがあった。

頼盛の実母、池ノ禅尼の旧恩を忘れがたい——というのを口実として、頼朝は、たくみに、頼盛を利用しようとし、頼盛は「つれなき同族の冷たさよりは」と、鎌倉へ、心をひかれているという見方である。

この推測が、あたっているか否かは、当人の頼盛以外、たれにも、明言できることではない。

しかし、任命後、一ヵ月余も、なお頼盛が、出馬せずにいたことは、その疑いを、一そう、根づよいものにした。

ついに、加賀守為盛が、かれに代って、熊野へ出撃したものの、そんなこんなの紛紜のうちに、養和元年は、はやくも暮れ、年は、養和二年（その年の五月改元・寿永元年）へ移っていた。

弁財天喧嘩

養和二年の二月。

頼朝は、人をやって、伊勢大神宮へ、願文をささげた。

中四郎維重、長江義景などが、代参として、伊勢へ立ち、翌月つつがなく、鎌倉の府へ立ち帰った。

「もはや、伊勢路も、鎌倉への道となったな」

頼朝は、いった。

侍座の堀藤次や三浦義澄にも、その意味がよく解らなかったが、あとでは、頼朝のことばに、言外なふくみを、思い当った。

伊勢は、平家発祥の地だ。伊勢平氏の名もあるほど、平家の根づよい地方である。

その伊勢の国さえ、もう鎌倉の人間が、大手を振って、往復して来たではないか。

——それを頼朝はいったものにちがいなかった。

伊勢ばかりではない。志摩も熊野もである。

なびかぬ草もないように、時運は、鎌倉へ鎌倉へと幸いしていた。自然、道はここの新府に通じてくる。

傾く西の、古い都と。

興る鎌倉の、新しい府と。

こうも、なんとなく色めきの違うものかと、人も思った。

由比ケ浜の波に洗われて昇る毎日の日の出の色までが、都で見る朝の陽とは、かがやきが違うようであった。漁夫の浜歌や、町屋の朝けむりまでが、生業の活気にみち、夜さえ明ければ、そこの浜べに、騎馬遠矢の競いに熱しる御家人たちを見ぬ日はない。

「ホウ。やっとるな。やっとる」

よく声をかけて、浜を通る偉僧がある。

「どこの僧だ。あの横柄な坊主は」

「高雄の文覚だ」

「え、あれか。……あれが、鎌倉殿の御帰依浅からぬ文覚上人か」

「先ごろから鎌倉へ来て、以来、何しにゆくのか、よく江ノ島へ通うておる」

文覚の江ノ島通いの目的が、なんであったか、まもなく、公に分かった。

それは、四月五日。

頼朝の江ノ島詣でが布令出されたからである。

海風も肌寒くない季節。――供には、北条父子、足利冠者、新田、畠山、下河辺庄司、結城、土肥、宇佐美、佐々木兄弟、和田、三浦などの、幕下の人びとだった。

腰越から由比ケ浜へかけて、その長い列は、風を染めるばかりな色と光を描いた。

江ノ島には、文覚が、待っていた。

この日には、文覚が島の岩窟に勧請した弁財天の供養が行われたのである。

そして、頼朝の参詣を請うた後、文覚は、岩窟にこもって、その日から二十一日間の断食にはいった。人びとはひそかに――「平家調伏の祈願であろう」といいあった。

頼朝は、また、武州金沢へまわって、牛追物を見物したり、若者たちに、汐干狩などさせて遊び、

「政子の、みやげに」

と、かれ自身も、貝など拾って、持ち帰った。

みだい所の政子は近く、産屋にはいるべき妊娠であった。

やがて、八月十三日、かの女の産屋は、呱々の声をあげた。珠のような男の子（後の頼家）だった。頼朝の満足は、いうまでもない。

鎌倉じゅうが、よろこびに沸き、若宮八幡には、雪白の神馬も献納された。しかし鎌倉のたれよりも、肚のそこから、ある喜悦に燃やされていたのは、北条時政であったろう。およそかれのここ数日は、ほくほくと、ただもう、落ちつきもない態にみえる。

――かれとしては、むりもない。

かつては、配所人の頼朝と、ゆるしがたい火のごとき恋をして、「この親をも、一族をも、見ごろしに、殺す気か」と、その放埒を恨んだこともあるわがまま娘が、いまでは鎌倉殿のみだい所である。

しかも、鎌倉殿の世継を生んだのだ。――源家の嫡々たる男の子を。

（わしは、政子の父、鎌倉殿の舅。そしてまた……）

と、考えるだけでも、かれは幸福にひたりきった。わが事成れり、と思われてくる。

ところが、親心は、そうばかり安心していられないこともあった。

かれの妻の牧ノ方が、ある時、いうのである。

「新田殿の御息女は、まだ女童のころ、悪源太義平殿と、いずれは夫婦にと、親同士のいい交わしがあったおひとでございましょうに」

「それが、どうしたのか」

「近ごろ、新田義重殿が、おかみの御不興をこうむったのは、その御息女のためとやら……」

「たれが、そのようなおうわさを」

「たしかなお人から聞いたのです。おかみには、いつのまにか、新田殿の御息女の……いくらお美しいとはいえ……もう年も三十路をすぎたおひとへ恋慕あそばして、祐筆の広綱に、艶書をもたせ、ずいぶん御執心をお寄せなさいましたそうな」

「ふうむ。……そして」

「新田殿は、ああした武骨なお人、それに、御息女とても」

「突っぱねたのか」

「ええ。その御鬱憤から、遠ざけられたのだと、寄り寄り、人は申しております。御存知ないのは、あなたぐらいなものでしょう」

「いや、あの君のことだ。その道にかけては、油断もすきもありはしない。とはいえ、みだい所の御懐妊中のでき事、男の身とすれば、これは、無理でもないがの」

「滅相もない。何が、ご無理もないのですか。ちと、お気をくばってくださいませ」

「これこれ、めったなことを、ゆめ、産後のみだい所のお耳になど入れてはならぬぞ」

時政は、いましめたが、それも忘れたころになって、また、頼朝の好色な艶聞が、ちらと、牧ノ方の耳にはいった。

産後の肥立ちは極めていい。

しかし、まだ百日目ぐらいなものである。政子は、頼朝とふたりきりで、耳の根を美し過ぎるほど、紅くしていた。

「いっそ、こうぞと、実を仰っしゃってくださいませ。……政子は、昨夜もよう眠ってもおりませぬ」

「幾たび、ひとつ事を、くり返すのだ。……そも、たれがそのような告げ口を」

「いいえ、たれが告げないでも、わが良人のこと、妻が知らずにおりましょうか。さあ、仰せ遊ばせ。……正直にお聞かせ給われば、政子とて」

「でも、知らぬことは知らぬ。……なるほど、亀ノ前という女子は、儂が配所にいたころは、側に仕えていたが、その後は、たえて消息も聞いておらぬ」

「どうしても、亀ノ前の居どころを、お隠し遊ばすのでございますね」

「くどい」

「もう、伺いますまい。ようございます。わたくしにもわたくしなりの考えもございますから」

「考えとは」

「御自身、ひた隠しに、お隠しになりながら、ひとに胸問い遊ばすいわれはございますまい」

一子が生まれてからは、ひとしお、愛情の肌目のこまやかな夫婦だったのに、ある日、こうした争いがあった。

すると、十一月初めごろ。

頼朝の祐筆、伏見広綱のやしきへ、突然、大勢の猪武者が暴れこんで来た。そして主の広綱を袋だたきにしたあげく、家財調度など、手当り次第ぶち壊し、さらに家探ししてまわりながら、

「亀ノ前が、隠れおろう。みだい所様のおいいつけぞ。亀ノ前を渡せ」

と、わめいた。

広綱は、足腰もきかないほど、痛めつけられていたが、すきをみて、離亭の一間へまろび込んで行き、そこに、衣打被いておののいている亀ノ前を、背なかに負い、庭門から、どこかへ、逃げて行った。

避難先は、大多和五郎義久のやしきだった。

事の次第は、義久から、すぐ、頼朝の耳へはいった。頼朝は、気色ばんで、

「乱暴者は、たれの奉公人か」

「まぎれなく、牧殿の家来どもであったと、広綱殿は申しております」

「なに。牧宗親の」

「はい」

「それで分かった、よろしい。……」と、頼朝は、じっと感情をころしてから、「亀ノ前が身は、しばし、そちの屋敷に、匿まいおけ。そして、彼女には、そなたから、余り

案じぬように……ようなだめておくがよい」

「はっ」

「いずれ、微行で参る。数日のうちには」

頼朝は、それから三日ほどの間、自分もさりげないていで、政子の顔いろを、うかがっていた。

かの女の容子からは、何も探り出せなかった。むしろその二、三日間は、明るい微笑さえ多く見た。

幾日かの後。

頼朝は、遠乗りにことよせて、大多和五郎義久の家を訪ねた。

「牧宗親を、ここへ呼べ」

牧三郎宗親は、時政の妻、牧ノ方の実父である。

「おのれは、もってのほかのやつよ」

宗親を見ると、頼朝は、幾日かのあいだ耐えていた怒りを、いちどに、ぶちまけて、

「さ、じつを申せ。たれに頼まれて、亀ノ前の隠れ家に狼藉したか」

と、その首すじを、足で踏んまえて、糾明した。

宗親は、恐れおののいて、

「まったくは、みだい所様の、おいいつけにございました。ほかならぬお方の厳命、否みがたく」

「なに、政子のさしずだと。……だが、政子が、亀ノ前の居所を、知るはずもない。みだい所へ、さような告げ口をした者はたれか」

「牧かと、存じまする」

「北条の内儀か」

「はい」

「どれもこれも、小姑面(こじゅうとづら)して、事好みな忠義立てよ。儂(み)にとっては、迷わく至極。みだい所を重んずるのは、神妙とも申せようが、頼朝のわたくし事、一家の秘事、なぜ先に、頼朝の耳には入れぬか。——奇っ怪なやつめ、勘当する、いずこへなと退散せい」

よほど、腹が立ったに違いない。宗親の片鬢(かたびん)をそぎ落して、外へつまみ出させた。

それだけなら、まだよかったろう。

頼朝は、その晩、義久のやしきに泊ってしまった。亀ノ前の大きくうけた心の傷手(いたで)を、どんなにもして、いたわってやろうとする男心のために。

配所にいたころは、この亀ノ前を、頼朝は、余り好きでもないような風だった。政子に気がねしていたのか、里家(さと)へ帰れよがしに、無情(つれな)くしていた。

その後、かの女は、里家の良橋(よしはし)入道の許へ帰っていたが、頼朝の迎えに、鎌倉へ来て、じつはもう去年ごろから、家臣のやしきに預けられ、おりおり、頼朝と会っていたのであった。

以前は、男心も解けない、閨(ねや)のはなし相手にもならない、ただおどおどばかりしている蕾のような田舎武家のむすめではあったが、男の無情につき放されてから、かの女は急に、自己の女を開花していた。いまではもう、頼朝の夜の心は、産後の政子の嬰児臭い肌よりも、亀ノ前の、女の曙のような色と熱度の肌にひかれていた。

内訌

あくる日。政子と頼朝のあいだに、はげしい争いが起こった。

これは、どうしても起こらずにいない喧嘩である。「昨夜はどこへお泊り遊ばしましたか」と、型どおりな詰問から始まって、

「仰っしゃいませ、仰せられぬは、後ろめたいからでございましょう。鎌倉殿とも、仰がるるお人が、そのようなお示しで、よいものでしょうか」

と、手きびしく、きめつけた。

凡下の夫婦喧嘩とちがい、激しても、胸ぐらを取ったり、手出しはしないが、おりおりな夫婦の高声は、大殿を透って、侍者の間までも、ひびいて来た。

頼朝ほどな良人だが、口喧嘩では、政子に勝てたためしはない。ややもすれば「……むかし、御配所におわしたころは」と来るからである。いかに、自分が恋に命を賭け、一族の運命までも親に賭けさせたかを――うるみ声で――気は烈しいくせに女のうるみ声でいわれると、良人は、もう二の句も返せない。

あだかも、家付の娘と入婿とのようにである。黙ってしまうほかはないのだ。

するとその日、

「北条殿が、おかみのお仕打ちをお恨み申し、はや故郷へ引き籠らんと、奉公人大勢つれて、にわかに、伊豆へ帰られたそうでございまする」

と播磨の邦通が、あわただしげに、奥へ告げて来た。

こんな場合にも、黙って、奥殿まで通れる者は、配所以来のかれしかいない。

「や。北条が、国帰りいたしたと」

もう夫婦喧嘩どころではなかった。

「政子、どうしたものであろ」

「父は父の考えでしたことでしょう。わたくしの存じたことではありません」

「……邦通」

「はっ」

「時政は一徹者、由来、年がいもなく、怒りっぽい男なのだ。しかし、息子の江馬（四郎義時）は、思慮も静かな武士、見てまいれ、江馬の屋敷を」

邦通は、馬をとばした。

頼朝のいったとおり、江馬四郎義時は、いつものように、屋敷にいた。――仔細を告げて、邦通は、義時を誘い出し、ともに、頼朝夫妻の前に戻って来た。

「おったの、やはり」

義時の姿を見ると、頼朝は、何もかも、安心した。まだ、白面の若人ではあったが、親の時政以上な何かが内に潜んでいる。人柄は、至って無口で無表情で、一見、冷たくはあるが、底光りのする才と胆気の持主たることを、頼朝は見のがしていなかった。

「……姉君。また、おかみと痴話喧嘩ですか。いいですなあ。武将が馬を進める日には妻子のことも頭にはありません。……ですから、家の女性は、捉えどこ勝負ですよ。自分の側にいる日の男を、むだに見過しておいてはいけません。昼も夜も、大いに、おやりなさいませ」

冗談顔でもなく、義時は、まじめにいう。

この弟だけは、姉君とよんで、この弟だけは、にが手なのである。義時が顔を出すと、政子にも、なんとなく、みだい所様とはいわない。

政子の嫉妬も、何かの怒りも、水をかけられたように消えてしまう。

しかし、こんどばかりは、そうもいかなかった。――やがて、亀ノ前は、そっと、小中太光家のやしきへ、宿替えをしたし、また、さきにかの女を預かっていた祐筆の広綱は、祐筆の職をはがれて、遠江の田舎へ、左遷されてしまった。もちろん、政子の虫がおさまらないための犠牲であった。

家の内輪と、家の表と。表裏は、どこの家にもある。鎌倉殿の家庭とて、例外ではない。

しかし、鎌倉新府そのものの大世帯は、養和、寿永にわたる一年の余、決して、その成長を休止していたわけではない。

行家の奔放な野望やら、また、常陸の先生義広の謀叛など、頼朝にとっていずれも、目上にあたる叔父どもの仕事であった。その叔父どもが、いい合わせたような裏切り行為に出たことに鑑み、

「平家は、さいごの敵。いまは、東国をかため、内をかため、後の禍いを断つことだ」

と、かれが考えたのは当然である。そうした遠い思慮のもとに、力を蓄えていたのだった。

その力を用うべしと、ついに、かれの決断する日は近づいた。平家に向かってではない。木曾義仲に対してである。

ここ一年余りの信濃、北陸方面の迅い変り方に、頼朝は、驚目していた。疾風迅雷とでもいうような木曾の進出ぶりと、日々に加えてゆく昇天の勢いにである。

おなじ源氏ではある。ともに、平家をたおさんとする目的の勢力でもある。

が、頼朝は、よろこべなかった。「木曾も、後の禍い」と、かれには見えた。

しかも、義仲については、いろいろな讒が、耳にはいる。ひとの讒訴にうごかされるかれでもないが、かれとして、ゆるし難い、不快な事実を、知っていた。

――墨股の敗戦後、姿を消した新宮十郎行家の行方だ。

その行家は、いつのまにか、義仲の帷幕に加わり「木曾殿こそ、以仁王の令旨を奉ず

るまことの大将、ゆく末の天下人は、この君なれ」とか、鎌倉殿は、その器でないとか、放言しているとのこと。

行家は、捨ておけない。ところが、常陸の義広も、また常陸落ちの後、今では、木曾軍の中にいるといううわさだった。

「義仲こそは、この頼朝を超えて、おのれまず、源家の旗を、中原に先んぜんとする者だ」

頼朝は、じっくりと、肚をきめた。そしてにわかに、八州の源氏に令をくだして、義仲の罪をかぞえあげ、総勢一万余騎、碓氷をこえて、浅間高原に、布陣した。

寿永二年三月の末であった。

高原の春は浅く、黒姫、妙高の遠い山々には、まだ雪が光っていた。なぜか、かれはふと、こんな天地の大気に触れながら、政子との、日ごろの痴態を思い出していた。ひとりで、おかしさに、くすぐられた。

かの女のそばに身を与えているときの自分。ここに立って、「木曾、いかに出るか」を、刮目している自分。それは一人であって、また、まったくべつな男性でもあった。しかし、真実の自分は、いま、大望に直面して生命を賭している鉄のごとき一個のものだ。この姿を、ほんとの姿の良人を、まだ知っていない留守の政子が、ふと、不憫にも思えたのである。

皇室関係略系図

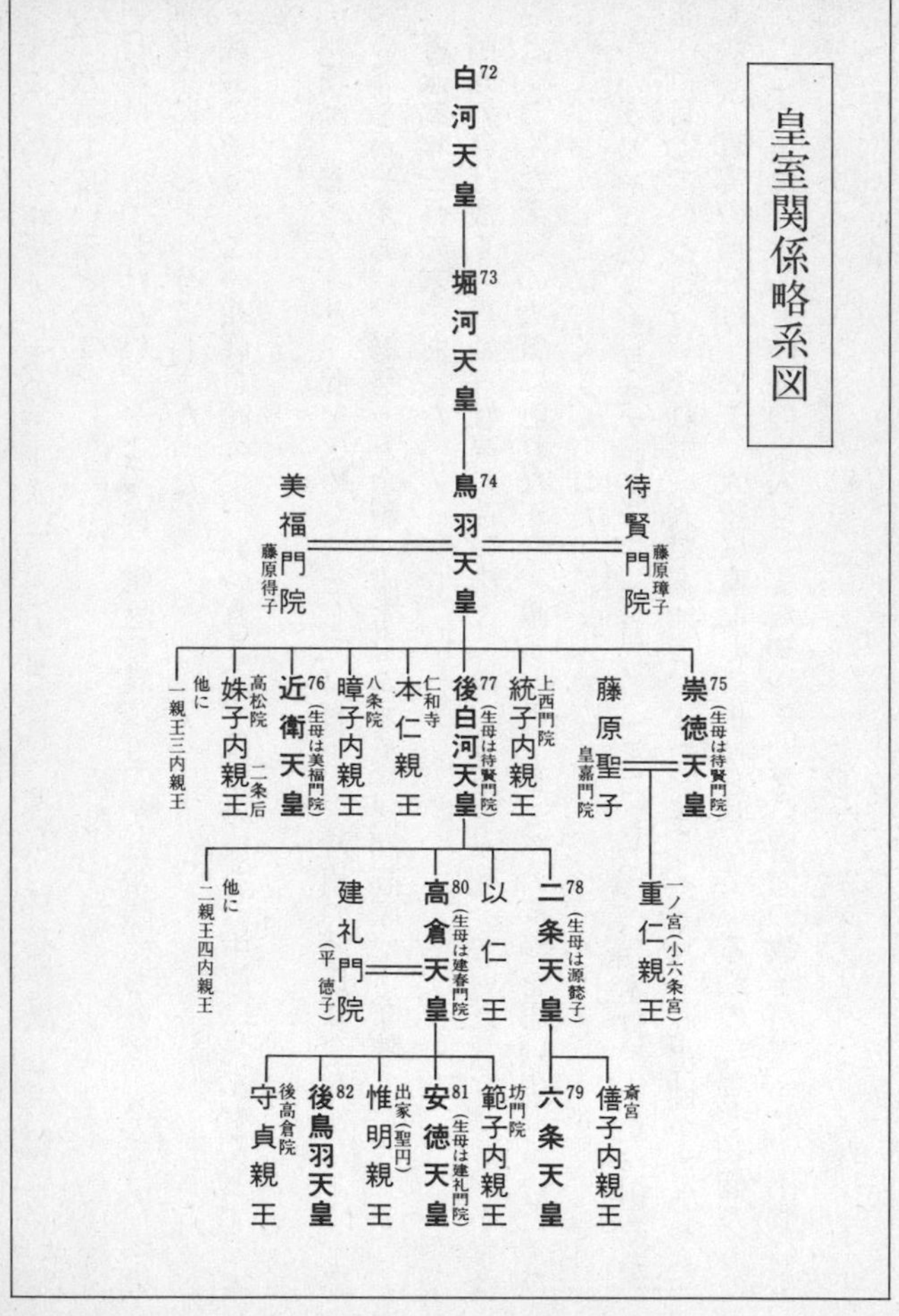

白河天皇 72
堀河天皇 73
鳥羽天皇 74
待賢門院 藤原璋子
美福門院 藤原得子
崇徳天皇 75（生母は待賢門院）
藤原聖子 皇嘉門院
重仁親王 一ノ宮（小六条宮）
統子内親王 上西門院
後白河天皇 77（生母は待賢門院）
本仁親王 仁和寺
暲子内親王 八条院
近衛天皇 76（生母は美福門院）
姝子内親王 高松院 二条后
他に 一親王三内親王
二条天皇 78（生母は源懿子）
以仁王
高倉天皇 80（生母は建春門院）
建礼門院（平徳子）
他に 二親王四内親王
僐子内親王 斎宮
六条天皇 79
範子内親王 坊門院
安徳天皇 81（生母は建礼門院）
惟明親王 出家（聖円）
後鳥羽天皇 82
守貞親王 後高倉院

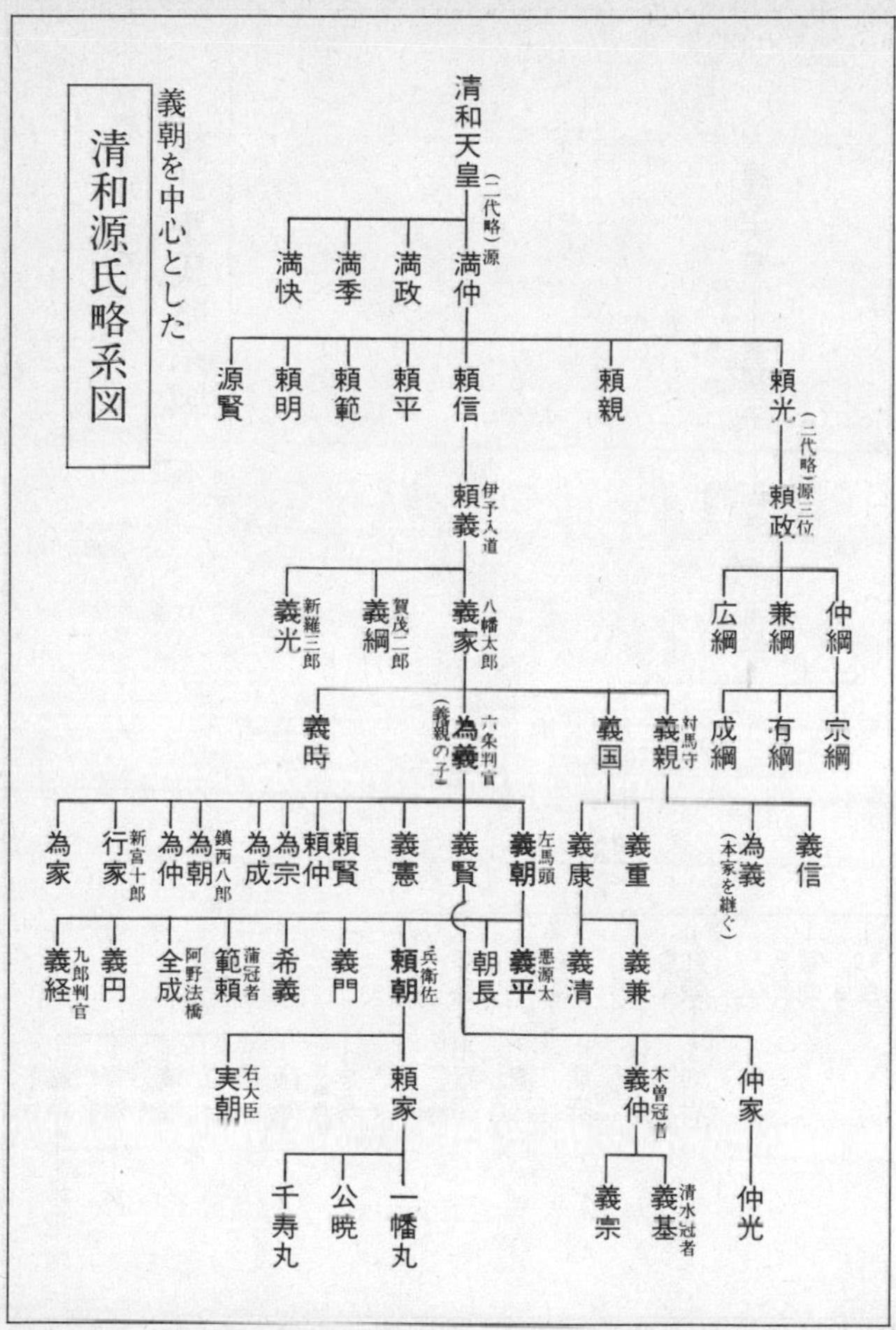
清和源氏略系図
義朝を中心とした
清和天皇
(二代略)源
満仲
満政
満季
満快
頼光
(二代略)源三位
頼政
仲綱
兼綱
広綱
宗綱
有綱
成綱
頼親
頼信
頼平
頼範
頼明
源賢
伊予入道
頼義
八幡太郎
義家
賀茂二郎
義綱
新羅三郎
義光
対馬守
義親
義国
六条判官
為義
(義親の子)
義時
義信
為義
(本家を継ぐ)
義重
義康
左馬頭
義朝
義賢
義憲
頼賢
頼仲
為宗
為成
鎮西八郎
為朝
為仲
新宮十郎
行家
為家
義兼
義清
悪源太
義平
朝長
兵衛佐
頼朝
義門
希義
蒲冠者
範頼
阿野法橋
全成
義円
九郎判官
義経
仲家
仲光
木曽冠者
義仲
清水冠者
義基
義宗
頼家
右大臣
実朝
一幡丸
公暁
千寿丸

清盛を中心とした 桓武平氏略系図

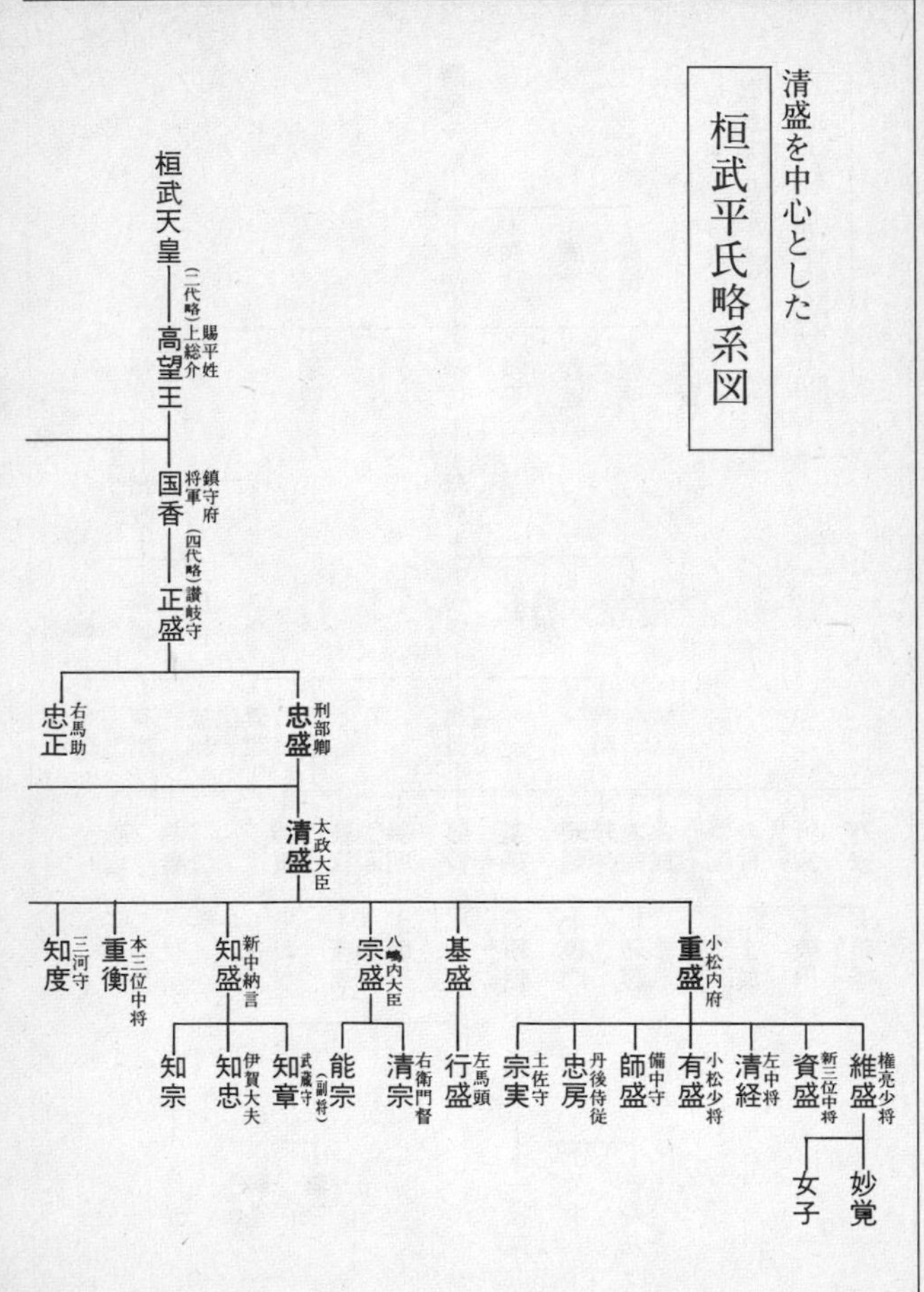

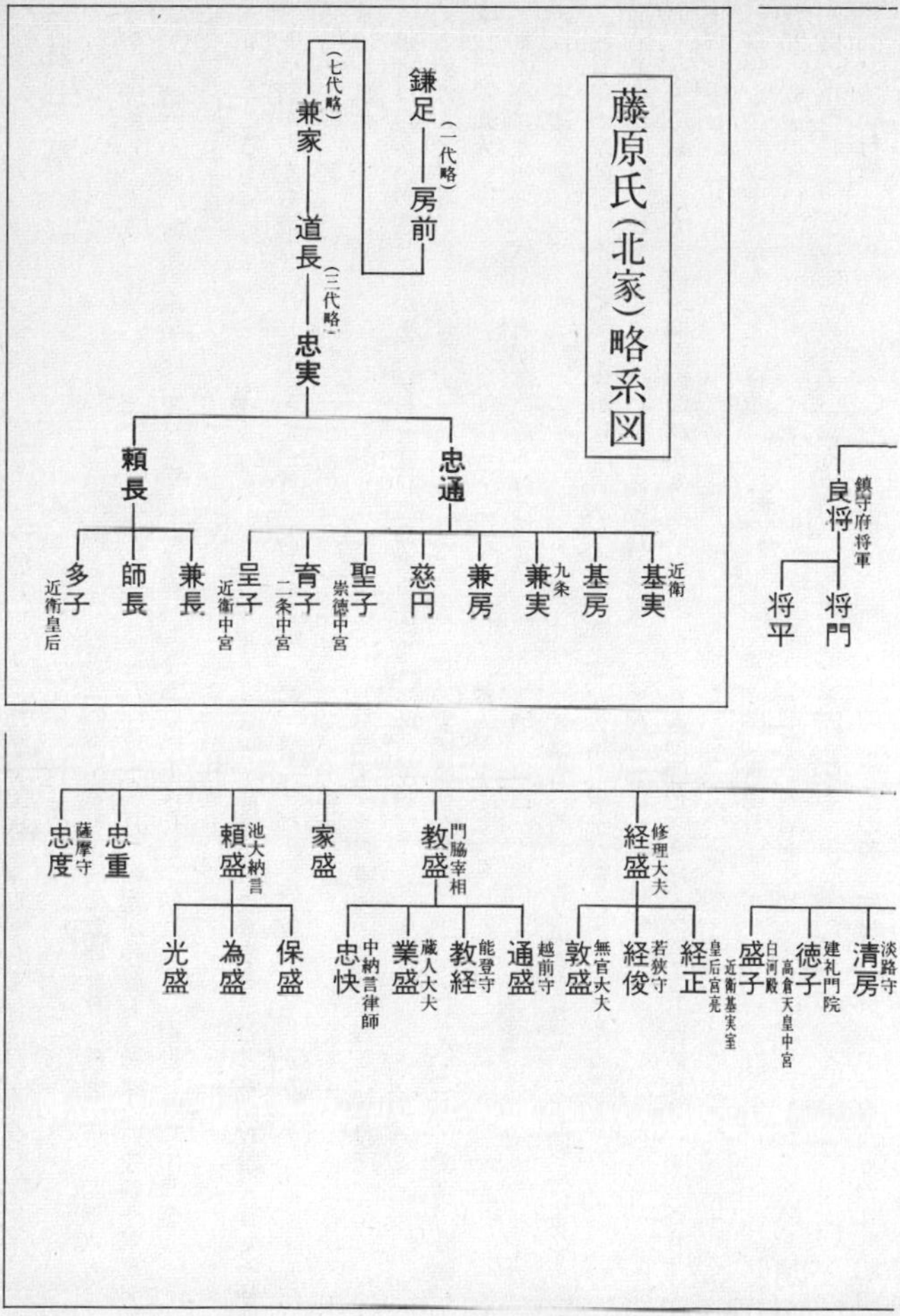

藤原氏(北家)略系図
鎌足
(一代略)
房前
(七代略)
兼家
道長
(三代略)
忠実
忠通
頼長
近衛 基実
基房
九条 兼実
兼房
慈円
聖子 崇徳中宮
育子 二条中宮
呈子 近衛中宮
兼長
師長
多子 近衛皇后
良将 鎮守府将軍
将門
将平
経盛 修理大夫
教盛 門脇宰相
家盛
頼盛 池大納言
忠重
忠度 薩摩守
経正 皇后宮亮
経俊 若狭守
敦盛 無官大夫
通盛 越前守
教経 能登守
業盛 蔵人大夫
忠快 中納言律師
保盛
為盛
光盛
清房 淡路守
徳子 建礼門院 高倉天皇中宮
盛子 白河殿 近衛基実室

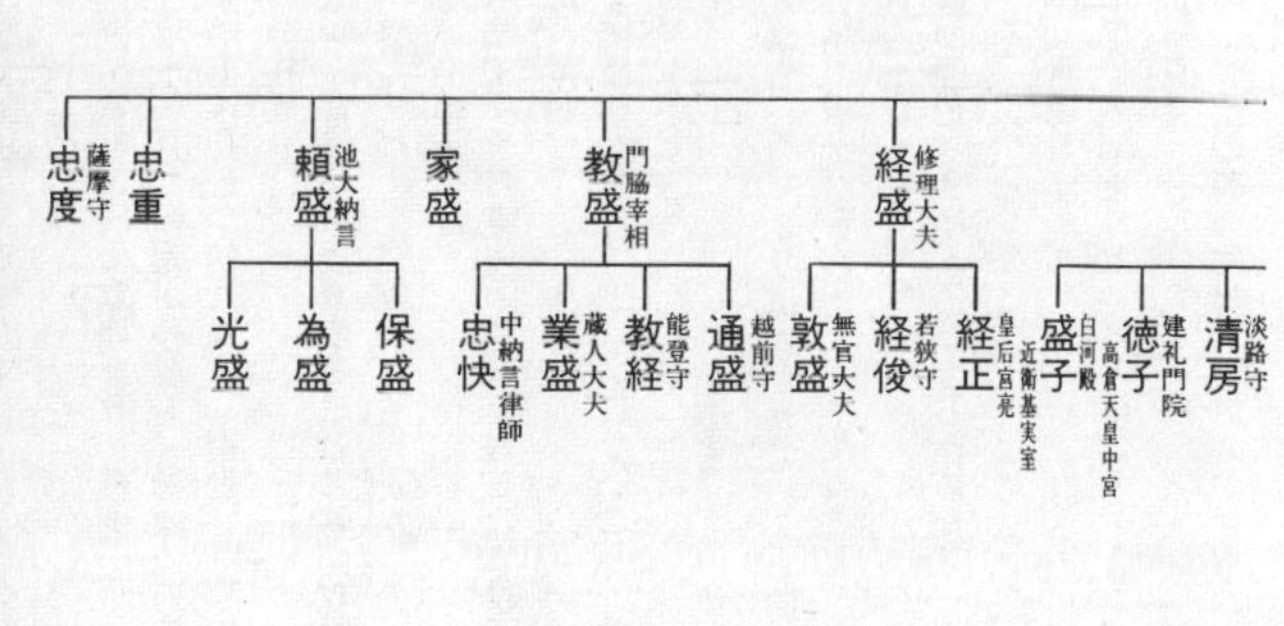

註解

＊7 矢文
矢に結びつけ、射て、先方に届ける手紙（文書）。「矢の催促」の手紙。

＊9 しころ
兜や頭巾の左右後方にたれ下がって、首すじをおおうもの。錣、錏。

＊10 螺兵
螺はほらがいのことだから、螺貝を吹いて命令を伝える兵のこと。通信兵。信号兵。

＊11 不知火
夏の夜、九州の八代湾や有明湾にみられる怪火。

＊12 不破ノ関
岐阜県の南西部、不破郡関ケ原町松尾にあった東山道の重要な関所。日本三関の一つにかぞえられ、芭蕉の「秋風や藪も畠も不破の関」の句碑がある。

＊15 怪しいこと
異常なこと。不思議なこと。怪事。

＊20 騎虎の勢い
勢いに乗じて、途中でやめにくいようす。

＊38 論功行賞
功績を論決（評定）して、相当する賞を与えること。

＊39 侍所
鎌倉・室町幕府の重要な政治機関。治承四年（一一八〇）十一月、頼朝が設置し、御家人の統制や軍事・警衛に当らせた。初代長官（別当）は和田義盛。

＊44 後巻き
敵を、背後から攻撃すること。背面攻撃。うしろぜめ、うしろづめ、ごぜめとも。

＊48 公事所
訴訟及びその審理・裁判をおこなう役所。

＊52 愛執
愛情にひかされて思い切れないこと。愛情、愛欲に執着すること。

＊54 口占
言葉や、話しぶりに隠されているもの（口裏）。人の言葉の様子から吉凶をうらなうこと。

＊77 一顰一笑
人の顔色。きげん。顔をしかめたり、笑ったりすること。「一顰一笑をうかがう」などという。

＊89 世迷言
不平や愚痴をくどくどいうこと。また、その言葉。

＊90 阿字
阿は梵語の第一字母で、アルファベットのAに相当

する文字。宇宙万物は元来不生にして不滅であるという真理。

＊110　**御幸**　上皇、法王、女院のおでまし。天皇の場合は行幸。

＊126　**長虫**　ヘビ類の俗称。

＊126　**氏寺**　一族の冥福と、現世の利益を願って建てた寺。藤原氏の興福寺など。

＊135　**高欄**　欄干。てすり。また、それのついているもの。

＊190　**庄司**　荘官（庄官）のこと。荘園で領主の代理として年貢の徴収、管理、上納などの諸事務をとったものの総称。

＊228　**除目**　平安時代、春秋二回、大臣以外の官職を任命すること。また、その儀式。

＊246　**後門の狼**　「前門の虎後門の狼」とつづき、表門から侵入しようとする虎を防いだが、裏門からすでに狼が進入してきた――から、一つのわざわいをのがれても、更にまた他のわざわいにあうことのたとえ。

＊247　**故典**　古くからの法式。いにしえの典礼。こでんとも。

＊263　**湛増**　大治五年～建久九年（一一三〇～九八）平安末～鎌倉初期の僧。熊野新宮別当湛快の子。平家から源氏に心変りした経緯は本文に詳しい。

＊279　**准三后**　諸王・女御・摂政・関白などを優遇するため、太皇太后宮・皇太后宮・皇后宮の三宮になぞらえた称。准三宮、准后とも。

＊286　**賑給**　貧しい人、困窮している人に施し、助けること。賑窮、振窮、賑救、振救とも書き、しんぎゅうとも。

＊291　**無間**　仏教で、無間地獄の略。無間地獄は、八大地獄の一つで、五逆罪をおかした者が、たえず苦しみをうける所。

＊348　**志田先生義広**　？～元暦元年（一一八四）平安末期の武将で、源為義の子・義憲。常陸国信太郡に土着して志太を称したので志太（信太）先生などともよばれた。頼朝の下につくことを望まず、義仲を頼ったが、元暦元年、頼朝方の波多野盛通・大井実春らの兵に討たれた。

＊406　**紛紜**　「ふんうん」の連声。ごたごた。もめごと。入り乱れているさま。

欺(だま)されたねえ

平岩(ひらいわ)弓枝(ゆみえ)

はじめてお目にかかった時に、だしぬけという感じで、

「あなたには、欺(だま)されたねえ」

とおっしゃった。私が直木賞を受賞した夏のことで、吉川先生はその審査員のお一人であった。


なにしろ、こちらは二十代のかけだし、大先輩を前にして緊張していた矢先に、欺されたといわれて、あっけにとられたが、よくよくうかがってみると、吉川先生は審査の段階で、私の作品をてっきり男性で、それも、中年以上の人のものと思い込んで居られたそうである。


「ふたをあけたら、二十代の女性というでしょう。これは、いっぱい食った、きれいに欺されたものですよ」

とお笑いになったが、考えてみると、その頃の私は大学を出て間もなくで、まだ自分の人生観も社会観も歴史観も、なんにもなくて、ただ、恩師である長谷川伸先生や戸川幸夫先生

のおっしゃるままに、教えられることを大事に守って書き続けていたという日々であり、自分の文章も、まだ出来ていなかったのであった。

そういう意味で、吉川先生が、私の作品を中年以上の男性のもの、と判断なさったのは、或る意味で当っていたのに違いない。

何年か後に、フジテレビの番組でインタービュアーとして軽井沢に吉川先生をおたずねした折も、あちらにお出での時はマスコミの仕事は一切、なさらないということだったのに、

「あなたでは仕方がないね」

とおっしゃって、長時間、豊富なお話を大層、御機嫌よくおきかせ下さった。

その日の中に、帰京しなければならなかった私に、見事な果物を、途中、車の中の退屈しのぎになさいと沢山、お持たせ下さったのも、昨日のことのようである。その折の、先生の若々しい青年のような声音も、まだ、そっくり耳の中にあるのだが。

（作家）

新・平家物語の旅(八)

尾崎秀樹（文芸評論家）

吉野山悲歌

十年ほど前に義経の生脱説話に従って、高館から宮古を経て三陸沿岸を北上し、三厩までたどったことがある。その一、二年後には、今度は松前から江差を抜け、沙流川上流の平取まで行った。そしていたるところに義経説話が根を下しているのを知った。

土地の人たちは、実際に義経主従がその土地を通ったと、なかば信じているようだったが、宮古市の西北にある黒森山、判官稲荷、横山八幡、田老町の吉内屋敷跡、普代の鵜鳥神社、久慈市に残る源道のいわれ、八戸の義経居館、弁慶が一宿したといわれる三戸の法光寺、野辺地の馬門温泉に残る滞在説話、三厩の義経神社や馬屋岩とたどってゆくにつれ、私もまた次第にそのとりことなってゆくからふしぎである。

おそらくこの伝承は、奥州浄瑠璃の語り手たちが、御曹子島渡りを語りながら歩んだ跡が、いつしか実在感をもってあとづけられたに違いない。それにしても民衆の判官びいきは際限なくロマンを紡ぎ出してゆくものだ。

兄の頼朝にうとまれ、腰越状を残して京へもどった義経は、土佐坊昌俊の追討をうけて、郎党十数名を率い、静や百合野をともなって堀川館を去り、摂津の大物浦から船出するが、嵐のために遭難、百合野は波にさらわれ、義経は住吉の浜に漂着して吉野へ隠れる。

そして静とも吉野山の大峯口で別れ、多武峯、十津川、伊勢、奈良を経て鞍馬山へもどり、さらに仁和寺の守覚法親王とも相談して、藤原秀衡をたより奥州へ落ちてゆく。

これは「新・平家物語」が描く義経逃亡のコースだが、吉野には義経主従にちなむ史蹟が少なくない。

義経の一行が雪の吉野路をたどって吉水院（吉水神社）へ着いたのは、文治元年十一月十七日だ。一行は五日間そこにひそんでいたが、頼朝の詮議はきびしく、吉水院を立ち去る。そして大峯口で別れた静は、山道を踏みまようちに蔵王堂の僧兵に捕えられ、勝手神社で法楽を舞わせられる。

花の季節に吉野を訪れたことがあるが、このときの取材は秋のはじめで、色づいた樹々が吉野山の別の表情をしめしていた。私は峰を吹き過ぎる冷たい風に身をすくませながら、蔵王堂から吉水神社、勝手神社、横川覚範の首塚、花矢倉、水分神社をまわり、さらに金峰神社から西行庵を訪れた。

金峰神社は美芳野の里とよばれた頃からの土地の守り神である。本堂脇の小道を少し下ると、義経の隠れ塔がある。義経主従はこの塔に隠れていたが、追手が迫ると屋根を蹴破って逃げ出したので、蹴抜けの塔ともいわれるらしい。

そこからさらに山道を登ると、途中から西行庵へ下る道がある。そのあたりは奥の千本とよばれるだけに、花の季節はたとえようもなくすばらしいが、秋ふかい季節もまた寂莫(せきばく)としておもむきふかいものがある。

西行庵はそのおもむきに魅(ひ)かれ、奥へ奥へと誘われたあたりにポツンと建っているが、芭蕉(ばしょう)も秋と春の二度、ここを訪れている。藤村(とうそん)が「山家集(さんかしゅう)」を抱いて西行庵を訪ねたのは二十二歳の春だった。

吉水神社には「義経潜居の間」や「弁慶思案の間」とよばれる部屋もある。室町(むろまち)初期の改築だが、この吉水院は後醍醐天皇の行在所(あんざいしょ)がおかれたところでもあり、豊太閤(ほうたいこう)の花見の本陣でもあって、いくつにもかさなった歴史の厚味を感じさせる。吉野は源平、南北朝の哀史にちなむ史蹟が多く、「歌書よりも軍書に悲し吉野山」という支考の句を思いおこした。

佐藤忠信が奮戦した花矢倉は、「義経千本桜」で知られる。蔵王堂はあいにく本堂を修理中で、全貌をとらえにくかったが、秋の修学旅行らしい生徒の一団が境内(けいだい)をうずめていた。

安宅の故事

義経の一行が平泉へ下るコースはいろいろに伝えられるが、安宅の関跡は謡曲や歌舞伎で知られているだけに、動かない印象を一般に与える。

当時の安宅の関は、日本海岸の浸蝕で遠く海中に没してしまったようだ。しかし住吉神社の裏手の砂丘には、義経や弁慶、それに富樫などの銅像が建っている。「義経記」では「勧進帳」の舞台は小矢部川に子撫川が合流するあたりの如意の渡しとなっているが、潮騒の音を聞きながら松原を歩いていると、義経主従がそこにあらわれても不自然ではない感じになる。

歌舞伎十八番のひとつに選ばれた「勧進帳」は、能の「安宅」を歌舞伎化したもので、「義経記」にもとづいているようだ。頼朝に疑いをかけられた義経は、弁慶ら四天王に守られて、山伏姿に身をやつし奥州へ落ちのびる途中、安宅の関で関守の富樫左衛門にとがめられる。その危難を弁慶の気転と富樫のはからいでうまく脱するというわけだが、「義経記」では安宅の関で弁慶が富樫に問いつめられ、東大寺勧進の山伏だと釈明する。そのくだりと如意の渡しで渡し守に見とがめられ、弁慶が義経を打擲する箇所、および直江津の浦で代官に笈の中をたしかめられる部分が、ひとつになって話ができあがったのであろう。

それにしても勧進帳の読上げから山伏問答となり、折檻を経て富樫のはからい、最後には弁慶の延年の舞や飛び六方（法）による引っ込みとつづく中に、いろいろな見どころがあり、曲調にもすぐれ、みごとな様式美を形づくっている点で、「勧進帳」は歌舞伎十八番にあげられるだけの内容と形式を備えている。

松原の一角には歌碑や文学碑も多く、

松おほき安宅の砂丘そのなかに
清きは文治三年の関

という与謝野晶子の歌碑もあった。

盛衰のはてに

平泉の中尊寺にある弁慶堂は、月見坂の途中の左手にあたる。もとは愛宕堂だったが、山麓の弁慶堂が朽ちはてたために、弁慶と義経の像をここへ移して以後、弁慶堂とよばれるようになった。弁慶が針ねずみのように矢を射られて、壮烈な立往生をとげたところは、衣川が北上川に合流するあたりの一角だといわれるが、現在では月見坂の登り口にその墓がある。土地の言い伝えによると、立往生した弁慶は、実は七つ道具を背負った藁人形で、盛岡の郷土舞踊の剣舞はそれを形取ったといわれる。たしかに弁慶がそこで立往生してしまったのでは、蝦夷地への牛脱説話は成り立たない。東北の田舎では、竹籠の中に藁束を入れ、川魚などを串に通してそれにさしこみ、焼く風習があるが、この藁束をベンケイとよぶのは、弁慶の立往生に由来するとも聞いた。

義経の判官館は高館とよばれる。藤原清衡の時代には絶好の要害地とされていたらしいが、現在では北上川に浸蝕されて狭くなり、義経堂も切りたった断崖の上に位置している。しかしそこからの眺望はみごとで、北を流れる衣川の上流は、前九年の役、後三年の役で知られた古戦場でもある。

芭蕉が「奥の細道」紀行で平泉へ入ったのは元禄二年五月十三日のことだ。高館に足をとめ、時の移るのを忘れて歴史の興亡を思いやった。陽暦に直せば六月二十九日、もう夏である。

夏草やつわものどもが夢の跡

文治五年閏四月三十日、泰衡に襲われた義経はこの高館で妻子を殺し、みずからも腹を切って果てたといわれる。「新・平家物語」では大物浦で消息を絶った百合野が、生きながらえて平泉を訪れ、姫をもうけるが、その二人を義経が道づれにし、持仏堂に火を放って自害するこしらえになっていた。

清衡、基衡二代の居館は「柳の御所」とよばれ、秀衡・泰衡館は「伽羅の御所」と称された。しかし現在では柳の御所や弁慶屋敷は、北上川の川底と化しており、伽羅の御所も記念碑を残すだけとなった。

義経たちが目にしたもので今も残っているのは、わずかに金色堂ぐらいで、北上の流れもすっかり形を変えてしまったが、川をへだてた束稲山の景観や、無量光院の背景をなす金鶏山、毛越寺の後山にあたる塔山などの眺めは変らないと思われる。

それにしても三代秀衡が造営した無量光院は、宇治平等院の鳳凰堂を模したといわれ、基衡夫人が営んだ観自在王院は東西四百尺、南北八百尺の規模をもっていたと伝えられる。とくに平安期の寝殿作り形式による浄土庭園の遺構を残す毛越寺などは、大泉池のほかは礎石を残すだけに、かえって夢を誘われる。

衣川をへだてた一帯は長者ケ原の廃寺跡で、金売り吉次の屋敷跡だと伝えられるが、礎石をみると寺院の跡だとわかる。

「新・平家物語」は武家政治の基礎をかためた頼朝が、建久九年十二月二十七日、相模川の橋供養の帰路、落馬し、それがもとで他界するまでを叙しているが、その源平興亡の歴史は覇道であり、最後の平安を得る者は庶民以外にはないことを語っている。

吉野山の桜がみごとだと聞いた麻鳥は、老妻の蓬とともに花見に行く。一度は無頼の徒にまじった息子の麻丸も、実直な職人に更生し、娘の円も施薬院の医生である安成と結ばれた。麻鳥夫妻は老後を案じることもなく、花の下で激動の時代をふり返り、よくもまあ踏み殺されもせずにここまでやってきたと思い、どんな栄華の人よりも幸せだったとしみじみ語りあう。

吉川英治はこの麻鳥夫妻の述懐を最後にもってくることで、人間の幸せとは何かの問題を読者にあらためて問うているのではないか。人はなぜ位階や権力をもとめて血を流しあうのでしょうかという蓬の言葉は、時代をこえて現代の読者にもふかい共感をよびおこすに違いない。

作者ははじめ壇ノ浦以後の平家敗滅の姿を描いて、戦後の混乱した世相にひとつの示唆を与えたいと考えていたようだ。法然の登場をもって全巻をしめくくるといった構想も抱いたらしい。だが「新・平家物語」は青年清盛の青春から筆をおこし、雄大な歴史叙事詩に発展した。

私もその源平盛衰の跡をたずねて、平泉の地まで歩いたが、その間に去来した思いは、激動の時代に生きた人々の非情な運命についてだ。吉川英治は「新・平家物語と私」の中で、昭和史の激動をふり返り、おたがいにこれほど大きな生きた歴史を体験した時代はなかったといい、それぞれの家で、また肉親の間で、その歴史につながってなまなましい傷手をうけた深刻な国民的体験が、歴史や古典を見る新しい目を養ったことにふれていた。「新・平家物語」はその国民的体験の総和をも暗示する叙事詩なのだ。

吉川英治歴史時代文庫の表記について

吉川英治歴史・時代文庫の表記は著作権者との話合いで、児童作品を除き、次のような方針で行っております。

一、作品は新かなづかいを原則とする。ただし、引用文は原文のままとする。

二、送りがなは改定送りがなに準拠する。ただし、原文が許容されている送りがなを使用している場合は本則によらず、そのままとする。

(例) 引揚げる。打明ける。

また、辺の場合など、ヘンかアタリか、親本のルビを基とし、ルビなく、どちらともとれるときは、辺のままとする。

三、原文の香気をそこなわないと思われる範囲で、漢字をかなにひらく。ただし、作品別、発表年代別に慎重を期する。

(例) 然し→しかし　但し→ただし（接続詞）

噫→ああ　呀→あっ（感動詞）

迄→まで　位→くらい（助詞）

凝っと→じっと　猶→なお（副詞）

儘→まま（形式名詞）

例外の場合

御机→お机（御身→御身（おんみ））（接頭語）

四、会話の『　』は「　」にする。

五、くりかえし記号　ゝ　ゞ　〳〵　々々は原則として使用しない。

なお、一部に不適切な表現がありますが、文学作品でもあり、かつ著者が故人でもありますので、一応そのままにしました。ご諒承ください。

吉川英治歴史時代文庫 54

新・平家物語(八)

一九八九年七月十一日第一刷発行
一九九二年一月十二日第六刷発行

著者――吉川英治
発行者――野間佐和子
発行所――株式会社講談社
東京都文京区音羽二―一二―二一
郵便番号一一二―〇一
電話 編集部 〇三―五三九五―三五〇五
販売部 〇三―五三九五―三六二六
製作部 〇三―五三九五―三六一五

印刷――凸版印刷株式会社
製本――株式会社国宝社

落丁本・乱丁本は、小社書籍製作部あてにお送りください。送料小社負担にてお取り替えします。
定価はカバーに表示してあります。

Printed in Japan ISBN4-06-196554-9

吉川英治歴史時代文庫

全80巻 補巻5

1 剣難女難
2 鳴門秘帖(一)
3 鳴門秘帖(二)
4 鳴門秘帖(三)
5 江戸三国志(一)
6 江戸三国志(二)
7 江戸三国志(三)
8 かんかん虫は唄う他
9 牢獄の花嫁
10 松のや露八
11 親鸞(一)
12 親鸞(二)
13 親鸞(三)
14 宮本武蔵(一)
15 宮本武蔵(二)
16 宮本武蔵(三)
17 宮本武蔵(四)
18 宮本武蔵(五)
19 宮本武蔵(六)
20 宮本武蔵(七)
21 宮本武蔵(八)
22 新書太閤記(一)
23 新書太閤記(二)
24 新書太閤記(三)
25 新書太閤記(四)
26 新書太閤記(五)
27 新書太閤記(六)
28 新書太閤記(七)
29 新書太閤記(八)
30 新書太閤記(九)
31 新書太閤記(十)
32 新書太閤記(十一)
33 三国志(一)
34 三国志(二)
35 三国志(三)
36 三国志(四)
37 三国志(五)
38 三国志(六)
39 三国志(七)
40 三国志(八)
41 源頼朝(一)
42 源頼朝(二)

43 上杉謙信
44 黒田如水
45 大岡越前
46 平の将門
47 新・平家物語㈠
48 新・平家物語㈡
49 新・平家物語㈢
50 新・平家物語㈣
51 新・平家物語㈤
52 新・平家物語㈥
53 新・平家物語㈦
54 新・平家物語㈧
55 新・平家物語㈨
56 新・平家物語㈩
57 新・平家物語(十一)
58 新・平家物語(十二)
59 新・平家物語(十三)
60 新・平家物語(十四)
61 新・平家物語(十五)
62 新・平家物語(十六)
63 私本太平記㈠
64 私本太平記㈡
65 私本太平記㈢
66 私本太平記㈣
67 私本太平記㈤
68 私本太平記㈥
69 私本太平記㈦
70 私本太平記㈧
71 新・水滸伝㈠
72 新・水滸伝㈡
73 新・水滸伝㈢
74 新・水滸伝㈣
75 治郎吉格子 他
76 柳生月影抄 他
77 忘れ残りの記
78 神州天馬侠㈠
79 神州天馬侠㈡
80 神州天馬侠㈢

補巻

1 新編忠臣蔵㈠
2 新編忠臣蔵㈡
3 梅里先生行状記
4 随筆新平家
5 随筆宮本武蔵
随筆私本太平記

＊平成二年十月 全巻完結